마지막은 다정하게

·IV·

마지막은 다정하게

수레국화꽃말 장편소설

IV

D&C
BOOKS

❋ 목 차 ❋

15. 목요일의 아이는 먼 길을 가고

15. 목요일의 아이는 먼 길을 가고

캐시는 이불을 뒤척이다가 눈을 떴다. 창밖이 밝아져 오고 있는 것을 보니 벌써 아침이었다. 눈을 뜨자 자신의 곁에서 엎어져 잠들어 있는 라울린의 등이 보였다. 흉터 많은 등이었다.

캐시는 엄마 미소를 지으며 조용히 손 내밀어 그 흉터를 쓰다듬어 보았다.

그가 얼마나 치열하게 살아왔는지는 등에 그 흔적이 고스란히 새겨져 있었다. 하나하나 이유를 물었을 때 라울린은 '그냥. 어쩌다 보니 생겼어.'라고 대답했다. 그는 힘들어도 남들에게 티 내지 않고 혼자 웃으며 넘기는 사람이었다.

평생 다시는 내 것이 되지 못할 등이라고 생각했다. 아침에 눈뜰 때마다 이게 꿈은 아닌가 고민하며 눈을 떴다. 그래도 그는 사라지지 않고 곁에 있었다.

라울린의 등이 크게 한 번 들썩이더니 그가 고개를 돌려 캐시를 바라보았다.

"잘 잤어?"

캐시는 잠이 덜 깬 그에게 아침 인사를 건넸다.

느른한 얼굴로 베개에 다시 얼굴을 파묻는 그의 머리카락에 햇빛이 비쳐 금색 실처럼 아름답게 반짝거렸다.

부스스해도 이렇게 아름다울 수가 있는지 캐시는 황홀한 듯 그의 얼굴을 바라보다가 그의 머리카락을 손으로 쓸어 보았다. 보슬보슬한 촉감이 여전히 꿈이 아니라는 것을 알려 주지만, 캐시는 조용히 숨을 멈추었다.

아직도, 난 실감이 나지 않아.

처음 그를 보았던 순간이 엊그제 같고, 그를 향한 마음에 가슴이 뛰던 것도 방금 전의 일만 같은데, 어느새 시간이 훌쩍 지나 이렇게 먼 길을 돌아 한 침대에서 눈뜨고 눈을 감을 수 있다니.

캐시의 눈이 부드럽게 휘었다.

난, 당신의 미소가 좋아.

당신의 넓은 어깨가 좋아.

당신의 눈도, 입술도, 단단한 등도 좋아.

그와 평생을 함께할 것이라고 믿어 의심치 않았지만, 그게 언제일지는 예상하지 못했다.

'죽기 전에야 그와 함께할 수 있을까?'

그랬던 그가, 언제든 손 내밀면 닿고 끌어안을 수 있는 거리에 잠들어 있었다.

그냥 바라만 보아도 좋았다.

죽었을 거라 믿었던 딸은 옆방에 있고, 또 다른 그의 아이를 태중에 품어 몇 달 후면 직접 안을 수 있다. 이번엔 남의 손에 빼앗기지 않고 온전히 품에 안아 기를 수 있다.

이 기적과도 같은 순간이 감사해 그만 뜨거운 눈물을 흘리고 말았다.

그와 동시에 아이의 태동이 느껴졌다.

통…….

힘찬 아이의 움직임에 감격한 캐시는 라울린의 손을 조용히 끌어 자신의 배에 얹었다. 설핏 잠들었다가 인기척에 눈을 뜬 라울린은 손바닥으로 전달되는 태동에 캐시의 얼굴을 마주 보며 피식 웃었다.

그러고는 팔을 뻗어 캐시의 목을 끌어당겼다. 가벼운 입맞춤 뒤에 제법 진한 입맞춤이 이어졌다. 그 순간에도 태동은 계속되었다.

"어이쿠, 이놈이 나를 막 차네."

키스하다 말고 라울린이 웃으며 말했다.

"아빠가 그동안 엄마 속 썩인 것을 대신해서 발로 차 주나 봐."

캐시는 농담처럼 진심을 털어놓았다.

"카라도 얌전한 줄 알았는데 요즘 보니 발로 차는 모양새가 예사 발길질이 아니었어. 이번엔 어떤 녀석이 나오려고 발차기 한번 요란한 거지?"

라울린은 그녀의 목을 끌어당겨 자신을 굽어보게 하며 말했다.

"역시 엄마 닮아서 그런가? 당신이 예전에 이단 옆차기로 날 걷어찬 거 생각나?"

라울린은 그때 걷어차인 턱이 지금도 아픈 듯 손으로 매만졌다. 과거의 일이 생각난 캐시의 얼굴이 홍당무가 되었다.

"그때는, 나를 화나게 했으니까……!!"

라울린이 킥킥거렸다.

"이제는 나도 몸 좀 사려야겠는걸? 당신과 아이들이 동시에 날 차면 내가 남아나질 않겠는데?"

"그야 바람피우고 다니는데 그걸 가만히 볼 여자가 어디 있어?"

화내려는 캐시를 단단히 끌어안으며 라울린이 속삭였다.

"왜 그랬는지는 이제 알잖아. 서운했던 것은 이제 다 풀어. 앞으로는 내가 잘할 테니까."

캐시는 토라진 것 같은 얼굴을 하고 눈을 흘겼다.

"하는 거 봐서. 두고두고 끄집어내서 곱씹어 줄 테니까."

라울린은 그녀를 와락 끌어안고서 그녀의 목덜미와 뺨에 키스해 주었다.

"한 번도 널 잊은 적 없어. 상처 줘서 떠나보낼 때의 눈물도 아직 내 마음에 선해."

캐시의 얼굴이 조금은 풀렸다.

그가 부드러운 눈빛으로 그녀를 올려다보았다.

"두 번 다시 울리지 않을게. 맹세해."

느릿하게 라울린의 키스가 이어졌다. 캐시는 눈을 부드럽게 감으며 그의 키스를 받아들였다.

"잠깐⋯⋯!"

키스하다 말고 라울린의 눈이 커졌다.

"지금 몇 시야?"

캐시는 자명종을 바라보았다.

"7시 30분?"

"으아아악!"

라울린은 허둥지둥 일어나 바닥에 아무렇게나 던져 두었던 옷을 다급하게 몸에 걸쳤다.

"늦는 놈 반 죽인다고 해 놓고 내가 늦게 생겼어!"

"깨워 달라고 미리 말하지!"

헐레벌떡 옷을 입고 뛰쳐나가다가 그는 그 와중에도 돌아와 캐시의 뺨에 입맞춤하고 다시 뛰어나갔다.

"잘 다녀와!"

캐시는 아쉬운 듯 그를 보내 주었다.

"호외요! 호외!"

신문팔이 소년이 뿌리고 다니는 신문이 벨라의 손에도 한 장 들어왔다.

[돌아온 제피르, 혁명의 불씨는 다시 타오르는가]

벨라는 표제 기사가 눈에 띄자마자 미간을 찡그렸다.

[⋯⋯페로하트에 의해 플란네르가 궤멸되기 직전 도입된 사

악한 악마의 무기 기관 단총은 티베리가 군부의 세력을 등에 업고 재상이 되는 데에 크게 일조했다.

그는 형제마저 숙청한 뒤 정복욕을 드러내어 국민의 노동력을 착취하며 자신의 독재 국가를 만들려고 하고 있다.

이에 노동자들의 대표인 브룬힐데는 성명을 발표하고 총투쟁을 선언하여 거리 시위를 벌였다.

시위장에 등장한 한 사람의 이름은 루카스 버틀러라는 자로서, 본명은 세실, 제피르의 정부였던 루이자의 숨겨 둔 자식이라 주장하였다.

퇴역 군인회는 당장 성명을 내걸고 루카스를 지지하겠다고 공식 선언을⋯⋯]

난데없이 기사에 루카스의 이름이 나와서 그 글을 읽고 또 읽었다.

플란네르에서 쿠데타가 일어났다는 기사였다. 티베리가 자신의 두 형을 처단하고 정권을 잡은 것에 불만을 품고 시위하는 노동자 계층을 뒤에서 선동하여 누군가가 우두머리로 나섰다는 내용이다.

그런데 어째서 그 글에 루카스가 언급되는지 알 수가 없었다.

"루카! 이 기사 좀 봐요!"

벨라는 마차에서 자신이 읽은 신문을 루카스에게 내밀었다. 루카스는 조용히 그것을 쓱 훑다가 어느 구절에서 멈칫했다.

"플란네르에서 누군가가 루카스를 사칭하고 있나 봐요!

이게 어찌 된 일이죠?"

루카스는 격분한 벨라를 잠시 쳐다보더니 표정 변화 없이 신문 기사를 마저 읽어 내렸다.

"사칭도 기가 막히는데 제피르의 숨겨 둔 아들이자 본명이 세실이라고?"

조용히 끝까지 읽은 루카스는 신문을 구겨 쥐며 고개를 들었다.

"무슨 이런 어처구니없는 기사가 다 있어! 이 기사를 낸 신문사로 당장 가 봐야겠어요!"

벨라는 흥분하여 외쳤다.

"후작님, 잠시 숨 고르고 진정하십시오."

루카스의 말에 벨라는 도리어 언성을 높였다.

"지금 진정하게 생겼어요? 루카스 이름을 도용해서 쓰는 데다 황당하게도 제피르의 아들이라잖아요!"

사람들이 모두 벨라를 쳐다보았다.

"여기 있는 사람이 어떻게 플란네르 노동자 거리 시위에 등장해서 쿠데타의 핵심 세력이 돼요? 말이 안 되잖아요!"

벨라는 팔을 걷어붙이고 나섰다.

"이런 허위 기사를 낸 기자를 당장 만나서 따져야겠어요!"

"저는 제피르의 아들이 맞습니다."

벨라는 흥분하여 더 말하려다가 루카스의 말에 그만 할 말을 잊고 말았다.

"루카……, 이 상황에 그 말이 왜 나와요? 그런 의혹이 있다는 건 예전부터 나도 들어서 알고 있어요. 하지만 의혹일 뿐이잖아요. 증거 있어요?"

루카스는 벨라를 바라보며 지나치게 차분한 목소리로 말했다.

"플란네르에서 쿠데타를 일으켰다는 사람이 저를 사칭한 것은 황당합니다만, 굳이 기사에 제가 제피르의 아들 세실이란 것을 적어 넣어야 할 필요가 있는지 모르겠습니다."

"루카……?"

루카스의 말에 벨라는 눈을 크게 떴다.

"세실?"

"다 알고 계셨던 것 아닙니까?"

가주의 방에 담긴 아버지의 기억에도 세실이란 이름은 없었다. 그저 제피르의 아들로 추정되는 아이를 후원해 주게 되었다는 언급만 한 번 있었을 뿐이었다. 그가 직접 그 사실을 확인해 주리라고는 상상하지 못했다.

루카스는 아무렇지도 않다는 듯 다음 말을 이어 갔다.

"그저 이름만 도용하면 그만인 것을, 이 기사를 통해 저를 페로하트 국민에게 각인시킬 의도로 기사를 작성한 것이 아닌가 싶습니다만."

그제야 벨라는 상황을 파악했다. 누군가가 의도적으로 작성한 것이라고 생각할 수밖에 없었다.

플란네르의 쿠데타가 제피르를 기념해 일어난 것도 아닌데 기사는 이상하게 제피르와 루카스를 언급해 묘하게 읽는 이를 자극하고 있었다.

"루카, 포르위네로 가서 확인해 봐야 할 것이 있어요."

"비상 회의에는 불참하시는 겁니까?"

루카스의 말에 벨라는 고개를 끄덕였다.

"어차피, 우리 집안은 정치와 상관도 없는 데다가 이런 경우 대부분 대리인을 보냈던 관례에 따라 루카스가 대신 참석해 줘요. 나는 급히 확인해야 할 것이 있어요."

가주의 방에 가서 확인해야 할 것이 있었다.

"몰리 보좌관은 해당 신문사에 대해 알아보고, 리체는 이 사건에 대해 전반적인 조사를 해 주세요."

각자 고개를 끄덕인 후 제각기 할 일을 위해 재빨리 흩어졌다.

벨라는 아직 아버지의 기억이 기록된 책만 읽는 것으로도 벅찼다. 하지만 급히 할아버지의 기억을 찾아보아야 할 것 같았다. 제피르는 할아버지 대의 이야기였으므로…….

아르티드 후작 대리의 자격으로 루카스는 황궁의 대회의장에 들어섰다. 사람들이 하나둘씩 수군대더니 시선이 루카스에게 모두 쏠렸다.

그가 종종 성주 대리 자격으로 회의에 참여했었으므로 그의 존재를 사람들이 모를 리는 없었다.

그를 보자마자 칼리아스가 나타나 주변 사람들을 물리치고 그를 다른 곳으로 데려갔다.

"벨라가 오지 않고 왜 오늘은 혼자 온 건가?"

칼리아스의 말에 루카스는 정중하게 대답했다.

"후작님의 명령으로 대리인으로서 회의에 대신 참석하게 되었습니다."

"아르티드 후작은 어딜 가고?"

"포르위네 성에 일이 있으셔서 그리로 먼저 가셨습니다."

"오늘 아침에 길거리에 뿌려진 신문 기사를 보았나?"

칼리아스는 손에 들고 있던 신문을 루카스에게 내보였다.

"아마 그 기사를 보지 못한 사람은 거의 없을 줄로 압니다."

루카스의 차분한 대답에 칼리아스는 의외라는 듯한 표정으로 말했다.

"여기서 말하는 루카스 버틀러라는 자는 틀림없이 그대를 사칭한 것이겠고…….."

"보시다시피 저는 전하와 함께 돌아온 이후로 페로하트 밖으로 나간 적이 단 한 번도 없습니다."

칼리아스는 주변의 호위 기사들에게 눈짓을 해 보였다. 그의 소리 없는 명령에 호위 기사들은 모두 방 밖으로 물러났다. 문이 닫히고 밀실 상태가 되자 칼리아스는 조심스레 그에게 물었다.

"정말로 그대가 제피르의 아들인가?"

"……."

루카스는 대답하지 않았다.

칼리아스의 금색 눈동자가 그를 꿰뚫듯 위아래를 훑었다.

"플란네르에 있었을 때 많은 사람이 그대를 보고 제피르를 닮았다고 수군거리던 것을 기억한다. 다시 한번 묻겠다. 제피르의 아들이 맞는가?"

"제 어머니의 이름은 루이자가 아닙니다. 마르타 엘 소르냐크입니다. 루이자는 제피르의 정부가 아니고 부인입니다."

루카스의 말에 칼리아스는 눈빛을 반짝였다.

"그걸 당신이 어떻게 알지?"

칼리아스는 잠시 굳은 표정으로 그를 바라보다가 마저 입을 열었다.

"솔직하게 말하라. 네 정체는 무엇이지?"

루카스는 오히려 홀가분하다는 듯 나직하게 대답했다.

"제 어릴 적 이름은 세실입니다. 어머니를 따라 두 살 때 페로하트로 귀국했기 때문에 사실 그 이전의 기억은 거의 없습니다. 다만……."

"다만 무엇?"

칼리아스의 재촉에 루카스는 마저 말을 이어 갔다.

"제 어머니가 유학 중에 한 남자를 만나 결혼도 하지 않은 채 저를 낳았다는 사실은 잘 압니다. 저는 그 남자의 호적에도 오르지 못했고, 귀국해서도 외갓집의 외면을 받아 몸 의탁할 곳을 찾아서 급하게 결혼했다는 정도만 압니다."

칼리아스는 날카롭게 쳐다보며 입을 열었다.

"그 남자가 제피르다?"

"글쎄요. 그야 저는 모릅니다. 그저 어머니가 유학 중 어울렸던 무리가 그와 관련이 있다고는 합니다만. 자세한 사실은 무덤에 계신 어머니 외엔 모를 겁니다."

루카스는 남의 일 말하듯 덤덤하게 말했다.

"그대의 이름과 인적 사항이 도용된 이유는 무엇이라고 보는가?"

칼리아스의 질문에 루카스는 잠시 침묵하다가 대답했다.

"명분일 겁니다."

"무슨 명분?"

칼리아스의 말에 루카스는 잠시 생각했다.

"쿠데타에 제피르의 이름을 들먹여 각국의 지배 계층에게 알레르기 반응을 일으키기 위한 것이겠죠."

"알레르기 반응이라니? 좀 더 자세히 말해 보라."

칼리아스의 말에 루카스는 그의 눈을 똑바로 바라보며 담담히 말했다.

"플란네르의 쿠데타에 다른 나라들이 개입할 여지가 없게 만들려는 겁니다."

그 말에 칼리아스는 쿡쿡 웃었다.

"그렇군. 그 해석이 가장 옳을 것 같다. 무슨 꿍꿍이로 이런 일을 벌였는지 모르지만, 꼭 플란네르에서 짜고 치는 판 같군. 뭔가 중요한 일은 따로 있는 듯해."

잠자코 고개를 숙인 루카스에게 칼리아스가 말했다.

"그대가 제피르의 아들이라는 설에 관해 나는 절대 그럴 리가 없다고 발표할 것이다. 혹여 황제 폐하께서 직권으로 가두어 두라 하셔도 일시적일 뿐, 신변상의 안전을 보장하겠다."

칼리아스는 마무리하듯 고개를 끄덕였다.

"플란네르 측에서 무슨 명분을 내걸려는지는 모르겠지만, 필시 이것은 흔들리는 척하고 페로하트에게 비난의 화살을 돌리려는 속셈이다."

칼리아스의 눈빛이 날카롭게 반짝였다.

"제피르의 숨겨졌던 아들을 보내 플란네르의 쿠데타를 주도하게 했다고 주장해 전쟁의 명분으로 삼으려는 걸까?"

루카스 역시 고개를 끄덕여 긍정의 표시를 나타냈다.

"저도 그렇게 생각하고 있습니다."

칼리아스는 루카스를 똑바로 바라보았다.

"그러니까, 그대가 설령 제피르의 아들이 맞다 하여도 끝까지 잡아떼라."

벨라는 가주의 방에 들어가자마자 숨 돌릴 새도 없이 할아버지 토레스 엘 아르티드의 기억이 담긴 책을 집어 들었다. 책 읽는 속도가 느린 게 한이었다.

'루카스처럼 집어 들자마자 휘리릭 읽고 기억해 버리면 얼마나 좋을까?'

벨라는 책장을 넘기며 제피르라는 이름을 찾았다.

[……늘 대리인을 보내다가 의장의 경고 때문에 수도에 직접 가서 회의에 참여해야 했다. 이번 안건은 기권이 허용되지 않는

다고 하였다.

대리인을 보냈는데 어찌하여 그것이 기권인가?

수도에선 한창 '제피르'라는 자가 일으킨 파문이 일파만파로 퍼져 있었다. 그에 대한 수도 사람들의 평판과 해석이 다양하였다.

놀란 나는 보좌관에게 그에 대한 최근 한 달간의 신문 기사를 스크랩하여 오라 명하였다.

사실 관계 확인 #1.

국내의 일이 아닌데 왜 페로하트에서 여론이 들끓는가?

심지어 잘못 들으면 우리나라에서 모반이 일어난 것처럼 느껴질 정도다. 타국의 사건인데도 지나치게 페로하트 고위층의 심기가 불편하다.

액시즈 레크룩스 공국은 본디 플란네르 지역이었다가 페로하트가 강제로 점령한 뒤 페로하트에 우호적인 우두머리를 세워 만든 꼭두각시 성격이 강했다.

그 우두머리의 가장 긴밀한 오른팔이었던 그가 배신하더니 철저하게 반페로하트의 노선을 내세웠다.

친페로하트파로 불리던 이들이 부패 세력이었으니 그들 입장에서는 처형해 마땅할지 모른다.

하지만 제피르가 내세운 구호가 무엇이든 간에, 친페로하트 정부를 전복시킨 그가 우리 측에서는 반가울 리 없다. 그러니 언론에서 저렇게 떠들어 대는 것도 이해는 된다.

사실 관계 확인 #2.

왜 플란네르에서 페로하트의 정치적 입장에 동조하는가?

액시즈 레크룩스 공국은 플란네르 땅을 강제로 빼앗아 만든 나라이니 자국과의 통합 주장이 달가운 일임에도 왜 플란네르는 페로하트의 편을 드는가?

이렇게 플란네르가 페로하트의 입장에 고분고분하게 협조하는 것은 처음 겪어 본다.

이 부분은 에밀에게 좀 더 조사해 오라 하였으니 곧 알게 되겠지.

사실 관계 확인 #3.

제피르는 정말로 흉악한 살인마에 궤변론자인가?

신문 기사만 보아서는 금방 잠잠해질 줄 알았다.

기사에 의하면 공포 정치에 질린 액시즈 레크룩스 국민들이 제피르에게 대항한다는데 피도 눈물도 없다는 그가 이렇게까지 지지자를 얻어 세를 불린다는 게 말이 되지 않는다.

제피르가 내건 가치와 사상을 꼼꼼하게 되짚어 보자.

'신분제 철폐'라…….

나 같은 귀족에게는 그리 달갑지 않은 단어인 것은 사실이지만 그것은 특권을 내려놓기 싫은 기득권의 입장이라고 치자.

신분제 철폐하자는 논의야 역사상에 알음알음 찾아보면 많아서 그리 새삼스러울 만한 주장은 아니다.

그가 주장하는 평등의 가치가 세간에서 말하는 궤변인가에 대해서는 나도 뭐라고 말할 수가 없다.

그의 주장을 보면 결과를 똑같이 나누어 갖자는 것이 아니라

기회를 똑같이 주자는 당연한 내용인데 페로하트 기득권층은 결과의 평등으로 보고 있다.

엄밀히 말해서 결과의 평등과 기회의 평등은 다르다.

그의 주장 중 누구나 공교육을 받을 권리. 문자를 읽고 쓸 권리, 동등한 시험을 치를 권리. 따지고 보면 근거는 충분해 보인다.

하지만 그의 주장이 궤변인가 아닌가에 대해서 내 판단은 보류.

아무리 좋은 주장도 주변 사람들을 설득하지 못하고 단숨에 이루려다 보면 탈이 나기 마련이다.

상황을 지켜보며 나는 쓴웃음을 지었다.

그가 주장하는 것들은 사실 별 게 아니다.

의사에게 진료를 값싸게 받을 수 있는 권리.

하층민도 글자를 익힐 수 있는 권리.

민감한 정치 사안에 귀족 외에 평민도 의견을 보탤 수 있는 권리.

사회 취약 계층에 대한 보조.

이미 그것이 포리나 장원에서는 선조 때부터 보장해 주려고 애써 왔던 권리라는 것이 아이러니했다.

내 땅에서는 되는데, 액시즈 레크룩스 공국에서 외친다고 하여 궤변이라 하는 게 우습지 않은가?

하지만 농담으로라도 그 말을 했다가는 나 역시 제피르 옹호론자로 몰려 처단당할 것이 두려운 분위기가 이어지고 있다.

역시, 답답하고 속 터져도 충분히 시간을 두고 설득해 나가는 것이 정답인 건가?

대대로 호구가 태어난다는 우리 아르티드 집안의 바보스러운 선조들이 그 권리를 지켜 줄 수 있었던 것은 포리나 장원의 크기가 충분히 작아서 가능한 일이라는 분석을 했던 학자도 있다던데…….

논리야 책상 앞에서도 논할 수 있는 것이겠지만, 현실에서는 사람들의 목숨이 왔다 갔다 하는 일.

그의 뜻과는 무관하다 해도 이미 뿌린 피가 너무 많아 좋은 결말을 기대하기는 힘들 것 같다. 이후로 어찌 될지는 분명치가 않다.

나는 내 의견을 드러내기에 앞서 일단은 관망하기로 하였다.]

벨라는 토레스가 유일하게 제피르에 대해 언급한 구절을 읽고 또 읽었다.

나머지 구절은 그저 그 뒤에 제피르에게 무슨 일들이 일어났는가에 대한 요점만 간략히 적혀 있었다.

제피르는 믿었던 사람들에게 차례차례 배신을 당하고 결국 공성전 끝에 자결하였다. 제피르를 추종하던 자들은 참혹한 처벌을 받았고 플란네르가 페로하트에 적극적인 충성을 맹세하며 액시즈 레크룩스 공국을 삼켜 버렸다.

제피르의 모반 사건에 대한 토레스의 감상은 그게 다였다.

혹시라도 다른 데에서 언급했나 찾아보았지만, '그가 하는 말이 궤변이라 생각하지는 않지만 딱히 편들어 줄 생각도 없다. 정치에 끼어들고 싶지 않다.'라는 한 줄 의견 외에 더는 발견할 수 없었다.

'나는 내 포리나 장원이나 잘 다스리면 된다.'

그 구절을 복잡한 심경으로 읽고 또 읽었다.

'정치하지 말라.'

대대로 가문의 유훈이었으므로 그는 그것을 철저히 따랐다고 볼 수도 있다.

벨라는 책을 덮고 고개를 들었다.

제피르는 시대를 너무 앞서갔는지도 모른다.

플란네르의 재상 마르쿠스는 그가 이룩했던 세금 개혁, 군제 개혁, 교육 개혁의 결과를 그대로 흡수했다.

제피르란 단어를 싹 뺀 후 이루어진 수많은 혁신을 벨라는 만국 박람회장에서 보았다.

주인을 문 개. 반역자. 신분제 파괴자. 귀족들을 처형하고 재산을 몰수하여 사사로이 쓴 독재자.

그의 다른 이름은 '관습에 저항한 자'라는 것이 토레스의 기록을 읽으며 놀랍게 느껴졌다.

후우…….

벨라는 깊은숨을 내쉬었다. 그리고 고개를 갸웃거렸다.

'그런데 왜 하필 루카스를 얽어서 신문 기사를 그따위로 쓴 걸까?'

미간을 찡그리고 있던 벨라는 할아버지의 책을 제자리에 꽂아 두고 다시 아버지의 책을 꺼내 들었다.

아버지께서 루카스의 후원을 시작한 무렵의 이야기는 벌써 여러 차례 읽어 본 바가 있었으나 혹시나 자신이 놓친 것이 있을까 싶어 다시 책장을 넘겼다.

[……한눈에 보아도 아이의 영양 상태는 불량했으며, 적절한 상황에서 양육되지 않고 있음을 알 수 있었다.

　아이의 아버지라는 자가 마치 아이를 동물원의 구경거리를 삼 듯 외운 것을 읊게 하는 모습이 썩 마음에 들지는 않았다.

　하지만 아이는 분명 신기할 정도로 암기력이 좋았으며, 그런 영재가 가난에 묻혀 정규 교육을 받을 수 없다는 것이 안타까웠다.

　아이의 엄마가 제피르와 연관이 있었다는 소문이 따라붙었으나 당장 안정적인 환경을 마련해 주는 것이 급해 보여 후원 건을 허락하였다.]

　아버지의 루카스에 관한 옛 기억을 더듬어 보는 것은 마음 한편을 시리게 했다.

　[보좌관으로부터 그 살인 사건에 대해 듣고 달려갔을 때는 이미 늦어 있었다.

　아……. 왜 나는 그 아이의 존재를 잊고 있었을까?]

　벨라는 긴 탄식을 내뱉었다.

　어두운 계단, 한참을 내려가서 곰팡내 나는 지하 감옥을 바삐 내려가는 아버지의 발걸음이 고스란히 들려오는 것만 같았다.

　흉악범만 갇힌다는 그 지하 감옥에 갇힌 어린 소년.

　정신적 충격을 이기지 못하고 미치거나 자해라도 하면 어떻게 하나 걱정하며 달려간 것과는 달리 담담하게 앉아 있던 아이.

　벨라는 그 모습을 실제 눈앞에 바라보듯 떠올렸다.

　[……나는 맞아서 멍든 아이의 눈을 바라보았다.

눈동자의 방향이 이상했다.

의사가 봐야 자세히 알겠지만 내가 보기에도 아이의 눈동자는 맞아서 손상된 것처럼 보인다. 하루빨리 치료하지 않으면 생명에 지장이 생길지도 모른다는 생각에 나는 손을 뻗었다.

순간적으로 아이가 제 머리를 가리며 웅크렸다.

아……!

무표정을 가장한 아이의 얼굴에서 공포의 기색을 읽었다.

너는 이런 식으로 참 많이도 맞았었구나. 나의 깨달음은 또다시 한발 뒤늦었다.

희대의 살인 사건을 저질렀다는 아이는 여전히 어릴 뿐이었다.

이 사건이 파장이 큰 것은 아이가 동생을 구하기 위해 반사적으로 칼을 휘둘렀다지만, 쓰러진 후에 그가 살아날 것을 두려워하여 등 뒤에 확인차 꽂아 넣은 수법의 잔인함 때문이었다.

달려오면서 나는 수없이 갈등했다.

과연 내가 이 아이를 만나 보는 것이 옳은가? 구명해 줄 가치가 있는 것일까?

아이는 포리나 장원에서 살던 우리 영지민도 아니었으며, 그저 후원해 달라는 핑계로 돈만 가로채 가는 그저 그런 사기꾼 아비의 자식이었을 뿐이다.

그러나 나는 지나치게 차분한 이 아이의 기색에 오히려 당황하였다.

아이가 내게 악다구니를 쓰고 매달린다면 오히려 나는 달래려 하지 않았을 것이다.

그런데 단 한 조각의 믿음조차 남지 않은 듯한 너의 표정이 왜 이렇게 나를 괴롭게 하는가?

너는 왜 이리도 침착한 것이냐. 마치 너의 운명은 이미 정해져 있다는 듯 모든 것을 체념해 버린 표정이로구나.

문득 나는 묘한 충동에 사로잡혔다.

과연 이 아이를 웃게 할 수 있을까?

현장을 목격한 자들의 증언에 의하면, 동생이 자지러지게 우는 소리에 이웃이 갔다가 깜짝 놀라 신고하였다고 했다.

아이는 피 흘리며 쓰러져 있는 제 양아버지를 우두커니 서서 바라만 보고 있었다고 전해 들었다.

신고자 중 한 여성은 아이의 입이 웃고 있었다고도 말했다.

그렇게 흉악하다는 어린 살인범에게 다가가 나도 모르게 시선을 맞췄다. 그러고는 한쪽 무릎을 꿇고 말았다.

아이야. 나를 바라보렴. 솔직한 사실을 내게 전해다오.

"네 허락 없이 함부로 네게 손대지 않으마. 나는 너를 때리지 않는다. 걱정하지 말아라."

나는 그 야윈 아이의 목덜미에 난 잇자국을 보고 말았다. 확인하려 하자 아이는 화들짝 놀라서 움찔거렸다.

순간 나는 분노했다.

어린아이의 목덜미에 웬 성인의 잇자국이란 말인가?

내 손이 다가가면 경기하듯 놀라기에 나는 잠자코 아이를 진정시키며 아이의 어깨를 눈여겨보았다.

비슷한 잇자국이 몇 개 더 있다. 옷 밖으로 보이는 곳은 대부분 멀쩡하나 옷 안쪽으로 설핏 보이는 멍 자국과 생채기가 심상찮다.

나는 밖으로 나가는 즉시 피터 브라운 박사를 불러 이 아이를 살펴보게 할 것이다.

아이가 성적 학대를 당했다는 말은 듣지 못했다. 아무래도 그 이상의 무엇인가가 있다는 예감이 들었다.

꼬마야. 대체 네게 무슨 일이 일어났던 것이냐.

네 주변에 있던 어른들은 왜 침묵했던 것이냐.

네가 나고 자라 오는 동안 본 것은 무엇이었으며, 한때 영재라고 불리던 그 아이가 네가 맞느냐??

아이는 내게 도와 달라 말하지 않았다.

"늦었어요. 저는 아무런 가망이 없어요. 제 남은 삶은 버린 삶이나 마찬가지라고 어른들이 말하는 소리를 들었어요. 제가 무죄를 받아 봤자 사회에 해악을 끼치는 흉악범으로 자랄 거예요."

아이는 피해자다. 그런데 자신이 미래의 가해자가 될 것처럼 말했다.

"유죄를 받아서 감옥에서 평생 썩는 편이 사회를 위한 길이고, 돌봐 줄 부모도 없는 저에게도 최소한의 밥과 잘 자리를 제공해 주는 좋은 기회가 될 거예요. 그러니 그냥 놔두세요."

맙소사! 이 어린애가 내뱉는 말을 보라. 저 엄청난 말을 왜 이렇게 차분하게 말하는 것이냐. 그리 말해 놓고 왜 우는 것이냐.

순간 나 자신에게 화가 나서 견딜 수가 없었다.

한 아이가 자라는 데는 온전한 한 마을이 필요하다.

이 아이가 폭력과 학대 속에 자라는 동안 왜 아무도 말하지 않았는가?

왜 아무도 이 아이의 바람막이가 되어 주지 못했는가?

심지어 후원자라는 나조차도 왜 이 아이의 존재를 몰랐는가?

왜 너는 모두 다 늦어 버렸다는 투로 말하느냐?

아이는 자라며 겪을 수 있는 최악을 모두 겪었다.

아이의 눈이 내게 묻는 것 같다.

더 살아 보아야 행복할 일이 있느냐고 따지는 것 같다.

아이에게 어른들이 '너는 충격적인 일을 겪었으니 앞으로 정상적으로 자랄 수 없다'라는 무책임한 소리 따위를 지껄이는 것도 막아 주지 못했다.

이렇게 어린데……, 아직 제대로 살아 보지도 않았는데.

시간을 되돌려 주고 싶다. 시간은 지금이라도 되돌리면 된다.

간절히 목구멍으로 차오르는 말을 삼키며 아이에게 물었다.

"네 아버지를 죽인 시간을 되돌리고 싶지는 않고?"

아이는 눈물을 흘리면서도 고개를 저었다.

네게 기회를 주겠다고! 기회를 주겠다는데도 왜 너는 여전히 아무런 희망이 없어 보이는 거냐?

"그 시간이 되돌려졌다면 다른 결과가 있었을까?"

다시 물어도 아이는 대답하지 않고 오히려 두 눈을 질끈 감고 눈물만 흘렸다.

아아……, 시간을 되돌려 봤자 소용없다고 생각하는구나. 너는 아무것도 변하지 않는다고 믿는구나.

"그 시간을 돌렸다면 아마 너와 네 동생이 죽었을 거로 생각하는구나, 그렇지?"

그렇게 묻자 겨우 고개를 끄덕이는 것을 보았다.

이 얼마나 무능한 인간들이냐.

아이를 제대로 키우지 못한 마을의 한 어른이 바로 나라는 것이 부끄럽다.

시간을 되돌려도 변하지 않을 미래라니. 내가 좀 더 신경을 썼더라면……. 나라도 바른 어른의 본보기가 되었더라면…….

"미안하다. 어른이 어른답지 못해서 어린 네가 스스로 네 동생과 자신을 지켜야만 하게 만들었다."

나는 아이에게 대신 사과하였다. 나라도 해야 했다. 아니면 대체 누가 사과하겠는가?

바꿔 보겠다.

반드시 바꾸어 보겠다.

네가 절망한 미래를, 잃어버린 믿음을, 내가 되돌려 주마.

나는 아이를 보며 오히려 뒷머리를 얻어맞은 듯한 깨달음을 얻었다.

이 아이가 웃을 수 있는 날이 오게 하는 것이 내가 바르게 살았다는 잣대가 될 것이다.

앞으로는 절대로 이런 아이가 생겨나지 않도록 하겠다.

반드시 너는 내가 행복하게 해 주겠다.

나에게는 그럴 힘이 있으니까.

나라는 한 개인은 약하지만, 아르티드 후작은 그럴 힘이 있는 강한 사람이니까.

내 아버지처럼…….

나의 선조들처럼…….]

벨라는 깊은숨을 훅 내쉰 후에 몇 장을 더 넘겼다.

같이 살던 고모부가 잇자국을 남긴 범인이었다고 적혀 있었다.

도박장에 끌고 다니며 만족할 만큼 돈을 벌어들이지 못하면 의붓아버지가 고모부에게 그를 넘겼고, 벌한다는 이유로 마음껏 유린했다.

고모는 그 사실을 알고도 말리기는커녕 아이에 대해 나쁜 소문을 퍼뜨려서 아무도 아이의 말을 믿지 않게 험담하고 다녔다.

다비드는 존속 살해에 대해 기소된 어린 루카스를 오히려 피해자로 내세워서 사건에서 쏙 빠져 있던 고모부와 고모를 재판정에 세워 응분의 대가를 치르게 하였다.

벨라는 왜 루카스가 남의 접촉을 그토록 싫어하는지 그 글을 읽었을 때 깨닫고 눈물을 글썽이느라 다음 장으로 넘기지 못했다.

지금도 루카스는 병적으로 청결에 신경 썼다. 누군가 자신을 만지는 것은커녕 가까이 다가오는 것도 싫어했다. 이안조차 거의 손을 잡지 않았다. 그런 그가 벨라에게 품을 내어 주었던 것은 거의 형벌과도 같았을 것이다.

처음 그의 품에 와락 안겼을 때를 떠올렸다. 그는 불에 덴 듯 움찔거리면서도 벨라의 공황 장애를 걱정하여 밀쳐내지 못했다.

'단순히 신체 접촉이 낯설어서 떠는 게 아니었어. 아마도 그는 어린 날의 상처를 떠올렸겠지.'

그런데도 자꾸만 안아 달라 파고들었던 자신의 어리석음

에 눈물이 흘렀다. 그가 좋아하는 것이 무언지는 몰라도, 싫어하는 짓은 하지 말았어야 했다.

'얼마나 힘들었을까. 얼마나 무섭고 고통스러웠을까.'

그래서일까. 이안도 가끔 다른 아가씨와 분홍빛 소문이 퍼지는데 루카스는 소문은커녕 가까이 지낸 사람도 전혀 없었다. 그게 그의 강박적인 성격 때문이라 생각했는데 아무에게도 말 못 할 상처였다는 사실에 벨라는 울었다.

몇 번째 읽는 글에서 새삼스레 눈물을 훔치며 벨라는 자신이 놓친 것이 있는지 다시 살펴보았다.

분명히 이 무렵의 기록에는 루카스의 어머니가 제피르와 연관이 있다는 소문이 있더라 정도뿐이었다.

다음 장으로 넘어가려다 말고 벨라는 아까 읽은 자리를 다시 한번 훑어보았다.

[그 시간이 되돌려졌다면 다른 결과가 있었을까?]

벨라는 미간을 찡그렸다.

이 구절에 왠지 찜찜한 무언가가 있는 것 같았다.

시간을 되돌린다는 말의 뉘앙스가 어쩐지 다르게 느껴졌다.

'내가 시간을 되돌려서 두 번째의 삶을 산다는 것을 아버지가 아셨다면 무슨 표정을 지으셨을까?'

벨라는 다시 책을 쳐다보았다.

'왜 이 구절들이 자꾸만 마음에 걸리지?'

빅터 브롬웰 교수는 그녀에게 화이트포럼 다리 아래 있을지도 모르는 고대 도시 유적의 텔레포트 자리를 통해 자력으로 회귀했을 가능성이 크다고 말했다.

벨라는 그리젤리의 지하 창고 바닥에서 발견되었던 마법진과 보물 상자에 담긴 고대 보석을 떠올렸다.

'내가 가능하다면 아버지도 가능했을지도 모른다. 그런데 왜 아버지는 시간을 되돌리지 못했을까? 그냥 아무것도 몰랐던 걸까?'

벨라는 생각이 거기까지 미치자 일전에 조상 중에 마력에 관해 연구하느라 재산을 거의 다 탕진해 버린 사람이 있었다고 한 이야기를 떠올렸다.

'맞아. 선조들의 기억이니 이 책들 사이에 그 기록도 있겠지?'

초대 가주의 기록은 없지만, 건너뛰어 몇 대 후의 것부터 존재하는 것은 알고 있었다.

'왜 그사이 기록이 비는 걸까? 초대 가주께서 이 공간을 만들었을 것이 뻔한데……. 후손은 기록하라 하고 자신의 기록은 남기지 않은 것도 이상해.'

한참을 끙끙거린 끝에 집안 가산 거덜 내고 아르티드가의 대를 끊어 버릴 뻔했던 선조의 책이 눈에 들어왔다.

"여기 있다!"

그의 기록 첫 장부터 고대의 지식을 찾아 헤매다가 어수룩해 보이는 사람들에게 사기를 당해 돈을 잃은 내용으로 가득해서 하품도 약간 났다.

똑똑똑.

노크 소리가 들렸다.

"후작님, 아직이십니까?"

루카스의 목소리였다. 자신의 대리 자격으로 황궁에 보낸 사람이 포르위네로 돌아왔다니 의아했다. 벨라는 읽던 책을 서가에 다시 꽂아 놓고 가주의 방 밖으로 나왔다.

'그런데 루카스가 이 책의 존재를 어찌 알았지? 이 방은 가주만 들어갈 수 있다고 하지 않았나?'

벨라는 갸웃거리며 입을 열었다.

"루카, 황궁에서 벌써 돌아왔어요?"

"논의할 것도 있고 빨리 수도로 후작님을 모셔 오라는 황명을 받았습니다."

루카스의 말에 벨라는 고개를 끄덕이며 발걸음을 멈추었다.

"루카, 가주의 방에 들어가 본 적 있어요?"

"들어가 본 적은 없지만 무엇이 있는지는 압니다."

"어떻게 알아요?"

벨라의 말에 루카스는 별일 아니라는 듯 대답했다.

"만일에 대비해 다비드 님께서 자신에게 무슨 일이 생기면 아가씨께 그 용도를 전해 달라 하셨습니다."

"아……."

아버지의 기록을 읽고 또 읽었지만 그런 구절이 있었나 싶었지만 벨라는 이내 고개를 들어 루카스를 빤히 쳐다보았다. 자신보다 머리 하나는 더 큰 그를 올려다보노라니 글 속의 소년이 상상되지 않았다. 지금은 누가 감히 루카스를 건드린단 말인가.

"지금 급히 찾아보던 게 있어서 그러는데 다 보고 가면 안 되나요?"

"정치적 상황이 급변 중이라 그럴 여유가 없습니다."

"왜요? 어차피 우리 집안은 대대로 정치적 사안에 기권표 아니면 무효표를 던지는 거 폐하께서도 뻔히 아시면서……."

루카스는 탐탁지 않은 표정의 벨라에게 조용히 말했다.

"해당 쿠데타는 사흘 만에 무효가 되었고 티베리가 이 쿠데타의 배후로 페로하트를 지목하고 보복전을 선포했기 때문입니다."

"하!"

벨라는 루카스의 말을 듣고 어처구니없다는 표정을 지었다.

"보복전을 하는 명분과 요구 사항은 무엇인가요?"

"명목은 플란네르의 내정 간섭과 국가 전복 기도를 주권 국가로서 좌시할 수 없다는 것이고, 요구 사항은 쿠데타로 인한 경제적 물질적 손실을 보상하는 보상금과……."

루카스는 말끝을 흐렸다.

"보상금과 또 뭐요?"

루카스에게 뒷말을 마저 하라는 듯 벨라는 그를 쏘아보았다. 그가 망설이는 모습이 썩 예감이 좋지 않았다. 이윽고 루카스가 천천히 말을 이었다.

"제 목입니다."

"뭐라고요!"

벨라는 듣자마자 격분하여 언성을 높였다.

"루카의 목을 왜요! 뜬금없이 왜!"

화가 난 벨라를 오히려 루카스가 달래듯 말했다.

"쿠데타 주동 세력이 제피르의 아들이라는 구심점을 통해

집결했으므로, 플란네르 측에서는 앞으로 그 불씨가 될 만한 싹조차 제거하겠다는 뜻입니다."

"누가 루카에게 제피르의 아들이래요? 증거 가져오라고 해요!"

격분한 벨라와는 달리 루카스는 늘 그러하듯 침착했다. 그게 오히려 이상했다. 목을 달라는 데도 침착하다니 아무리 그래도 이건 너무하지 않은가.

벨라는 루카스의 이상한 낌새를 눈치채고 목소리를 낮췄다.

"이 모든 게 티베리의 음모라는 건가요?"

루카스는 아무 말도 하지 않았지만 그것은 긍정의 표시나 마찬가지였다.

"라울린을 불러야겠군요. 이안도 모두 한자리에 긴급히 모이게 해 줘요."

"황명입니다. 후작님과 제가 빨리 수도로 가지 않으면 무슨 화를 입게 될지 모릅니다. 지금 저를 플란네르로 넘기라는 귀족 회의의 의결안을 거부하고 있는 것은 황태자 전하뿐입니다."

"그게 무슨 소리죠?"

벨라는 침착하려고 애썼지만 뜻대로 되지 않고 불길한 심장의 고동만이 그녀의 귓가에 전해져 왔다.

"플란네르의 다른 요구 조건들은 들어줄 수 없으나, 아르티드가의 일개 집사이자 보좌관인 저는 그들에게 넘겨도 상관없지 않느냐는 것이 귀족 회의의 결론입니다."

"크흑! 이러려고 그따위 신문 기사가 나돌았던 거였어요!

근거도 없이 사람을 요구하고 넘겨라 말아라 하는 것은 말도 안 돼요! 제피르의 아들이라는 증명서도 없는데 혐의만으로 넘기다뇨! 다들 미쳤어요?"

벨라는 불쾌감을 감추지 못했다.

"그 신문사를 알아보러 간 몰리는 어떻게 된 거죠?"

"해당 특보를 쓴 기자는 기사만 넘기고 국내에 들어오지 않았다고 합니다."

"그 신문사부터 뒤를 캐 봐야 하는 거 아니에요? 플란네르의 간첩인지 아닌지?"

"일단 모여서 논의하는 것이 좋겠습니다. 지금으로선 제가 빨리 돌아가지 않으면 후작님과 황태자 전하께서 곤란해집니다."

그의 말에 벨라는 화를 벌컥 냈다.

"함정이 틀림없어요! 먼저 이 함정의 목적이 뭔지 알아봐야 하지 않아요?"

루카스는 담담하게 대답했다.

"애초에, 제피르의 아들인 저를 다비드 님께서 거두어 주신 것이 문제였습니다."

그 말에 벨라는 곧바로 반박했다.

"소문이었다고요, 소문! 제피르가 당신을 아들이라고 인정한 적도 없고, 무슨 출생 증명서가 있는 것도 아니에요!"

"소문만으로도 죽임당한 사례는 역사적으로도 많습니다. 제피르의 아들이냐는 소문을 무시하고 장래의 불씨가 될 존재를 키운 것이 죄라면, 죄 맞습니다."

"말도 안 돼요! 장래의 불씨는 무슨! 애초에 타국이 페로하트 시민을 함부로 요구할 권리도 없거니와 그 쿠데타와 루카스는 일말의 연관도 없어요! 그저 갖다 끼우면 그게 죄목이 되나요? 절대로 응할 수 없어요!"

여전히 루카스의 표정은 올 것이 왔다는 듯 담담하기만 해서 그것이 더 벨라를 분노케 했다.

순간 저도 모르게 벨라는 루카스의 재킷을 움켜쥐었다.

"이봐요! 화내라고요! 이건 당신 목숨이 걸린 일인데 남의 일 보듯 그럴 거예요?"

벨라는 그의 재킷을 쥐고 마구 흔들었다.

"어차피 이 또한 빌미예요. 모르겠어요? 다음은 또 다른 핑계, 그리고 또 또 다른 핑계, 만족할 만한 전쟁의 빌미를 얻을 때까지 마구 던지는 음모 중 하나라고요."

벨라는 애간장이 바짝바짝 탔다.

"정신 똑바로 차려요! 설마 당신 하나 없어지면 이 일이 모두 바로 돌아가리라 생각하는 건 아니겠죠?"

루카스의 눈이 커졌다.

"살라고요! 좀! 항상 언제든 죽을 각오를 하지 말고, 살아서 내 옆에 있어 줄 각오를 하라고요!"

"진정하십시오, 후작님."

루카스는 그녀에게 붙들린 재킷을 빼려고 했다. 그러나 벨라는 거친 숨을 몰아쉬며 잡은 손을 놓지 않았다.

"내가 진정하게 생겼어요, 지금?"

벨라의 보라색 눈동자에 눈물이 가득 고여 있었다.

"벨라 아가씨……."

루카스는 그녀의 눈에 고인 눈물이 낯선 것처럼 빤히 바라보았다.

"지금, 티베리가 나의 가장 소중한 것을 빼앗아 가려고 한다고요."

울보인 것이 싫었다. 나약하게도 이런 순간 눈물부터 났다. 벨라는 이를 악물었다. 울먹이느라 그에게 웅얼거리며 알아듣기 힘든 말을 하고 싶지 않았다.

"소중한 것?"

그가 되뇌듯 말했다.

"그래요! 내 제일 소중한 사람!"

벨라는 재킷을 쥐었던 손을 놓고 눈물을 손등으로 훔쳤다. 그 와중에도 그는 품에서 손수건을 꺼내어 벨라에게 건넸다. 제 목숨이 요구 조건으로 걸리게 생겼는데도 그는 눈앞의 벨라가 흘리는 눈물이 더 신경 쓰이는 모양이었다.

"먼저 자기 자신부터 챙기라고요! 제발!"

벨라는 그가 건넨 손수건으로 눈물을 닦기는커녕 움켜쥔 채 버럭 소리쳤다. 목이 멨다.

욕심이라곤 티끌만치도 없는 사람……. 언제나 내가 가장 먼저인 사람…….

"내게……, 당신이 어떤 의미인지 잘 알면서……, 크흑, 잘 알면서 그래요."

울컥해서 목소리가 잠겼다.

벨라의 눈물 머금은 눈은 자수정보다 더 아름답게 빛났

다. 그 모습을 멍하니 바라보고 있던 루카스는 순간 고개를 숙였다. 그리고 희미한 미소를 머금었다.

"소중하게 생각해 주셔서 감사합니다."

마치 더는 바랄 것이 없다는 표정에 벨라는 더더욱 가슴이 미어졌다.

"감사는 무슨 감사! 당신이란 사람은 바라는 게 그 정도뿐이에요?"

"네?"

"그 이상 아무런 바라는 게 없냐는 말이에요!"

벨라의 뺨을 타고 뜨거운 눈물이 흘러내렸다.

그녀의 떨리는 입술에서 차마 가슴속에 불길한 예감으로 남아 꺼내지 못했던 말이 나오고 말았다.

"루카, 혹시 플란네르로 넘겨져도 상관없다고 생각하는 거 아니죠, 그렇죠?"

"무슨 말씀입니까?"

루카스의 무표정한 눈빛에 벨라의 가슴이 아파 왔다.

"내가…… 내가……, 자꾸만 당신을 좋아한다고 들이대니까 어떻게든 내 눈앞에서 사라져 주려고 그런 생각 하는 거 아니죠?"

"……."

루카스는 대답이 없었다.

"황태자 전하께서는 나를 마음에 담아 두고 계신데, 내가 자꾸만 당신에게 내 사랑을 받아 달라고 하니까 내 곁에서 아예 떠나 버리려고 그러는 거 아니죠?"

차라리 무슨 대답이라도 해 주길 바랐다.

벨라의 눈가에서 자꾸만 눈물이 흘러내렸다. 그녀는 눈물로 뿌옇게 흐려진 눈을 가늘게 떴다.

"……내게 마음 줄 때까지 포기하지 않고 기다리겠다고 한 말 때문에 그러는 거예요?"

"……."

거짓말로 둘러대기라도 해 줬으면.

내 사랑을 받아들이느니 억울하게 플란네르로 끌려가는 것도 마다하지 않겠다는 생각인 걸까…….

"그렇게까지 내가 황태자 전하와 이어지길 바라는 건가요?"

울먹이느라 목소리가 떨렸다.

"누가 보아도 두 분은 잘 어울리는 한 쌍입니다."

차라리 보내기 아쉽다는 표정이라도 예의상 지어 줬으면.

벨라는 고개를 떨궜다.

"루카, 황태자 전하께 조언 같은 거 하지 말아요……. 난 그 달콤한 말들을 루카에게 듣고 싶었다고요!"

"어떤 조언 말씀입니까?"

루카스는 높낮이 없는 그 특유의 어조로 건조하게 대답했다.

"내가 먹고 싶어 한 것, 갖고 싶어 한 것, 듣고 싶어 한 말, 함께하고 싶었던 장소…… 은근슬쩍 흘린 것은 루카와 함께 그 모든 것들을 하고 싶다는 내 은근한 바람이었는데, 그 모든 것들이 어느샌가 황태자 전하께서 내게 하는…….'

"저는 조언한 적 없습니다."

그의 말에 벨라는 입술을 깨물고 서글프게 루카스를 바라보았다.

긴 침묵이 이어졌다. 또다시 저 침묵의 끝에는 거절의 뜻이 담길 것이다. 그것도 미련의 여지 없이 단호하게.

"아가씨, 저는 같은 말을 다시……."

"됐어요! 하지 말아요! 절대로 듣고 싶지 않아요!"

벨라는 남겨진 눈물을 마저 주룩 흘려보낸 후 이를 악물었다.

몇 번을 퇴짜 맞는가.

단 한 번의 빈틈마저 허락하지 않는 그의 독한 결심에 벨라의 자존심은 여지없이 무너졌다.

그래요. 나도 이젠 나 싫다고 마다하는 사람을 좋아하지 않을 거예요.

벨라는 서럽게 눈물을 닦으며 입술을 깨물었다.

제 목숨에 미련도 없는 사람에게 사랑이 무슨 소용이겠어.

대답 없는 벽을 향해 몇 번이고 외쳤으나 메아리마저 돌아오지 않는 것 같았다.

어릴 적 당한 학대의 기억에, 그는 사랑하는 법을 잊어버렸는지도 모른다.

그의 굳게 닫힌 벽을 뚫고 다가가기엔, 자신이 너무나 미약한지도 모른다.

벨라는 주머니에 든 황태자의 선물을 만지작거렸다. 자신의 어머니가 걸고 다녔다는 목걸이와 반지였다.

아직도 마음에 미련을 버리지 못한 벨라는 차마 그 목걸이를 차지 못하고 루카스의 대답을 기다리고 있었다. 하지만 그 대답이 돌아올 리가 없다는 확신이 들자 벨라는 목걸이를 주머니에서 꺼내 들었다.

손이 바르르 떨렸다.

아마도 이 목걸이를 차고 황태자에게 나아가면 기뻐하며 곧 청혼 반지라도 줄 것이었다.

벨라는 원망스러운 눈초리로 루카스를 쳐다보았다. 그러나 그는 야속하리만치 아무 말도 듣지 못한 것처럼 묵묵히 그녀의 뒤를 따라올 뿐이었다.

그냥…… 내가 잘살기만 하면 그걸로 족하다는 거지?

그럼 내가 황태자 전하와 얼마나 행복하게 사는지 잘 보라고!

그리고 몇 번이고 준 기회를 스스로 걷어찬 것을 후회해 봐!

내가 마음 아파한 만큼 당신도 마음 아파 봐!

벨라는 우뚝 멈추어 서서 황태자가 준 목걸이를 스스로 목에 걸었다.

"가요. 논의하러. 끝나자마자 바로 수도로 출발할 수 있게 준비해 주시고."

벨라는 차갑게 말했다.

라울린과 루카스, 그리고 다른 여러 측근과 함께 플란네르의 최후통첩에 대해 급히 토론하였다.

"라울린, 훈련은 어찌 되었죠?"

벨라의 말에 라울린이 대답했다.

"저 역시 겪어 본 적이 없는 가상의 상황에 대한 훈련이라 시행착오가 꽤 있었습니다만, 변칙적인 상황에서 무조건 생존하도록 일단은 생존 훈련부터 시켰습니다."

라울린은 어깨를 으쓱해 보였다.

"방독면이란 것의 사용법을 익히는 데 시간이 꽤 걸렸고, 예기치 못한 병균 가루? 그런 것도 잘 몰라 처음엔 개판이었습니다만, 돌발 훈련을 거듭한 결과, 이젠 어떤 상황에서도 침착하게 싸울 준비가 되었다고 생각합니다."

"어떤 돌발 상황에 대해서인지 자세히 말씀해 주세요."

벨라의 말에 라울린은 굳은 표정으로 대답했다.

"개념 잡는 것부터 어려웠습니다만, 미래에 벌어질 전투 유형을 예측해 보고 어떤 식으로 신개념의 전술이 적용될지 지침을 정해 보았습니다."

라울린은 자신이 그린 전투 전개도를 내보였다.

"모의전 형식으로 두 편이 서로 상대 진지를 점령하게 연습시켰습니다. 주변의 지형이든 물건이든 최대한 이용해 살아남는 방법을 익히는 데에 우선했습니다."

벨라는 라울린이 보인 전투 전개도를 보았다.

"기관 단총이 부피와 무게 때문에 현재는 정해진 위치에 놓고 방어용으로 쓰이지만, 이것이 개인이 들고 다닐 만큼 가볍고 보편화된다는 가정하에 기관 단총을 대하는 교전 수칙을 만들었습니다."

벨라는 그의 여러 가지 이야기를 들으며 자신이 미래에 대해 말한 것만으로 라울린이 꽤 정교한 상상을 해낸 것이 마음에 들었다.

"그리고 참호전 양상으로 장기화할 경우 적에게도 장갑차가 이용될 가능성이 커지므로 장갑차를 막는 전투의 경우도 연습해 두었고……."

라울린은 설계도를 꺼내 보였다.

"일전에 말씀하신 총알을 막는 갑옷 조끼 같은 것은 방탄복이란 명칭이 맞습니까? 그것은 아직 비밀리에 생산 중입니다. 수도로 가는 즉시 시제품이나마 가져와 착용시킬 예정입니다. 보호할 수 없는 머리는 헬멧으로 대체하면 될 것 같습니다."

벨라는 그의 꼼꼼한 대비에 만족스러운 표정을 지었다.

"가상 모의전으로 훈련한 이들은 비록 소수이지만, 각자 구식 군대에 섞어 배치하면 자신이 속한 부대가 최대한 생존할 수 있게 돕는 역할을 할 것입니다. 그런데……."

라울린은 말끝을 흐리며 난감한 듯한 표정을 지었다.

"말씀하신 비행기에 대비한 훈련은 어찌해야 할지 모르겠습니다. 비행기의 실체가 있으면 모르겠는데 앞으로 십수 년 후에 개발될 물건은 미리 상상하기가 힘듭니다."

벨라는 그의 반응이 무리가 아니라는 듯 고개를 끄덕였다.

"하긴, 지금 기술로는 비행기가 나올 때가 아니죠. 제가 본 미래에서도 비행기는 이제 막 나온 신기술이었고 하늘을 몇 분 이상 날지도 못했으니까요. 거대한 풍선을 이용해 하늘을 나는 것도 지금은 성공한 사람이 거의 없죠. 이해해요."

라울린은 머리를 긁적였다. 그를 위로하듯 벨라는 말을 이어 갔다.

"저도 비행기라는 물건을 사진으로나 봤지 직접 본 적이 없어요. 단지, 내가 화이트포럼 다리에서 뛰어내릴 즈음에 비행기가 적진을 염탐하고 오기에 효과적이라고 신문에 나왔어요. 곧 전쟁에 투입될 거라는 글만 봤으니 저도 개념은 잘 몰라요. 하지만 기술은 금방 발전하니까 또 모르죠."

벨라는 멋쩍은 미소를 지었다.

"일단 지금은 혹시 모를 비행기 정탐을 조심하는 정도면 될 거 같아요. 조만간에 비행기가 발명된다면 말이죠."

벨라의 말에 라울린은 고개를 끄덕이며 말했다.

"그 정도라면야…… 어쨌거나 그런 물건이 있다는 상상을 하고 비행기가 날아와 염탐할 때 상황을 가정해 봤습니다. 군의 배치 상황과 지형을 들키지 않도록 위장하고 때로는 위치를 가리도록 연기를 피우는 것이 한 방법 아닐까 싶습니다."

"연기?"

벨라의 물음에 라울린이 대답했다.

"연기를 피우거나 안개를 이용하는 전술은 고대로부터도 활용되던 방법입니다. 우리의 경우엔 인위적으로 연기가 필요하니 연기를 발생시키는 폭탄 같은 것을 준비해야 합니다."

"그러고 보니 연구원 키르케 씨가 저번에 실수로 만든 화학 약품이 있지 않아요? 연극 무대에서 구름으로나 쓰겠다고 농담한 거. 처지 곤란이었는데 이번에 그거나 쓰죠? 수도로 갈 때 혹시 필요할지 모르니 소량씩 담아서 싣고 가 보죠."

한창 이야기 중인데 이안이 문을 벌컥 열고 뛰어 들어왔다.

"급한 전보가 왔습니다! 플란네르가 벌써 페로하트의 연방국인 메넬론에 전쟁을 선포했다고 합니다!"

벨라의 눈이 휘둥그레졌다.

"플란네르가 미쳤군."

그란첼 백작이 소식을 듣고 급히 하이아드 백작을 찾아왔다.

"루카스 버틀러라는 놈을 잡아다 바치라고 할 때는 언제고, 보낸다 만다 말도 안 했는데 벌써 메넬론 침공이라니, 조건 따위 핑계란 건가 뭔가?"

하이아드 백작은 그러잖아도 부산하니 정신없어 보였다.

"그러게 말일세. 이제 막 아르티드 후작이 수도에 도착했다고 하여 제피르의 아들을 잡아다 압송할 참인데 일이 이렇게 돌아가서 나도 정신이 없네."

걸음을 빠르게 걷는 하이아드 백작을 따라 그란첼 백작도 발걸음 속도를 높였다.

"우리 군에 점령당하면서 궤멸할 뻔한 게 엊그제인데 플란네르 놈들 미쳐도 단단히 미쳤나. 내정도 수습 안 된 놈들이 왜 벌써 전쟁 선포야? 자네는 그 내막을 알고 있는가?"

그란첼 백작의 말에 하이아드 백작은 손을 내저으며 발걸음을 더욱 서둘렀다.

"급하다네. 빨리 황제 폐하께 가지 않으면 불벼락이 떨어진다고. 이야기는 나중에 하세."

종종걸음으로 대답도 제대로 하지 않고 바삐 불려 가는 그를 보며 그란첼 백작은 욕지기를 내뱉었다.

"미리 언질이라도 주고 침공하든가. 내가 메넬론에 투자한 돈이 얼마인데!"

멍하니 뒷모습만 바라보는 그를 누가 뒤에서 불렀다. 돌아보니 자플란 남작이었다.

"오, 마침 부르려 했네."

둘은 주변의 눈치를 살피고는 남들의 눈이 닿지 않는 곳으로 자리를 피했다.

"최대한 브릭에서 손 떼시랍니다."

자플란 남작의 말에 그란첼 백작은 화를 벌컥 냈다.

"아니, 느닷없이 메넬론을 침공하는 바람에 내가 본 손해가 얼마인 줄 아는가? 그런데 브릭에서 떠나 있으라고?"

"메넬론 쪽 사업은 최대한 보전해 주시기로 하셨습니다. 중요한 것은 브릭입니다. 손실은 나중에 다른 일감으로 주시든가 하겠죠. 브릭에 묶인 돈도 연연하지 마십시오. 오히려 여기서 피해당한 척해야 뒷일에 더 유리할 것입니다."

자플란 남작의 말에 그란첼의 눈동자가 교활하게 빛났다.

"그럼, 메넬론 침공은 속임수라는 뜻이군. 진짜 목표지는 수도 브릭이고."

"저는 수금을 위해 다음 지역으로 이동할 겁니다."

"나는 어찌해야 하는가?"

"그야 카이런 님이 계시지 않습니까? 핑계야 적당히……."

"훗……. 알겠네."

자플란 남작은 서둘러 모자를 눌러쓰고 밖으로 나갔고 그 란첼은 그런 자플란 남작이 멀어지는 모습을 바라보다가 발길을 돌려 자신의 딸을 찾아갔다.

"아우, 짜증 나!"

알리사는 제 아비에게 상황을 전해 듣자마자 신물 나는 듯한 표정을 지으며 고개를 저었다.

"왜 우리 전하께서 자꾸만 바보 역할을 해야 하는데요! 속상하게."

알리사는 팔짱 끼고 앉아 있는 카이런을 보며 일부러 오만상을 찡그려 보였다.

"우리 카이런 전하가 얼마나 능력 있고 멋진 분인데……."

"그래서, 지금 여자에게 정신 팔려서 현 시국에 지방으로 놀러 간 황자 역할을 맡아 달라, 그 말씀입니까? 부인께서는 그 정신 나간 바람둥이 남편을 뒤쫓아 지방으로 내려가고? 그리하여 화를 피하라. 이 말씀이로군요."

카이런은 웃으며 말했지만 표정은 못마땅해 보였다.

"지금으로선 그것이 가장 좋은 방법입니다."

그란첼 백작이 머리를 숙였다.

한숨을 푹 쉰 카이런은 머리가 아프다는 듯 이마를 손으로 짚었다.

"이런, 이런, 머리카락 색 하나 잘못 타고나서 저는 계속 바보 역을 고수해야 하는 거로군요."

카이런을 대신해 알리사가 짜증 나는 시늉을 있는 대로 지었다.

"차라리 플란네르에서 죽어 버리지……. 그러게 왜 살아 돌아와서는 우리 전하를 이렇게 힘들게 하는 거죠? 아빠, 왜 이이가 계속 모자란 것처럼 굴어야 하는데요? 네?"

그 순간에도 알리사는 카이런의 시선을 의식하며 예쁜 척했다.

"의회 내의 세력은 우리가 더 강하잖아요. 그저 가진 것이라고는 푸른 머리카락 색뿐인 황태자를 밀어내지 못하는 이유가 뭔데요?"

알리사의 말에 그란첼 백작은 딸을 타이르듯 말했다.

"그 별것 아닌 푸른 머리카락 때문에 전 황후와 함께 없애 버리지 못했습니다. 국민의 지지란 것을 무시할 수는 없지요. 황태자가 지금이라도 황위를 계승하게 되면 그 사건을 재조사할지도 모르고, 페로하트 정치계에는 다시 피바람이 불 겁니다. 그때까지는 부디 몸을 사리셔야 합니다."

알리사는 코웃음 치듯 고개를 돌렸다.

"흥. 차라리 오르티우스에서 플란네르와 맞붙게 놔두지.

어설프게 처리하시니까 더 복잡해지잖아요."

"지금이라도 서둘러 떠나셔야 합니다. 지체하시면 늦습니다."

그란첼 백작의 재촉에 카이런이 느릿느릿 일어났다.

"확실히 제가 황제가 될 수 있는 겁니까? 저를 가지고 노는 것이면 용서치 않을 겁니다."

그란첼 백작은 누가 들을세라 소리를 낮춰 입을 열었다.

"메넬론은 속임수입니다. 황제 폐하께서는 황태자 전하께 군대 통솔권을 주어 메넬론을 방어하라고 보낼 것이며 플란네르의 진짜 목표는 수도 브릭입니다. 황제께서는 이번 일로 크게 충격을 받으실 것이고 카이런 전하께서 군대를 이끌고 제일 먼저 황제께 나아가면 그 자체로 큰 공을 세운 것이 될 겁니다."

그란첼 백작은 교활한 미소를 지었다.

"황태자가 황위를 물려받아 그 칼날을 황후마마께 돌리기 전에 황제께 큰 믿음을 줄 절호의 기회입니다."

"흐음……."

카이런은 잠시 생각에 잠기는 눈치더니 곧 싱긋 웃으며 말했다.

"좋습니다. 장인어른."

"왜 이렇게 늦었나? 얼굴도 못 보고 출병할 뻔했다."

먼 길을 달려와 땀이 이마에 송골송골 맺힌 채 거친 숨을 몰아쉬는 벨라에게 칼리아스는 섭섭하다는 뜻을 비쳤다. 하지만 이내 표정을 다정스레 바꾸었다.

　"나에게 무사 귀환을 기원하는 키스를 해 주면 늦은 것을 용서해 주지."

　칼리아스는 벨라가 자신이 준 목걸이를 한 것을 첫눈에 알아보고 기뻐했다. 늘 눈에 거슬리던 일그러진 진주알이 달린 목걸이는 빼 버리고 온전히 자신의 목걸이를 차고 있었다.

　가슴이 두근거리고 터질 듯 벅차올랐다. 그까짓 목걸이 하나에 이렇게 기쁠 수가 있다니 신기했다.

　벨라는 뒤를 힐끔 바라보았다. 루카스는 여전히 무표정했다. 벨라는 눈빛을 흐리며 고개를 휙 돌렸다. 그러고는 칼리아스의 목에 두 팔을 감고 그의 입술에 가벼운 키스를 했다.

　"무사히 돌아와 주세요."

　칼리아스는 벨라의 진한 보라색 눈동자를 바라보며 곧 다가올 전투의 긴장감보다 그녀가 내뿜는 열기를 더욱 크게 느꼈다.

　'이대로 허리를 휙 감아 진한 키스를 하면 어떨까?' 하는 상상이 칼리아스의 머릿속을 스쳤으나 애써 잘 제어 중인 손바닥에 불이 확 붙을까 봐 아쉬운 입맛만 쩝 하고 다셨다.

　순간 벨라가 그의 입술에 진하고 깊은 키스를 해 주었다. 놀란 칼리아스의 두 뺨이 분홍색으로 물들었다. 잠깐의 정적 끝에 느리게 입술을 뗀 벨라가 그의 눈을 그윽하게 바라보았다.

언제 보아도 예뻤다. 눈에 담아 두어도 아프지 않을 것 같다는 표현이 무슨 뜻인지 알 것 같았다.

항상 곁에 두고 싶은 사람이란 것을 새삼스레 깨달으며 칼리아스는 그녀에게 멋있어 보이고 싶어서 어깨에 힘을 줬다.

"약속한 훈련병들은 라울린이 데리고 왔어요. 라울린이 만든 실전 지침서는 여기……."

벨라가 조용히 내미는 편지 봉투를 받아 들던 칼리아스는 미소를 지었다.

"고마워. 플란네르가 쓸 만한 전법에 관한 대응책을 미리 연구하고 훈련한 병사들이라는 거지?"

"네. 부대에 하나씩 끼워 넣으면 어떤 느닷없는 상황이 펼쳐져도 그자를 따라 다른 병사들도 그에 대응할 수 있게 라울린이 충분히 지도해 놓았어요. 요점 정리는 그 편지 안에 있으니 가시는 길에 꼭 읽어 보세요."

벨라의 말에 칼리아스는 라울린에게 고맙다는 듯 가볍게 고개를 끄덕여 보였다. 라울린 역시 웃으며 화답했다.

"벨라, 정말 고마워. 방탄복이란 것도 잘 입을게. 시간이 충분해 전군이 다 하나씩 입을 수 있었다면 좋았겠지만, 지금으로선 이런 신기한 물건이 있다는 것만으로도 든든해."

칼리아스의 눈빛이 반짝였다.

"네가 없었다면 나는 지금 어땠을까? 이미 오르티우스 요새를 탈환하려다가 죽었겠지?"

벨라는 눈썹을 찡그리며 그에게 말했다.

"꼭 이기고 돌아와요. 돌아와서 청혼해 줘요. 기쁘게 기다릴게요."

칼리아스는 그런 벨라를 다정하게 끌어안았다. 그리고 귓가에 속삭였다.

"반드시 돌아와서 청혼할게."

칼리아스는 촉박한 시간 탓에 아쉽게 벨라를 돌려보내며 손을 흔들었다.

벨라는 걱정스러운 눈빛으로 그가 군대를 이끌고 멀리 사라질 때까지 손을 흔들며 그 자리에 서 있었다.

누군가가 가볍게 그녀의 등을 두들겼다.

"후작님. 걱정 그만하십시오. 딴 건 몰라도 제가 보낸 녀석들은 베테랑이라 무슨 일이 있어도 황태자 전하를 지킬 겁니다."

라울린이 그리 말해 주자 벨라는 조금은 한시름을 던 듯했다.

"고마워요, 라울린."

"뭘요. 저는 당연히 월급 받고 하는 일입니다."

"아르티드 후작님, 기다리고 있었습니다."

갑작스러운 하이아드 백작의 목소리에 벨라는 뒤를 돌아보았다.

그는 라울린을 한동안 노려본 후에 벨라를 향해 음흉한 미소를 지었다.

"황제 폐하의 명령입니다. 그간 제피르의 아들을 숨겨 두신 죄로 함께 가셔야겠습니다. 파벨, 저기 저자를 포박하여 족쇄를 채우라."

벨라는 하이아드 백작을 가로막았다.

"이 사람은 저의 집사이자 보좌관입니다. 그의 아들이라는 증거도 없고 아무리 황명이라 하여도 죄 없는 자를 죄인취급하지 마십시오! 함부로 대하시면 저도 법적으로 책임을 따져 묻겠습니다."

하이아드 백작은 고소하다는 듯한 표정으로 말했다.

"제국의 모든 법률 위에 황제 폐하의 뜻이 있습니다. 저는 그저 황제 폐하의 뜻을 받들 뿐입니다. 흉악범의 아들인 자체가 죄입니다. 탓하시려거든 흉악범을 탓하십시오."

하이아드 백작은 사람들을 시켜 루카스를 끌고 가게 한 후 벨라를 직접 앞세웠다.

"황제 폐하께 갑시다. 어서."

하이아드 백작의 말에 벨라는 벌컥 화를 냈다.

"국방부 장관이란 사람이 국방에 관한 일은 안 하고 사람 체포나 직접 하러 다니나 보죠? 집행관이 할 일이 아닌가요? 한가해요? 자신의 본분이 뭔지 모르나요? 루카스를 풀어 줘요! 당장!"

"그건 황제 폐하께 직접 말씀드리십시오."

그 말을 하며 하이아드 백작은 라울린을 무섭게 노려보았다. 라울린 또한 지지 않겠다는 듯 하이아드 백작의 눈을 똑바로 쳐다보았다.

벨라는 죄인처럼 끌려가는 루카스를 보며 입술을 깨물었다. 그러나 라울린이 지금은 방법이 없다는 듯 고개를 저어 보이자 내키지 않는 발걸음을 옮겼다.

　황제 폐하를 알현하라며 강제로 끌어다 놓고는 정작 황제
는 밤늦도록 나타나지 않았다. 졸지에 독방에 갇힌 신세가
된 벨라는 지나가는 시종들에게 물었다.

　"폐하께서는 언제 오신다는 겁니까?"

　한 시종이 대답했다.

　"메넬론 침공 건 때문에 지금 바쁘십니다. 급한 일이 해결
된 후에 독대하신다고 하였으니 기다리십시오."

　"그러면 제 보좌관이라도 자유로이 드나들게 해 주세요!
저는 죄인이 아닙니다! 부당하게 억류하여 두면 제 법률 고
문을 불러 이에 대한 이의 제기를 하겠습니다."

　벨라의 끈질긴 설득에 밖에서 대기 중이던 리체와 라울린
이 안으로 들어올 수 있었다.

　"밖이 지금 어떻게 돌아가는 거지?"

　벨라의 말에 리체가 먼저 대답했다.

　"메넬론은 페로하트를 치기 위해 지나가겠다며 침공한 것
이니 이치가 맞지 않습니다. 문제는 주변국들이 플란네르와
페로하트 중 누구의 동맹이 될 것인가를 드러내 놓고 선택
하는 셈이 되어서 조금 복잡합니다. 그로 인해 지금 황제 폐
하께서 격분하신 상태라……."

리체의 말에 벨라는 한숨을 내쉬었다.

"페로하트가 고립되었구나?"

"……네."

"괜찮아. 예상했던 일이잖아. 단지 좀 빨리 고립되었을 뿐. 내가 겪어 보았던 과거에서는 결국 이권들을 차례로 빼앗기고 쇠퇴해 버렸지. 그나저나 루카스는 어때?"

"지하에 감금되어 있습니다. 면회는 불가입니다."

라울린이 대답했다.

벨라는 울분을 참지 못해 책상을 주먹으로 쾅 내리쳤다.

"다들 제정신이 아니야! 제피르의 아들이라는 혐의만으로 사람을 함부로 죄인 취급하다니! 이 나라는 법도 없고 규율도 없어?"

"그야 황제니까요."

라울린의 말에 벨라는 긴 탄식을 내뱉으며 의자에 털썩 주저앉았다.

"대체 누가 루카스를 플란네르에 넘기면 된다는 멍청한 제안을 했을까?"

벨라의 말에 리체가 말했다.

"제가 회의를 조금 지켜보았는데 슈르츠 공작님의 제안이셨습니다."

"하!"

벨라는 이전에 읽은 토레스의 기억을 머릿속에 떠올렸다.

[……콜레트는 그것이 낭만적인 사랑인 줄 안다. 그러나 아니다. 이 사랑은 연극이다. 연극이 아니라고 생각하기엔 콜레트는

지나치게 돈이 많고 레오는 파산 직전이다.

이전에 방탕한 삶을 살았으나 콜레트를 만나 개과천선하였다는 아름다운 이야기를 나는 믿지 않는다.

레오는 콜레트를 아내로 맞이할 경우, 장남을 제치고 자신이 가문의 계승자가 될 확률을 놓고 도박을 하고 있다.

아무리 설득을 해도 이미 콩깍지가 씐 콜레트는 내 말을 듣지 않는다. 호구에 울보라는 우리 집안 혈통에 별명을 하나 더 붙여야 할 것이다. 쇠심줄. 아아…… 왜 이리들 고집이 센 것인가.]

전에는 아무런 관련이 없다고 생각한 슈르츠 공작가였다. 그저 콜레트 고모할머니가 계신 곳일 뿐이었다.

할아버지의 기록을 보고서야 알았다. 지금 콜레트 고모할머니가 계신 슈르츠 공작저 및 방대한 영토가 실은 아르티드가의 소유였다. 그러니 물증이 없다 하여도 슈르츠가에서 아르티드가에 자객을 자꾸 보냈을 가능성이 높을 수밖에.

[……콜레트의 지참금에 대한 비밀 계약서를 가주의 방에 숨겨 두었다는 것을 레오는 모른다. 이걸 훔치러 도둑이 든다면 레오의 검은 꼬리를 밟을 수 있겠다는 생각에 금고에 둔 척했다. 나는 계약서가 꼴도 보기 싫어 서명받자마자 가주의 방에 화풀이하듯 던져두었다. 방대한 종이 더미 밑에 깔려 있을 테니 찾고자 한다면 고생은 조금 하겠지만 나는 이것을 찾을 일이 없길 바란다.

공작저를 새로 짓는 비용과 슈르츠가의 옛 영지인 땅을 지참금 형식으로 콜레트가 시집가며 갖고 가는 것으로 사람들은 생각하겠지만 사실은 대여이다.

돌려받을 생각이 없으면서 대여한 것이 알려지면 공연한 심술이라고들 하겠지. 하지만 아까워서가 아니라 속 터져서 넘기기가 힘들었다.

　단언컨대, 직계고 방계고 가릴 것 없이 썩어 빠진 슈르츠 가문의 놈들이 순진한 콜레트를 모두 털어먹을 것이다. 더 이상 뜯어먹을 것이 남지 않게 되면 콜레트는 당장에 버려지겠지.

　레오는 주변의 썩은 놈들을 정리하지 못하고 있다. 아니. 나는 일부러 그들을 정리하지 못하는 척한다고 본다…….

　하여, 나는 콜레트에게 영구 대여 형식으로 지참금을 대 주었다. 슈르츠가 누구도 아르티드가의 가주 허락 없이 재산을 팔아먹지 못할 것이다. 알량한 공작가에서 가진 재산이 오로지 달랑 콜레트 하나라면 누가 믿을까?

　콜레트가 레오의 체면을 세워 달라 하였으므로 나는 이 일을 영원히 입 다물고 있을 작정이다.]

　벨라는 토레스가 남긴 그 기록을 떠올리며 피식 웃었다.

　슈르츠가에서는 그간 스스럼없이 땅을 사고팔았다. 할아버지가 돌아가신 지 오래이니 상관없다고 생각한 건지도 모른다. 하지만 아르티드가의 재산을 빌려다 쓰면서 제 것인 양 사고판 사실이 밝혀지면 무슨 일이 벌어질 것인가.

　단순히 망신으로 끝날 일은 아니었다. 소유권 분쟁도 복잡해지며 사회적 물의를 빚고 공작 작위를 강등당할 수도 있었다. 제국의 세 기둥 중 하나인 슈르츠 가문이 알고 보니 알거지였다!

　아르티드가가 입만 뻥긋하면 다시 팔아먹은 땅의 대금을

물어 줘야 할 판이다.

후⋯⋯.

그 영구 대여된 지참금 때문에 할아버지와 내 부모님이 돌아가셨던 건가⋯⋯?

벨라는 쓰디쓰게 입맛을 다셨다.

슈르츠 공작은 내 할아버지가 돌아가셨으니 그 계약서의 존재를 아무도 모른다고 생각하겠지? 지금이라도 계약서를 없애려 도둑을 보냈다 걸리면 뭐하니까 암살범으로 가장한 건가? 암살당해 멸족되면 좋고, 걸리더라도 원한 관계인 사람들을 의심하며 헛다리 짚어 보라고?

진심이야 알 수 없었다. 남은 것은 토레스의 기억뿐이니 말이다.

유훈을 거슬러 토레스의 기억이 담긴 글을 공개하여도 문서야 조작된 거라고 우기면 끝인 세상이었다.

'빨리 그 계약서를 찾아야 하는데. 쩝.'

벨라는 끝없이 이어지던 생각을 멈추고 현실로 돌아왔다.

"그저 제피르의 아들일지도 모른다는 추측 기사일 뿐인데 왜 다들 그의 존재를 수긍해 버리는 거죠? 법률 고문 헨리 와이즈먼 씨는 뭐래요? 왜 빨리 오지 않죠?"

"그게⋯⋯."

벨라의 짜증스럽다는 듯한 말에 리체가 어두운 표정을 지었다.

"너무 닮아서⋯⋯."

대답 대신 석간신문이 벨라에게 내밀어졌다.

벨라는 석간신문에 난 기사의 사진을 보았다. 현존하는 제피르의 유일한 초상화가 실려 있었다. 그것을 본 순간 벨라는 잠시 숨을 멈추었다.

부정하기에는 지나치게 닮았다. 따로 주변을 조사해 보거나 다른 근거를 찾아보기엔 죽은 제피르가 살아 돌아왔다고 해도 믿을 정도였다.

그러니 루카스는 별다른 변명조차 하지 않고 묵비권을 행사하고 있는 게 고작일 것이었다.

벨라는 치솟아 오르는 울화를 삭이려고 애썼다.

세상에 뭐 이런 아버지가 다 있는가?

한 번도 보지 못한 제피르에 대한 원망이 폭발할 듯 솟구쳤다.

루카스의 어머니는 유학 중 혼외자를 낳고 귀국했다. 그리고 형편없는 남자와 재혼을 했다. 최악의 상황을 겪으며 자란 루카스가 지금은 자신의 힘으로 저렇게나 반듯하게 자라 어른이 되었는데, 생물학적 아비라는 사람은 아들에게 아무런 도움도 안 됐다.

왜, 당신과 상관없이 생겨난 루카스가 당신의 죄를 짊어지기까지 해야 하는데?

최악이다. 정말 최악의 아버지다.

무책임하게 낳아 놨으면 외모라도 닮지 않게 하든가!

벨라는 분을 이기지 못하고 주먹으로 책상만 쾅쾅 두들기다가 저도 모르게 씁쓸히 킥킥거리고 말았다.

누군 나고 싶어서 나는가.

벨라는 저도 모르게 눈물을 글썽였다.

과거의 삶에서 벨라는 수도 없이 혼자 벽을 보며 외쳤다.

아빠. 왜 날 세상에 태어나게 했어요.

엄마. 차라리 날 데려가지 왜 나만 남겨 두었어요.

그 눈물의 끝에서 누군가를 기다렸다.

'넌 나를 만나려고 태어났지.'

그렇게 말해 주면서 환하게 웃어 줄 사람이 나타날 거라고 희망을 품었다.

그 사람이 나를 행복하게 해 줄 것이라고. 그로부터 내가 태어난 의미가 생길 거라고 믿었다.

세상 물정 모르는 소녀의 부질없는 환상이었는지 사랑이라 믿었던 선택은 모두 끝이 좋지 않았다.

그런 나에게, 삶의 맨 마지막까지 더 살아라, 너의 앞날은 아직도 많이 남았다며 자신의 사랑을 아낌없이 주고 간 사람. 그게 바로 루카스였다.

또다시 벨라의 눈가에 눈물이 뜨겁게 차올랐다.

'나한테는 끝까지 살아라, 그래도 살라 해 놓고 루카스 당신은 무슨 희망으로 버텨 왔을까?'

루카스의 삶은 고통투성이였다.

어려서는 무책임한 어른들 때문에 고통당했다면, 커서는 오로지 벨라를 지키고자 고난을 감수했다. 이제야 비로소 무거운 짐을 벗어 놓고 숨 돌리려 하는 그에게 그의 아비의 죄를 묻다니. 이게 말이 되는가?

루카스의 삶에 좋은 기억이란 게 남아 있을까?

벨라의 마음이 칼로 저미어 오는 듯 아팠다.

'그러니까, 루카, 나의 손을 잡지 그랬어요. 내가 당신을 행복하게 해 주고 싶었는데……. 내 손이 못 미더워요? 나는 계속해서 당신을 힘들게 할 존재니까 피하고 싶은 건가요?'

벨라는 대답 없는 그에게 마음속으로 묻고 또 물었다.

'그건, 아가씨께서 겪으셨다는 과거의 저이지, 현재의 저는 아닙니다.'

루카스의 냉랭한 목소리가 다시 귓가에 들리는 것만 같았다.

'착각하지 마시길 바랍니다.'

루카, 내게 왜 이렇게 잔인해요……?

"후작님?"

말없이 울고 있는 벨라를 보며 당황한 리체는 손수건을 내밀며 달래 주었다.

라울린은 정신없는 하루를 보내고도 쉬이 잠들지 못했다. 전율이 흐르듯 두근거렸다. 일찍 일어나야 벨라와 루카스가 풀려날 방법을 찾아볼 텐데 좀처럼 잠이 오지 않았다.

한쪽으로 돌아누웠다가 뒤적거리며 다시 반대편으로 돌아누웠다.

하늘이 희끄무레한 것이 좀 있으면 새벽이 올 것 같았다.

양을 세어 보았다. 한참 헤아려도 양 세기는 취향에 맞지 않았다.

"쩝."

왠지 옆자리가 허전해서 힐끔 쳐다보았다. 여태 혼자 잘만 잤는데 근래엔 늘 캐시를 끌어안고 잠들어 버릇해서 그런지 캐시의 빈자리가 크게 느껴졌다.

'캐시를 끌어안으면 잠이 솔솔 올 텐데……'

라울린은 한숨을 쉬며 팔베개를 하고 정면으로 누웠다.

하늘엔 여명이 밝아 오고 있었다.

'이것 참 큰일이네.'

라울린은 한 시간이라도 자든지, 아예 일어나든지 해야겠다고 생각했다.

위이이이이이잉 하는 낯선 소리가 멀리서 들려왔다.

처음 들어 보는 이상한 기계음이었다. 요즘 페로하트에서도 자주 보이기 시작한 자동차 소리인가 했다. 그런데 자동차 엔진 소리와는 사뭇 다른 굉음이었다.

라울린은 재빨리 일어나 밖으로 뛰쳐나가 숙소의 가장 높은 곳으로 올라갔다.

순간 새벽하늘 끄트머리를 뒤덮은 잠자리 떼 같은 것을 발견했다.

라울린은 첫눈에 저게 바로 벨라가 말한 비행기임을 깨달았다. 너무 먼 거리에 있어서 잠자리처럼 보이는 그것들은 수도 브릭 전체를 뒤덮을 듯 거대한 무리를 이루고 있었다.

벨라는 비행기는 훨씬 이후에 개발될 물건으로 정찰 용도 정도로 쓰일 것이라 하였다.

그러나 그것을 본 순간 라울린은 저 정도 집단이라면 단순한 정찰 용도가 아닐 거라 판단했다. 대대적인 공습이었다.

테오도르 황제는 플란네르의 행보에 화병이 났다. 며칠 동안 잠을 이루지 못하다가 온천욕을 하고 난 후 향유 대체 요법을 하는 치료사의 도움으로 간신히 심신의 안정을 취했다. 편안하게 마사지를 받으며 잠이 들락 말락 하던 참이었다.

"폐하!"

시종장이 호들갑을 떨며 달려오는 소리에 테오도르 황제는 그만 기분을 잡치고 말았다.

"짐이 아무도 들이지 말라 하였거늘, 간신히 취한 안정을 깨뜨리는 자는 누구냐!"

시종장은 새하얗게 질린 얼굴로 더듬더듬 말했다.

"폐…… 폐하, 브릭에 큰일이 났습니다!"

"업무 이야기는 꺼내지도 말라니까! 온천욕만 마치고 금방 궁으로 돌아간다고 하였는데 그새를 못 참는가!"

테오도르 황제의 노성에도 불구하고 시종장은 사색이 되어 입을 다물지 못했다.

"지…… 지금, 하늘에서 플란네르의 군대가 떨어져 내리고 있다고 합니다!"

"그게 무슨 말이냐? 짐이 알아들을 수 있게 똑바로 말하라!"

황제의 일갈에 시종장은 이마를 바닥에 찧고 또 찧으며 말했다.

"플란네르 놈들이 새를 만들어 타고 날아와서 브릭 동쪽으로는 폭탄을 떨어뜨리고 기관 단총을 쏘고, 브릭 서쪽으로는 새에서 뛰어내린 적병들이 닥치는 대로 국민을 살상하고 다닌다고 합니다! 빨리 명령을 내리셔야 합니다!"

"뭐야?"

테오도르 황제는 순간 할 말을 잊고 멍해졌다.

"새를 만들어 타고 날아와? 폭탄? 기관 단총? 적병?"

"지금 이러실 때가 아닙니다!"

누군가가 뛰어오는 소리가 요란하게 났다. 관리들과 고위층 귀족들이 구둣발 소리가 크게 울리든 말든 눈썹이 휘날리게 뛰어와 황제 앞에 엎드렸다.

"이러다가 브릭이 점령당합니다! 한시바삐 명령을!"

"일이 이 지경이 되도록 다들 뭣들 한 게야! 재상과 국방 장관과 위원들은 어디 갔는가? 빨리 오게 하라!"

테오도르 황제는 이마에 두른 수건을 바닥에 집어 던지며 신경질적으로 말했다.

마사지 받다 말고 옷을 후다닥 걸친 테오도르는 장관들을 마주치자마자 그들이 하는 말에 놀라 눈만 크게 치켜뜰 뿐이었다.

"지금 브릭이 불바다가 되었습니다. 온통 자욱한 연기로 뒤덮여 피해 상황이 잘 보이지 않습니다."

"하늘에서 쏟아져 내리는 일방적인 총알 세례에 밖으로

나와 보지 못하고 쓰러져 죽은 자의 시체가 거리마다 산을 이루고 있습니다.

"일방적인 학살입니다."

"적을 막고자 하여도 하늘 위에 있어 잡히지 않습니다."

"플란네르 놈들은 정예로 훈련된 군인들을 투하해 페테르니타스 성을 점령해 버렸고, 이미 관공서 곳곳이 놈들에게 넘어갔습니다."

"메넬론 침공은 우리 군을 그곳에 집중시키기 위한 거짓 작전이었습니다. 메넬론을 치는 척하고 놈들은 처음부터 브릭을 초토화할 작정이었던 겁니다."

머리가 아프다는 듯이 한 손으로 이마를 감싸 쥐고 있던 테오도르 황제는 듣고 있다가 넌덜머리를 내며 큰 소리로 말했다.

"황궁 기사단은 뭘 하고 수도 방위군은 지금 어떻게 되었는가? 놈들을 반나절이면 깔끔하게 소탕해 버릴 수 있다고 장담하더니 왜 여태 아무 소식이 없는가?"

"이상하게 브릭이 흰 연기로 뒤덮여 있어서 전령이 도착하지 않는 한 맨눈으로 확인할 수 없습니다."

신하의 말에 테오도르는 화를 참지 못했다.

"그것 하나 확인도 못 해? 연기가 가실 때까지 손 놓고 구경이라도 하란 것인가?"

순간 쾅 하는 폭음과 함께 황제가 있던 별장이 크게 흔들렸다. 천장이 갈라져 마감재가 떨어지는 통에 누군가는 비명을 질렀다.

"이게 뭔가?"

황제의 질문에 답할 겨를도 없었다. 충격이 두 번, 세 번 이어지더니 순식간에 아수라장이 되어 사람들의 비명이 곳곳에 울려 퍼졌다.

"적이 만든 새가 이곳을 폭격하고 있습니다!"

시종 하나가 다급히 달려와 외쳤다.

"이곳은 안전하지 못하니 자리를 피하십시오!"

"어디로 가란 말인가! 안전한 자리로 나를 이끌어라!"

황제가 외치기도 전에 다시 커다란 굉음이 울리며 별궁 전체가 금방이라도 무너질 듯 흔들렸다. 그리고 까만 연기가 순식간에 사방에서 퍼져 들어왔다.

"불이 났습니다! 이쪽으로 오십시오!"

그중 한 시종이 황제를 이끌며 앞장을 섰다.

"놈들이 브릭에 무리한 공격을 하느라 충분한 폭탄을 싣고 오지 못했으니, 주기적으로 공격과 후퇴를 반복할 거라 합니다."

시종의 말에 황제는 깜짝 놀랐다. 그러나 시종은 침착했다.

"놈들의 폭탄은 건물의 지하실까지 날릴 정도로 강하지 못하니 노약자는 지하실에 숨어 있고, 건장한 자는 연막 속에 숨어 있다가 놈들이 기관 단총 총알을 다 소진하면 소총으로 적이 만든 새의 꼬리 쪽을 쏘라고 합니다!"

테오도르 황제의 눈이 커다래졌다.

"오오! 장관이란 것들도 우왕좌왕하는 판에 그대 혼자 믿음직스러운 말을 하는군! 자네의 이름이 뭔가?"

지하실로 대피하며 황제는 앞장선 시종에게 물었다.

"디알로시오 남작가의 카스카라고 합니다만, 이 지침은 다른 사람이 또 다른 이에게 전달해 달라고 한 바를 전한 것뿐입니다. 저도 다른 이에게 이 말을 전해 듣고 달려왔습니다."

"전달?"

"네. 다들 헤매다가는 목숨을 잃는다면서 알려 준 지침대로 하라 했습니다. 비행기란 물건은 연료와 폭탄을 채우러 돌아가는 시간이 필요한데 그 틈을 노려서 이동하고 공격하라 했습니다. 그리고 혼자 움직이지 말고 둘 이상 짝을 지어 수도 방위군을 도와 침략군에 맞서 싸우라고 독려했습니다."

"그 대견한 자가 누구냐! 무사히 이 상황이 종료되면 크게 치하하여야겠다!"

황제는 지하실 안으로 들어가며 외쳤다. 디알로시오 남작가의 카스카는 황제의 안위를 살핀 후 뛰쳐나가며 말했다.

"저 역시 전해 들은 것이라 누가 처음 시작했는지 모릅니다. 하지만 저는 약속대로 전달했으니 이만 수도 방위군에 합류하겠습니다. 다른 이가 이 말을 또 다른 곳에 전해 주십시오. 폐하, 부디 무사하십시오."

그러자 눈치 보고 있던 시종장이 한마디 했다.

"저 지침이 플란네르 놈들이 퍼뜨린 유언비어라면 어떻게 합니까? 확인할 수도 없는데 무턱대고 따르면 적군의 흉계에 말려드는 것일지도 모릅니다."

잠자코 생각하던 황제는 고개를 저었다.

"아니다. 그 지침을 따른다 해서 손해 볼 것은 없어 보인다. 따져 보면 옳은 말들이다."

곁에 있던 다른 신하도 한마디 보탰다.

"지당하신 말씀입니다. 급할 땐 차라리 한 가지 의견을 따르는 것이 피해를 줄일 수 있습니다."

벨라는 마냥 기다리다 아무도 오지 않아 사람을 보내 알아보니 황제는 지병을 핑계로 근교의 온천장으로 떠난 후라 하였다.

"그냥 벨라시아로 돌아가면 안 돼?"

기다리기 지루해진 벨라는 리체에게 물었다.

"해명하기 위해 오셨으니 무단으로 돌아가면 황명을 어긴 것이 됩니다. 돌아오실 때까지 기다리셔야 합니다."

벨라는 한숨을 쉬어 봤지만 변하는 것은 없었다. 결국은 그날 밤이 늦도록 대기만 하다가 황궁에서 마련해 준 손님방에서 하루 묵는 수밖에 없었다.

"벨라! 벨라!"

자는 벨라를 흔들어 깨운 것은 리체였다.

"후작님, 아무래도 뭔가 분위기가 이상합니다."

벨라가 부스스 일어나는 사이 호위 기사 제스로가 방으로 급히 뛰어들었다.

"황궁이 기습당한 것 같습니다. 몸을 피하십시오."

날카로운 총성에 벨라의 졸린 눈이 번쩍 떠졌다.

"총소리 맞지?"

"지금 하늘에서 군인들이 떨어지고 있습니다."

제스로의 말에 벨라는 크게 놀라 창밖을 보려 했다.

순간 제스로가 벨라를 확 잡아당겼다.

"저격의 위험이 있으니 창가로는 가까이 가지 마십시오!"

"미안!"

벨라는 정신이 번쩍 들었다.

"플란네르에서 비행기로 불시에 급습한 것 같습니다."

리체의 말에 벨라는 주변을 살폈다.

"비행기? 급습?"

찢어지는 듯한 여자의 비명이 저 멀리에서 들려왔다.

플란네르에서 듣던 언어로 "모두 손 들어!"라고 외치는 소리와 함께 총성이 요란하게 울렸다. 복도마다 사람이 다급하게 달리는 소리와 문 덜컹대는 소리 그리고 총성과 비명이 뒤엉켜 아수라장이 되었다.

"어쩌지 벨라?"

"어쩌긴! 탈출해야지!"

불안해하는 리체의 손을 벨라가 굳게 잡았다.

"황궁에 들어오면서 무기는 모두 반납하고 들어왔는데 무슨 수로?"

리체의 말에 벨라는 미간을 찡그렸다.

"없으면 만들든지, 빼앗든지. 손 놓고 있을 수는 없잖아?"

바로 근처 복도에서 총성이 들렸다. 적군이 손 들라고 외치는 소리가 가까이서 들려왔다. 투항하면 목숨은 살려 주겠다는 말이 들려왔지만 그걸 믿을 사람은 없었다. 그들은 황궁을 제압하기 위해 인질로 삼을 이들을 잡아가고 있었다.

제스로가 둘에게 손짓했다. 옆방으로 통하는 문으로 나가자는 뜻이었다.

"황궁 내부는 저들보다야 우리가 더 잘 알 겁니다. 들이닥치기 전에 피하십시오."

벨라는 라울린이 해 줬던 말들을 떠올렸다.

'예기치 못한 상황에서는 1~2초의 찰나가 목숨을 가릅니다. 우왕좌왕하지 말고 지침을 따르십시오. 대피 훈련이니 비상 훈련이니 하는 것은 그 낭비할 시간을 줄이는 것이 목표입니다.'

지금 믿을 것은 제스로뿐이었다. 라울린이 철저히 훈련시킨 사람이니 제스로의 행동은 곧 라울린의 지침이었다.

적군의 총성이 사방에서 울리고 있었다. 얼굴이 하얗게 질린 리체가 덜덜 떠는 것이 보였다. 벨라는 그런 리체의 손을 힘주어 잡았다.

'망.설.이.지.마.'

리체는 라울린에게 훈련받아 본 적이 없어서 두려움에 떨고 있었지만, 늘 라울린이 강조하는 말이 무엇인지는 자주 들어 알고 있었다.

'총이든 칼이든 흉기를 든 자를 만나면 제일 먼저 할 일은 절대 마주치지 않게 도망가라. 살아남는 놈이 이기는 거다.'

제스로는 재빨리 문 너머를 살피고는 안전하다 싶으면 열어서 넘어가게 해 주었다. 더 이상 달아날 문이 없자 문 바로 위쪽의 천장에 해당하는 부위의 판자를 떼더니 그 안 좁은 틈에 리체를 밀어 넣었다.

"보좌관님은 여기에 숨으십시오."

다음으로 문 아래의 판자를 떼더니 벨라를 밀어 넣었다.

"후작님은 여기 숨으십시오."

"제스로. 어떻게 하려고?"

벨라가 제스로의 손을 덥석 잡았다.

"좁아서 저는 못 들어갑니다. 알아서 숨겠습니다."

황궁에는 만약의 사태를 대비해 숨을 만한 곳이 몇 군데 있었다. 벨라는 문득 황궁에 있는 사람들이 걱정되었다. 그리고 느닷없이 급습한 티베리에게 분노가 치밀어 올랐다.

'비겁하게 비행기를 미리 개발하여 살상 도구로 삼다니!'

이 정도로 빠르게 비행기를 개발해 낼 줄 몰랐다. 게다가 과거에 불가능했던 장거리 비행과 폭격은 전혀 예상치 못했다.

그들이 숨자마자 문이 벌컥 열렸다.

"아무도 없습니다!"

"혹시 모르니까 샅샅이 뒤져 봐!"

적병이 군홧발로 몰려와서 여기저기를 뒤지는 소리가 요란하게 났다. 벨라는 눈을 질끈 감았다.

'싸우는 이유가 뭔지 아십니까?'

문득 훈련받을 때 라울린이 말했던 것이 떠올랐다.

'아 몰라! 힘들어요! 말 시키지 말아요! 싸움을 걸어오니까 싸우죠!'

거듭된 훈련으로 지친 벨라가 짜증스레 말하자 라울린이 웃으며 대답했다.

'내가 살려고 싸우는 겁니다. 내가 죽으면 다 소용없으니까.'

'왜 쓸데없이 마라톤이나 시키는데요? 훈련하다 먼저 죽겠어요! 헉헉!'

벨라의 신경질적인 대답에 라울린은 웃으며 물을 건네주었다.

'무예를 익히면 도가 있고 도리가 있다고 그러는데 다 개소리입니다. 죽음 앞에 낭만이 어딨고 명예가 무슨 소용입니까? 위급할 때는 줄행랑치는 게 최고입니다. 도망치는 연습이 최고의 생존 기술입니다.'

벨라는 과거에 본 제국군의 몰락을 떠올렸다. 명예롭게 싸우다 죽는다며 정면 승부 하다가 최첨단 무기에 발려서 패가망신한 제국의 세 기둥도 떠올랐다.

주어진 몰락의 길을 가는 제국에 미래의 최첨단 비행기가 시대를 앞서 나타났으니 끔찍한 일이 아닐 수 없었다.

"그런데, 황궁 기사단은 죄다 어디로 갔어?"

플란네르 군인의 목소리가 들려왔다. 벨라는 숨소리를 들킬까 봐 입을 틀어막았다.

"그게, 이상하게도 안 보입니다. 처음엔 일부 맞서 싸웠으나 어느 순간 싹 사라졌습니다."

"무슨 말이야? 우리가 급습할 줄을 미리 알았단 말인가?"

"고위급 인사는 이미 대피했는지 알 수 없습니다. 황궁 안에는 일하던 여자들뿐입니다."

"그 여자들이라도 족쳐 봐! 어디에 숨었는지 불 때까지 수단과 방법을 가리지 말고! 이래서야 황궁을 점령했다고 할수가 없지 않나?"

적병들의 말에 벨라의 귀가 쫑긋했다.

"혹시 비밀 통로가 있는지 개미구멍 하나까지 다 찾아봐!"

군화 소리가 요란하게 울렸다. 그들이 가구를 끄집어내 뒷면에 통로가 없는지까지 살피더니 짜증스러워하며 확인차 총을 벽에 갈겼다.

바로 코앞까지 총알이 박혔으나 벨라는 찍소리도 하지 못했다.

얼마나 숨죽여 숨어 있었을까, 밖에서 요란한 폭음이 들려왔다. 그리고 적군의 다급한 목소리도 들려왔다.

"무슨 일인가?"

"페로하트 수도 방위군입니다! 비행기를 격추시켰습니다!"

"뭐? 말도 안 돼!"

"체펠린선에 실은 폭약이 공중 폭파된 것 같습니다."

"엄호해 주기로 했잖아!"

"그게, 놈들이 마치 대비를 해 놓은 것처럼 연막을 치고 숨어 있다가 비행기에서 강하시킨 우리 정예병들을 집중 사격하여 병력이 보급되는 것을 차단했습니다."

"비행기가 지원 사격해서 그들을 막아 주기로 한 것 아니었어?"

"그러니까, 그 비행기들이 차례로 격추당하고 있습니다!"

"비행기란 걸 우리도 처음 봤는데 페로하트 놈들이 비행기를 어떻게 격추시킬 줄 알아?"

"비행기만 믿고 무리한 작전을 펼쳐 우리만 산 제물이 되는 것이 아니냐고 일부 군인들이 동요하고 있습니다!"

"에이 씨!"

플란네르 장교는 분을 못 이겨 욕설을 퍼부어 댔다.

벨라의 가슴이 두근거렸다.

비행기에 대한 대비책이 전혀 없는 상황에서 최초의 비행기 공습을 받았는데 페로하트군이 현명하게 잘 대처하고 있다?

이런 기적 같은 말이 사실인지 믿어지지 않았다.

벨라는 당장에라도 숨은 곳에서 뛰쳐나가려다가 라울린의 지침을 또 한 번 떠올렸다.

'아무리 적이 솔깃한 대화를 하고 있어도 무턱대고 믿지 마십시오. 잘 숨어 있다면 그대로 쭉 버티는 게 최선의 승리법입니다. 발각되면 그때부터 싸우는 겁니다. 그사이에 우리 편 딴 놈도 정신 차리고 싸우고 있을 거니까 기다리면 후작님을 찾으러 올 겁니다.'

'숨어서 기다리기만 할 거면 이 힘든 훈련을 왜 하는데?'

'숨는 게 제일 좋은 호신술이지 않겠습니까? 훈련은 발각되어 싸워야만 하는 최악의 경우를 대비해서 할 뿐입니다.'

벨라는 입술을 깨물며 주먹을 쥐었다 폈다 했다.

만약 밖에서 페로하트군과 플란네르군이 교전 중이라면 자신도 나가서 그동안 갈고닦은 사격술을 자랑하고 싶은 마음이 없는 것은 아니었다.

하지만, 제스로조차 가만히 숨어 있는 판에 자신만 나댔다간, 라울린에게 혼날 것 같아서 쥐었던 주먹에 힘을 풀었다.

리체를 가만히 불러 보고도 싶었다. 천장에 숨은 리체와 대화 정도는 나눌 수도 있었다.

하지만 괜한 짓 하다가 지나가는 적병에게 들킬 수도 있으니 벨라는 다리에 쥐가 나도록 웅크려 있을 수밖에 없었다.

드문드문하던 총성이 요란한 총격전 소리로 바뀌고, 여기저기서 굉음을 내며 폭발하고 무너지는 소리가 살벌하게 들려왔다.

아 놔. 좀 억울하네. 그동안 개고생하며 훈련받았는데 이러기만 하려니…….

또다시 잠깐의 정적이 돌아왔다.

너무 다리가 저려서 코에 침을 바르며 참고 또 참다가 도저히 못 견디겠다 싶어 슬그머니 고개를 내밀어 볼까 하던 순간—

뚜껑의 좁은 틈 사이로 군홧발이 보였다.

"황녀를 잡았습니다!"

헉…….

아무도 없는 줄 알았는데 한 명이 남아 있었던 모양이었다. 보고하는 말을 들으며 벨라는 덜덜 떨었다.

"황후는 놓치고, 숨어 있던 황녀만 간신히 붙들었는데 어떻게 하시겠습니까?"

"뭘 어떻게 해. 인질로 삼아서 황궁을 탈출해야지. 곧 지원군이 올 테니까 그 시간까지만 어떻게든 버텨. 다른 곳에 또 다른 고위 인사가 숨어 있을지 모르니 더 꼼꼼하게 뒤져라!"

"넵!"

클라라 황녀가 붙들린 모양이었다. 벨라의 심장이 덜컥 내려앉았다.

플란네르 군인들이 요란하게 뛰어가는 소리가 들리고 다시 찾아온 정적을 커헉! 하는 신음 소리가 깨뜨렸다.

"으으으윽! 크어억!"

숨넘어가는 소리와 둔탁한 충격음에 벨라는 혹시 제스로가 당한 것일까 철렁했다. 순간 벨라를 가렸던 나무판자가 휙 들렸다.

"후작님, 빨리 나오십시오."

제스로가 플란네르 장교를 해치운 후 그가 가진 권총과 단검을 빼앗아 들고는 벨라와 리체를 꺼내 주었다.

그 순간, 엄청난 폭발음과 함께 황궁의 유리창들이 깨져 나갔다.

벨라는 고막이 터진 것처럼 잠시 아무 소리도 듣지 못하고 굉음의 충격에 느리게 눈을 감았다가 떴다. 매캐한 냄새가 어디선가 풍겨 왔다. 불이 난 듯했다.

깨진 창문으로 총알이 날아들었다. 제스로는 재빨리 벨라와 리체를 덮쳐 바닥에 엎드리게 했다. 벨라 일행을 겨눈 것은 아니고 밖에서 격렬한 교전 중 날아든 것 같았다.

순간 문이 벌컥 열렸다. 상관에게 보고하러 달려온 플란네르 병사가 그들을 발견하고 대뜸 총부터 쏘았다.

"항복!"

벨라는 날카롭게 소리 지르며 두 손을 올리고 일어섰다.

"쏘지 말아요! 나는 아르티드 후작입니다! 인질로 삼을 가치가 있을 거예요!"

"벨라!"

리체가 비명을 질렀다. 그러나 벨라는 굳은 표정으로 리체를 쳐다보며 손을 들라 눈짓했다.

"제스로, 총을 바닥에 버려요. 어서!"

벨라의 말에 제스로는 어금니를 깨물며 권총을 천천히 바닥에 내려놓았다. 눈치를 살피던 벨라는 플란네르 군인이 제스로에게 한눈판 사이, 군인의 총구를 홱 젖히고 낭심을 걷어찼다.

타앙! 하는 날카로운 파열음이 천장을 스치고, 두 번째의 파열음과 함께 플란네르 군인이 피를 토하며 쓰러졌다. 제스로가 재빨리 바닥에 있던 총을 집어 벨라를 구한 것이었다.

쓰러진 군인의 손에서 소총을 빼앗아 든 벨라는 군인의 허리춤에 있던 권총을 뽑아 리체에게 던졌다.

"방아쇠 당길 줄은 알지? 너도 쏴!"

얼결에 리체가 그 권총을 받는 사이 뒤따라 뛰어 들어온 플란네르 군인을 제스로가 쏘아 죽였다.

당황한 리체가 말했다.

"항복이라고 말하고 공격해도 돼? 기사도 정신에 어긋⋯⋯."

벨라는 그런 리체를 지체 없이 벽으로 밀었다. 총알이 방으로 쏟아져 들어오자 벨라는 재빨리 리체 곁에 몸을 기대고는 라울린에게 배운 대로 타이밍을 엿봐 총을 쏘았다.

"그건 놀이 때나 하는 말이고, 살고 죽는 자리에 기사도가 뭐람."

벨라의 말에 리체는 정신을 차렸다. 라울린이 늘 하는 소리라 벨라와 제스로에게는 당연한 말이었지만 리체에게는 그 말이 신선한 충격인 모양이었다.

노련한 자세로 달려오는 군인들을 차례차례 쏘는 벨라의 모습에 리체는 눈을 초롱초롱하게 빛냈다.

"불이 번지고 있어. 어서 밖으로!"

벨라의 말에 리체는 창밖을 힐끔 바라보았다. 밖은 총격전이고 안은 화재, 그 어느 쪽도 선택하고 싶지 않았지만 당장은 저 지옥 같은 밖으로 나가야만 했다.

온갖 곳에서 날아오는 빗나간 탄환들에 단단한 건물 벽이 파였다. 그럴 때마다 리체의 눈동자가 불안하게 흔들렸다.

밖으로 통하는 계단이 보였지만, 플란네르 군인들이 돌난간 뒤에 몸을 숨긴 채 페로하트 병사들을 향해 총질하고 있었다.

그쪽으로 내려갈 수는 없었으므로 반대 방향의 창 쪽으로 빠져나와 건물과 건물 사잇길을 돌아서 나가야 했다.

일단 제스로가 창밖을 살펴본 후 박살 난 유리창을 뜯었다. 먼저 나가 안전을 살피더니 나오라고 손짓했다.

"피!"

벨라는 제스로의 제복 상의에서 흐르는 피를 보고 깜짝 놀랐다.

제스로는 벨라가 더 이상 입을 열 틈도 주지 않고 그녀의 손을 잡아 밖으로 나오게 했다.

"탈출에만 신경 쓰십시오. 어서."

한창 제국군과 플란네르군의 격전이 벌어지는 무시무시한 공간을 지나가야 했다. 불가능에 가까운 이 탈출 앞에서 리체는 날카로운 총성이 날 때마다 직접 맞기라도 한 듯 휘청거리며 덜덜 떨리는 무릎을 간신히 지탱하고 있었다.

누구를 향해 쏜 것인지도 모를 탄환들이 누군가를 죽이고, 피를 흘리게 하고 닥치는 대로 꿰뚫었다. 무참히 부서지는 모습은 아무리 보아도 익숙해지지 않았다.

한쪽이 달려들면 다른 한쪽은 후퇴하고, 다시 앞서 나가 사격하면 엄호를 받은 후방의 병사들이 앞으로 달려 나가 적을 공격했다.

순간 어디선가 폭탄 같은 공이 여러 개 굴러오는 것이 보였다. 폭탄인 줄 알고 화들짝 놀라는 리체를 벨라가 단단히 붙들었다.

폭탄처럼 생긴 공은 낯익은 것이었다.

"라울린!"

벨라는 그것을 보며 저도 모르게 미소를 지었다.

공에서는 곧 희뿌연 연기가 펑펑 쏟아져 나왔다. 연막탄이었다.

리체는 적의 독가스 공격인 줄 알고 질겁하며 물러섰다.

"우리 편 연막탄이야. 잘 봐!"

리체는 겁을 집어먹었다가 벨라의 말에 그것을 유심히 쳐다보았다.

연막탄은 수시로 떨어졌다. 연막탄이 다 닳으면 잠시 교전 중인 병사들이 보였다가 새로운 연막탄에 의해 모습이 가려졌다. 도망치려면 그 순간을 이용하는 수밖에 없었다.

제스로는 두 여인을 엄호하며 퇴로를 확보하고자 제 한 몸을 아낌없이 던졌다. 혹시 모를 총격에 대비해 그가 먼저 옆 건물로 넘어가 안전을 살핀 다음 손짓했다.

리체는 용기 내어 뛰다 말고 발 앞에 빗발처럼 쏟아지는 탄환에 놀라 구르다시피 하여 반쯤 무너진 건물 벽에 몸을 숨겼다.

벨라도 두렵지 않은 것은 아니었지만 리체가 놀라지 않게 하려고 일부러 더 굳센 척하며 그녀를 도왔다.

요란한 기계음이 머리 위 가까운 하늘을 스쳐 갔다. 뿜어져 나오는 연기 사이로 반쯤 모습을 드러낸 것은 비행기였다.

"……!"

분명 벨라가 과거에 보고 온 비행기란 것은 그저 뜨는 것이 목표인 허술한 존재였다.

신문에 난 사진밖에 본 적 없다 하여도 비행기란 존재는 나무틀에 캔버스 천을 뒤집어씌운 두 쌍의 날개로 지탱되는 조잡한 물건이었다.

전쟁에 쓰려 해도 비행기에서 총을 쐈다가는 앞에 매달린 프로펠러에 튕겨 자신에게 도로 총알이 돌아와 실전 배치가 힘들다는 내용을 벨라는 분명 기억하고 있었다.

그런데, 지금 눈앞에 보이는 것은 비행기 날개가 3쌍으로 구성된 개량종이었다. 게다가 자동차만큼 빨랐다. 그 비행기가 지상을 향해 기관 단총을 난사하고 있었다.

"……?"

그 위용에 압도되었던 첫인상과는 달리 벨라는 비행기의 궤적을 보며 안도의 한숨을 내쉬었다.

하늘을 까맣게 뒤덮은 비행기 편대가 연막에 가려진 지상에 마구잡이로 기관 단총을 쏴 댄 덕분에 총알이 금방 바닥나 버리는 불상사가 벌어졌다.

총알이 없는 비행기는 한낱 커다란 새나 마찬가지였다. 연막 사이로 존재를 숨기고 있던 페로하트군이 회항하는 비행기를 향해 일제 사격을 가하자 운 나쁘게 연료통에 맞고 추락하는 비행기도 더러 있었다.

역사상 최초의 무시무시한 것이 세상에 등장했으되, 그 압도적인 존재의 위력은 생각했던 것보다 가벼워 보였다.

물러날 각오 따윈 없는 듯, 플란네르군은 적지 한복판에 병사들을 떨어뜨리면서 엄청난 숫자로 밀어붙였지만, 급습당한 것치고 페로하트군은 생각보다 잘 버티고 있었다.

"!!"

벨라는 그 모습에 눈시울이 뜨거워졌다.

"후작님!"

제스로의 날카로운 비명에 벨라는 반사적으로 몸을 숙였다. 간발의 차로 총알이 벨라의 머리 위를 스쳐 지나갔다. 교전 중에 정신을 팔다니 큰일 날 뻔했다. 벨라는 몸을 날려 구르다시피 하여 제스로의 곁에 몸을 숨겼다.

제스로와 함께 허물어진 난간을 엄폐물 삼아 지원 사격을 하는 사이 리체가 혼비백산하여 벨라의 곁으로 미끄러져 들어왔다.

"이럴 줄 알았으면 저도 후작님과 함께 사격술을 배워 둘 걸 그랬어요!"

리체가 헐떡거리며 말했다.

제스로는 재빨리 지형을 살펴 사이사이 숨은 제국군이 있는 방향을 파악했다.

"우리는 저쪽으로 도망쳐야 합니다!"

곳곳에 던져진 연막탄은 강렬하게 터져 올라 세상을 하얗게 만들었다. 하늘을 가리는 것뿐만 아니라 벨라 일행의 시야조차 가려서 2~3미터 앞도 보이지 않았다.

하지만 효과가 오래 지속되는 것은 아니라서 30분 이상 그들을 가려 주지 못하였다. 게다가 바람이 한번 휙 불면 연막탄 연기가 걷히며 종종 그들의 모습이 사방에 드러났다.

아직 페로하트군이 있는 내벽 방향은 멀기만 한데, 소나기처럼 쏟아지는 탄환에 더 전진하지 못하고 헐떡거릴 무렵이었다.

"황녀가 우리 수중에 있다!"

적군이 저 멀리에서 외치는 소리에 벨라는 깜짝 놀랐다. 모습은 연막에 의해 제대로 보이지 않았지만 울부짖으며 살려 달라 외치는 목소리는 분명 클라라 황녀였다.

"항복하라! 총을 내려놓지 않으면 황녀와 그 측근들을 차례로 죽이겠다!"

그 소리에 리체의 얼굴이 핼쑥하게 질렸다.

"벨라, 어떻게 하지?"

리체와 클라라 황녀가 직접적인 친분이 있는 것은 아니었으나, 클라라 황녀가 벨라의 단골손님이자 친구였으므로 리체도 그녀를 잘 알았다. 그녀의 시녀 몇이 본보기로 총살당하는 소리에 리체의 입술이 새파랗게 질렸다.

바람이 훅 불어왔다. 연막탄 연기가 흩날려 클라라 황녀가 있는 방향이 시야에 들어왔다. 순간 벨라는 숨이 멎는 것만 같았다.

클라라 황녀와 함께 붙들린 사람 중에 루카스가 있는 것 같았다.

눈을 크게 뜨고 다시 확인해 보아도 그였다.

벨라의 시선 쪽을 바라본 리체는 그녀의 생각을 읽은 듯 벨라의 손목을 붙잡았다. 그와 동시에 루카스 역시 무언가 느꼈는지 벨라 쪽을 쳐다보았다.

'루카스가 왜 하필……!'

루카스는 어딜 쳐다보냐는 말과 함께 플란네르 군인의 총판에 뒷머리를 맞았다. 벨라는 입술을 꽉 깨물었다.

"황녀님께서 혼자 인질이 되게 할 수 없다! 나도 데려가라!"

"벨라! 같은 방법이 두 번 통할 리가 없잖아!"

리체가 뜯어말리기도 전에 벨라는 두 팔을 든 채 소리쳤다.

"쏘지 마라! 나는 아르티드 후작이다! 황녀님을 모시는 자로서 나를 데려가고 나머지 인질은 풀어 주어라!"

아까 이 방법을 썼다지만 그 장교야 이미 죽었고 이 난장판에서 따로 생각해 낼 묘책 따윈 없었다. 이대로 놔두면 클라라 황녀는 반드시 죽을 것 같았다.

충격전이 산발적으로 일어나다가 벨라의 외침에 순간 조용해졌다. 페로하트군과 플란네르군 둘 다 당황스러워하며 술렁이는데 벨라는 더욱 크게 외쳤다.

　"다른 인질보다 내가 더 가치 있을 것이다! 인질을 교환하자!"

　플란네르 군인 중 누군가가 그 순간에 가소롭다는 듯 웃음을 터뜨렸다가 옆구리를 차이고 입을 굳게 다물었다.

　플란네르로서는 벨라가 후작인지 평민인지도 구별할 수 없는 상황에서 선뜻 벨라의 말을 받아들이기 어려웠다.

　제스로는 심각한 표정으로 상황을 살피다가 자신도 두 손을 번쩍 들었다. 그리고 벨라의 바로 뒤에 다가가 섰다. 리체가 눈치를 보며 두 손을 들려 하자 벨라는 발로 리체의 구두를 툭 차며 조용히 말했다.

　"리체. 페로하트군 쪽으로 피해."

　"널 두고 내가 어찌 혼자 몸을 피해?"

　리체의 말에 벨라는 다시금 리체의 구두를 툭툭 찼다.

　"날 믿어. 나와의 동행은 라울린에게 정식으로 훈련받은 다음에."

　"벨라!"

　리체의 안타까운 말을 가로막으며 벨라는 재빨리 지시했다.

　"명령이야. 리체. 나를 믿어. 그리고 안전한 곳으로 가. 내게 생각이 있으니까 보기만 해."

　벨라의 말에 리체는 입술만 바르르 떨고 있다가 고개를 떨구며 한 걸음 뒤로 물러났다.

　"하루만 버티면 돼. 리체, 메넬론으로 빠진 병력이 하루면

돌아올 수 있어."

벨라가 조심스레 한 걸음 앞으로 내딛자 오지 말라는 경고 사격이 한차례 쏟아졌다.

"필요 없다!"

그들의 대답이었다.

벨라는 잠시 은폐물에 몸을 숨겼다가 고개를 내밀었다.

"황녀님께 확인해 보아라! 내가 저 인질들 모두를 합친 것보다 더 유명한지 아닌지! 몸값 비싼 인질을 데려가고 잔챙이는 빠지라고 해!"

무슨 용기가 솟았는지 벨라는 카랑카랑하게 외치며 앞으로 나섰다. 태연한 척 손을 들고 천천히 플란네르군 쪽으로 갔다.

"벨라! 제발 그러지 마! 네가 살고 봐야지!"

리체가 덜덜 떨며 벨라를 불렀으나 벨라는 입술만 굳게 다물고 천천히 걸어 나갔다.

목에 단검이 겨누어진 클라라 황녀는 벨라의 얼굴을 확인하자마자 울음을 터뜨렸다.

"벨라! 으흑!"

클라라 황녀가 몸부림을 치자 그녀를 붙들고 있던 플란네르 군인은 그녀의 목을 지금이라도 찌를 듯 칼끝으로 누르며 벨라를 위협했다.

뒤에서 다가온 제스로가 벨라에게 재빨리 속삭였다.

"왜 이런 쓸데없는 짓을 하십니까?"

벨라는 미간을 찡그리며 조용히 말했다.

"내 소중한 사람들을 잃을 수는 없으니까."

루카스 때문이었다.

어쩌자고 루카스가 클라라 황녀와 함께 잡혔는지 모르지만 클라라 황녀만 가치 있는 인질이고 나머지는 페로하트군을 위협하고자 죽일 용도라면 루카스를 구해야 했다.

"풀어 줘! 내가 갈 테니까 저들은 풀어 줘!"

벨라는 온 힘을 다해 버럭 소리 질렀다. 달깍 하고 소총의 노리쇠 손잡이가 당겨지는 소리가 났다. 위협인지, 진짜로 쏘려고들 조준하는 것인지 벨라로서도 알 수 없어서 식은땀이 흘렀다.

"필요 없다니까! 허튼수작 부리지 마라!"

플란네르 군인이 외치며 방아쇠를 당기려던 순간이었다. 눈치를 보고 있던 루카스가 갑자기 자신을 향해 총구를 겨누고 있던 군인에게 홱 몸을 돌려 덤벼들었다.

"안 돼! 루카스!"

돌발 상황에 다른 플란네르 군인이 루카스를 향해 총을 쐈다. 총알은 재빨리 허리를 비튼 루카스를 빗나가 그 옆에 있던 군인의 심장에 명중했다.

플란네르 군인이 피를 뿜으며 뒤로 나가떨어지는 찰나, 루카스는 자신이 빼앗으려던 소총의 총구를 돌렸다. 루카스를 쏘려던 적병은 자신이 당긴 방아쇠에 복부를 관통당하며 반동에 몸이 크게 흔들렸다.

루카스는 재빨리 소총을 빼앗자마자 크게 휘둘러 클라라 황녀를 겨누고 있던 적병의 칼날을 들어 올리듯 받아쳤다. 강한 충격에 손에 쥐고 있던 단검이 공중으로 튕겨져 나갔다.

"안 된다고!! 루카아!"

그와 동시에 주변에 있던 플란네르 군인들의 총구가 루카스를 향했다. 총구에서 불이 뿜어져 나왔다. 그 짧은 순간에 벨라는 숨이 멎어 버릴 것 같은 충격에 눈을 크게 떴다.

피이잉 하는 강렬한 파열음과 함께 근거리에서 쏜 총알이 루카스의 몸을 아슬아슬하게 비껴 날아가 늙은 나무를 관통했다.

벨라 쪽으로 총성이 울렸으나 이미 그때는 제스로가 벨라를 잡아당겨 뒤로 밀친 후였다.

벨라는 느리게 눈을 감았다 떴다.

총알들은 용하게도 루카스를 비껴 나갔다. 루카스는 클라라 황녀를 붙든 채 페로하트군 쪽을 향해 몸을 굴렸다. 페로하트군 쪽에서 나머지 인질은 어떻게 되든 상관없다는 듯이 그들을 지원 사격했다.

"쏘지 마아아!"

찢어지는 듯한 벨라의 고함 소리를 뒤로하고 공중에서 플란네르의 비행기가 자국 군인들을 엄호하려 기관 단총 사격을 하던 순간이었다.

비행기는 순간 강한 돌풍이라도 맞은 듯 휘청거리며 각도를 틀어 황궁의 건물에 사선으로 내리꽂혔다. 그리고 굉음과 함께 폭발해 버렸다.

그 충돌을 견디지 못한 황궁 첨탑 일부가 무너져 내리며 그 아래 있던 플란네르 병사들과 나머지 페로하트 측 인질들이 더러는 깔리고 더러는 혼비백산하여 도망치며 난전을 이루었다.

"큰일 날 뻔했습니다! 하늘이 도왔군요!"

놀란 제스로가 벨라를 끌어당겨 무너진 벽에 몸을 숨겼다.

벨라는 느리게 눈을 깜빡였다.

착각이었을까.

벨라의 심장이 터질 듯 두근거렸다.

분명, 루카스를 향해 플란네르군이 탄환을 발사했다. 그런데 느낌상 총알이 1~2초 지체된 느낌이었다.

이미 총구를 떠난 총알이 찰나의 순간, 정지했다가 다시 움직였다.

루카스가 그 총알 밭을 달리면서도 그 1~2초의 지체된 시간 차 덕에 구사일생으로 살아난 듯한 느낌이었다.

뭐지?

벨라는 자신이 본 것을 믿을 수가 없어서 눈만 깜빡였다.

"후작님! 정신 차리십시오!"

제스로의 고함 소리에 벨라는 정신이 번쩍 들었다.

"이런 데서 정신 팔면 죽습니다!"

벨라는 고개를 돌렸다. 루카스는 페로하트군의 엄호를 받으며 클라라 황녀와 함께 분수대 조각상 너머로 몸을 피하는 데 성공한 것 같았다.

벨라는 그제야 안도의 숨을 내쉬었다.

하지만 귀청을 찢을 듯한 굉음을 내는 기관 단총의 일제 사격에 일대는 다시 아수라장이 되었다. 비행기가 격추당하자 다른 주변의 비행기들이 일제히 합세해 총알 세례를 퍼부었다.

다시 사방은 연막탄 연기와 포탄의 매캐한 화약 냄새, 총알 세례로 뒤섞였다.

치열한 전투는 48시간 동안 쉬지 않고 이어졌다.

지원군이 되어 줄 황태자를 기다렸으나 그도 연합군의 공격에 발이 묶여서 공습을 막으러 올 상황이 아니었다. 황태자가 철군하는 순간 연합군이 페로하트로 밀려들어 오는 것은 시간문제였기 때문이었다.

적의 비행기 공습도 계속되었으나 라울린의 예측이 딱딱 맞자 비행기는 더 이상 두렵지 않게 되었다.

급습에 허를 찔렸던 황궁 기사단과 수도 방위군은 처음엔 우왕좌왕했지만, 시간이 지날수록 침착해졌고, 속속들이 각 가문 휘하의 사병들이 수도로 몰려들면서 플란네르군이 시시각각 불리해져 갔다.

"플란네르의 돼지 놈들이 감히 우리의 수도를 짓밟다니!"

플란네르의 비행기가 탄약과 수류탄을 다 쓰도록 기다렸다가 겨우 대응 사격을 하는 수준이었지만, 분노한 페로하트의 군대는 구호를 외치고 군가를 부르며 사기를 높여 갔다.

그사이 벨라와 제스로는 거의 기다시피 하여 페로하트군

의 진영까지 몸을 피하는 데에 성공했다.

평소에 10분이면 걸어갈 거리를 지나가기 위해 몇 시간이 걸렸는지 모른다. 그러나 그 끝에 루카스와 재회하게 되자 그동안의 고생은 씻은 듯이 기억에서 잊혀졌다.

"루카! 죽는 줄 알았어요!"

벨라는 저도 모르게 달려가 루카스를 끌어안았다. 그러나 그가 움찔하는 몸짓에 엉겁결에 뒤로 물러서고 말았다.

그가 싫어하는 짓을 또 하고 만 자신을 탓하며 벨라는 애써 미소 지었다.

"벨라야!"

클라라 황녀가 산발이 된 채 달려와 벨라를 끌어안고 울었다.

"어마마마가 안 보여! 안 보인다고!"

나서 지금까지 고생이라곤 해 본 적이 없는 황녀에겐 인질로 잡혔던 기억이 충격적으로 느껴졌던 모양이었다. 덜덜 떨며 울부짖는 클라라 황녀를 달래는 수밖에 없었다.

공격 방식이 지루하게 반복되자 그사이 전열을 가다듬은 페로하트에게 적병의 투하는 더는 위협이 되지 못했다. 하늘에서 떨어져 내리는 적을 모조리 쏴 버릴 준비가 됐다.

벨라는 함께 싸우고자 했으나 후방에서 클라라 황녀가 그녀를 끌어안고 도통 놔주지 않아서 전방으로 나가지 못했다.

루카스와 제스로는 상황이 상황인지라 벨라를 지키고 있을 수만은 없었다. 벨라가 도리어 클라라 황녀를 호위해야 하는 상황이었다.

"조금만 더 버텨! 황태자 전하가 돌아오실 때까지!"

"전령이 전해 온 소식에 의하면 메넬론에도 비행기의 급습이 있었지만 칼리아스 전하께서 홀로 공중에 있던 비행기를 반으로 갈라 터트리는 기적을 일으키셨다!"

누군가의 말에 다른 페로하트 병사들이 화들짝 놀랐다.

"아니, 전하께서 무슨 수로? 포격에도 맞히기 힘든 비행기를?"

"전하의 성스러운 불의 검이 비행기를 향해 던져졌는데 그걸 맞자마자 공중에서 폭발했다고 하네!"

"그게 정말인가?"

페로하트 병사들은 서로 그 소문에 들떠 흥분을 금치 못했다.

"황태자 전하만 돌아오신다면 이까짓 비행기 군단쯤은 쉽게 이겨 버릴 수 있을 것이다! 그때까지 버티자!"

어딘가에 잘 숨어 있다고 소식만 전해 온 황제에 비하면 칼리아스는 전령이 전해 온 소문에 의해 그야말로 온 국민의 구세주가 되어 있었다.

'화염 조절 제법 잘하게 되었나 봐.'

벨라는 감탄사를 속으로 내뱉었다.

높은 상공을 나는 비행기를 필살기로 떨어뜨렸다니 불가능한 일이었지만 왠지 가능할 것도 같았다.

성스러운 불의 검을 얼마나 멀리까지 확장시켜 휘두를 수 있느냐가 관건이었다.

'아군이어서 다행이지 적군이었으면 아마도 상상하기도

무서운 존재네…….'

얼핏 듣는 것만으로도 벨라는 어쩐지 조금 무서운 생각이 들었다.

신화 속에 나오는 초대 황제는 그 무시무시한 성스러운 불로 모든 이를 엎드리게 하였다더니, 나는 비행기도 터뜨릴 정도면 거의 그 정도에 버금가는 존재가 아니던가.

'신과 같은 엄청난 힘을 손에 넣는다는 것이 무슨 의미일까?'

멍하니 생각하는 벨라에게 라울린의 다급한 목소리가 들려왔다.

"빨리 이것을 받아서 챙기십시오! 여러분!"

벨라는 고개를 들었다. 아군 진지에 난입하여 아르티드가의 일꾼들을 동원해 상자를 빠르게 들여다 놓고 있던 라울린이 벨라를 보고 달려와 상자 안에 든 것을 내밀었다.

그것은 방독면이었다.

"라울린, 이걸 왜 주는 거죠? 혹시……?"

벨라는 불길한 예감에 방독면을 쥔 손에 힘을 주었다.

"죽은 적병의 유류품에 든 것을 조사하니 방독면으로 추측되는 물건이 발견되었습니다. 아무래도 화학전을 병행할 의도로 보입니다."

"……!"

아무래도 티베리는 사람으로서는 열어서는 안 될 상자를 두 개나 열어 버리려는 모양이었다. 그리고 이 모든 비극은 벨라와 같은 회귀의 기억을 가진 벤자민이 부추겨 시작되었을 게 뻔했다.

벨라는 입술을 깨물었다.

혹시 몰라 라울린에게 대비책을 연구해 보라고는 했지만, 이렇게 빨리 그 대비책을 써야 할 줄 몰랐다.

"이걸 어떻게 씁니까?"

수도 방위군의 장교가 라울린에게 물었다. 라울린은 사람들을 시켜 병사들에게 방독면 쓰는 시범을 보였다. 대부분의 페로하트 병사들은 이 처음 보는 물건을 마뜩잖은 표정으로 쳐다보았지만, 라울린이 하는 말에 따를 수밖에 없었다.

"어이쿠야, 이거 코가 완전히 막히고 숨이 잘 안 쉬어지는데다, 땀까지 차는걸요? 이런 번거로운 것을 어떻게 씁니까?"

장교조차 투덜거리며 방독면을 썼다가 벗어 던졌다.

"제 조언의 결과를 이미 확인하셨지 않습니까? 분명히 이것이 쓰일 겁니다."

"들이마시기만 해도 죽는 가스가 있으면 진작 썼겠죠. 그런 것이 있다는 말을 들어 본 적도 없을뿐더러, 인간의 탈을 쓰고 어떻게 그런 흉악한 무기를 쓰겠습니까? 인간이길 포기하지 않고서야 쓰지 못하겠죠."

장교가 자신의 말을 듣는 둥 마는 둥 하자 라울린은 열을 올렸다.

"전쟁이 무슨 낭만인 줄 압니까? 기술이 발전할수록 사람을 간단히, 더 많이 죽이는 쪽으로 전술이 변할 겁니다. 가능한 모든 상황에 대비해야 합니다!"

"인간성이 말살된 방식의 전투 형태를 벌일 정도로 인간의 이성이 그리 형편없는 건 아닙니다. 저는 전쟁에도 예의가 있다고 생각합니다."

장교의 말에 라울린은 쓴 입맛을 다셨다.

"그 예의는 암묵적인 합의 같은 겁니다. 그저 살상만을 위한 전쟁을 한다면 너도나도 그 방향으로 가게 될 테니 서로 지키는 선이 있는 거라고요!"

"아, 그러니까 그 암묵적인 선이 이제는 무너질지 모르니 대비하시라는 말입니다."

라울린이 페로하트 장교와 옥신각신하는 사이 루카스는 적의 방독면을 뜯어 그 안에 든 물질을 확인해 보고 있었다.

"암모니아 냄새로군요. 활성탄도 들어 있고."

벨라는 플란네르 측 여과통 내용물을 어깨 너머로 바라보았다.

"왜 그런 것을 살피는 거죠?"

벨라의 질문에 루카스가 대답했다.

"무언가 산 성분인 독을 쓰려는 모양입니다. 암모니아는 그것을 중화시키는 데에 쓰이는 게 아닐까 합니다."

"방독면 물량이 모자라서 우리 공장에 있는 반제품을 몽땅 가져왔습니다. 급한 대로 활성탄을 직접 넣어 사용해야죠! 암모니아는 오줌이라도 싸서 직접 해결하라고 지시하고 있습니다."

장교와 말씨름하던 라울린이 어느새 다가와 벨라에게 설명했다.

"오줌? 헉!"

벨라가 당황스러워하자 라울린이 피식 웃으며 말했다.

"만일이라는 거죠, 만일. 안 쓰이면 더 좋은 거죠."

순간 밖에서 병사 한 무리가 우르르 몰려들었다.

"방독면! 우리에게도 방독면을 주십시오!"

군복을 보니 수도 방위군이 아니라 귀족 가문의 사병들이었다.

"무슨 일입니까?"

라울린의 외침에 그 사병들을 통솔하는 지휘관이 헐떡거리며 달려왔다.

"그 독가스란 것, 정말로 사용되었다고……!"

그가 끌고 온 부상병들을 본 벨라는 심각한 표정을 지었다. 지금 눈앞에서 라울린과 이야기하고 있는 지휘관조차 뛰어서 숨찬 게 아니었다. 숨을 제대로 쉬지 못하고 가슴을 움켜쥐고 헐떡이는 것이 심상치 않았다.

들것에 실려 온 부상병들은 겉은 멀쩡한데 하나같이 숨쉬기 괴로워하고 있었다.

"가슴이……! 타들어 가는 것 같아!"

가슴을 쥐어뜯는 사람, 헐떡이는 사람, 기침하다 헛구역질하는 사람…….

황궁에서 조금 떨어진 위치의 시가지에서 플란네르군과 대치 중이던 군대였다.

"비행기 떼 사이에 거대한 체펠린선이 섞여서 다가오기에 수류탄을 잔뜩 던지려는 줄 알고 피했는데, 거기서 떨어진 게 수류탄이 아니었어……."

그는 말을 다 끝내지 못하고 고통에 얼굴을 일그러뜨리며 구역질을 시작했다.

그 모습을 본 페로하트 병사들은 라울린이 시키지도 않았는데 방독면을 너도나도 뒤집어썼다.

"방독면이 모자라 시민들까지 나눠 줄 수가 없으니, 각기 사람을 시켜 시민들에겐 집안에서 오줌 적신 수건으로 창문 틈 문틈 따위를 꽉 틀어막고 숨으라고 하십시오."

라울린은 자신이 데려온 아르티드 가문의 일꾼들에게도 같은 명령을 내렸다.

"하필이면 제 수족들은 황태자 전하께 보내서 절 도울 사람이 몇 없다는 것이 안타깝군요. 포르위네의 병력을 대대적으로 늘릴 수도 없고."

라울린은 어쩔 수 없다는 듯이 어깨를 으쓱하고는 수도 방위군을 도와 전투에 협조했다. 원래 수도 방위군 소속이었던 것처럼 하급 병사들에게 전투 지시를 하며 플란네르 병사와 대치 중인 페테르니타스 성을 탈환하는 전투에 태연스레 끼어들었다.

"철수하려는 걸까요?"

벨라는 루카스에게 물었다. 그 말에 루카스는 방독면을 내려놓고 벨라를 바라보았다.

"체펠린선에 독가스를 싣고 온다는 건, 나를 폭발시키면 너희도 죽는다는 협박일지도 몰라요. 소량씩 떨어뜨리며 과시한다는 게 무엇을 의미할까요? 우리를 위협하면서 플란네르 군인들을 철수시키려는 속셈 아닐까요?"

벨라의 말에 루카스는 고개를 끄덕였다.

"그럴지도 모릅니다. 대량의 화물을 실어 나를 것이 아니라면 열기구나 마찬가지인 크고 느린 것을 쓸 이유가 없습니다."

벨라는 입술을 깨물고는 말을 이어 갔다.

"학살 목적이면 사전 경고 없이 바로 터뜨렸겠죠. 하지만 상공에 조금씩 떨어뜨리면서 과시한다는 것은 적진 한복판에 고립된 그들의 군대가 목적을 달성하지 못했을 경우 무사히 철수시키기 위함이 아닐는지……."

벨라의 말에 멍하니 듣고만 있던 클라라 황녀가 울음을 터뜨렸다.

"독가스? 그건 또 뭐지? 비행기보다 더 무서운 건가? 아르티드 후작, 어떻게 해! 우리 이렇게 죽는 거야?"

"벤자민이 알고 있는 미래의 지식에 후작님께서도 대비하실 수 있다는 사실은 티베리도 알고 있을 겁니다. 우리가 할 대비를 한발 더 앞서서 준비했으니 '과시만 해도 충분히 겁을 먹고 물러설 거다'라는 계산이 깔려 있을지도."

루카스의 말에 벨라는 치를 떨었다.

"나쁜 놈들! 아무리 그래도 그렇지 독가스까지……!"

그때, 공중으로부터 플란네르 억양이 섞인 목소리가 크게 들려왔다.

"이번 공습은 너희 페로하트에서 벌인 뒷공작으로 발생한 쿠데타에 대한 대가를 돌려준 것이다."

그 소리를 들은 페로하트인들은 격렬한 야유를 보냈다.

"우리는 충분히 경고했고 이후에도 플란네르의 내정에 간섭할 시엔 이보다 더한 보복을 각오하라."

방송에 맞서듯 누군가가 육두문자를 퍼부어 댔다.

"개뼈다귀만도 못한 소리 하고 자빠졌네!"

그러나 플란네르의 목소리는 계속되었다.

"사죄의 뜻으로 제피르의 아들을 공개 처형할 것을 권고하며 우리의 퇴각을 방해하지 말라."

벨라는 그 목소리가 들려오는 체펠린선을 노려보았다.

"우리 군대의 퇴각을 방해할 시엔 이 체펠린선을 폭파시키겠다. 그 안에 무엇이 담겨 있는지는 스스로 잘 생각해 보길 바란다."

하늘에 띄워진 여러 대의 비행기로부터 눈처럼 선전물이 흩날렸고 거대한 확성기를 매단 체펠린선이 비행기들의 호위를 받으며 머리 위를 지나가고 있었다.

"하!"

벨라는 기가 막혀서 코웃음을 쳤다.

대비해 온 노력이 별 소용이 없게 되어 분했다.

이렇게 빨리 비행기를 개발해 현재에 가능한 기술을 뛰어넘어 실전에 응용할 줄 몰랐고, 독가스 같은 흉악한 무기를 거리낌 없이 들고나올 줄도 미처 알지 못했다.

그저 전선에서 차차 쓰일 줄 알았지 무방비 상태로 뚫려 있는 하늘을 점령당해 적들이 수도를 유린하고 철수의 빌미가 될 것은 전혀 예상하지 못했다.

참담했다.

벨라는 고개를 들어 주변을 둘러보았다.

아직도 비행기의 기관 단총 세례와 수류탄 공격으로 인한 화약 연기가 채 가시지도 않은 도심에 체펠린선을 향해 환호하는 플란네르 군인들의 모습이 눈에 들어왔다.

명색이 제국의 심장부인 수도 브릭이다. 어떻게 이렇게 무력할 수가 있는가.

이를 악물고 주먹을 움켜쥔 벨라의 눈에서 눈물이 또다시 굴러떨어지고 말았다.

루카스는 벨라에게 손수건을 내밀었다.

"상황이 상황인지라 깨끗하게 빨지 못했습니다만 이것을 쓰십시오."

벨라는 루카스의 내민 손이 민망하도록 받아 들지 않고 그저 고개를 숙인 채 눈물만 뚝뚝 흘렸다.

"나는 왜 이렇게 약하고 무능할까……."

울지 않으려고 해도 눈물조차 못 참는 이 울보 호구…… 바보 멍청이 머저리…….

벨라는 자신을 원망했다.

"미래를 미리 알면 이 모든 것을 막았어야 했는데 나는 그러지도 못하고……. 노력하지 않은 것은 아닌데 결과적으로 나는 아무런 도움이 되지 못했어."

괴로움에 바들바들 떨리는 벨라의 주먹 쥔 손을 가만히 들여다보던 루카스가 말했다.

"아가씨가 계셨기에 우리는 지금 살아 있습니다."

루카스는 손수건을 내밀어 벨라의 눈물을 닦아 주려 했다. 하지만 벨라는 고개를 쓱 돌렸다.

"나 말고 다른 사람이 미래를 알았다면 더 준비를 잘했을 거야."

루카스가 차라리 회귀했다면······.

벨라는 못난 자신을 원망했다.

"이런 것들이 미래에 나올 줄을 다 알고 있었는데도 몇 발 더 앞서 준비하지 못한 나 자신에게 화가 나."

스스로 따귀라도 때리고 싶었다.

"신은 왜 나 같은 것을 회귀시키셨을까? 나보다 더 잘난 사람은 수도 없이 많은데 왜 하필 못난 나를 회귀시켜서 죄 없는 사람들이 이토록 희생되게 놔두신 걸까?"

벨라의 눈물이 바닥에 툭툭 떨어져 내렸다.

"아직 안 끝났습니다."

그렇게 화난 루카스의 목소리는 처음 들어 보았다.

벨라는 울다 말고 멍하니 루카스를 쳐다보았다. 순간 자신이 루카스가 제일 싫어하는 말을 했다는 것을 깨달았다.

"후작님은 전혀 무기력하지 않습니다! 모르시겠습니까? 후작님 덕분에 우리가 이곳에 이렇게 존재한다는 것을 잊으신 겁니까?"

루카스의 목소리가 화를 참지 못해 떨렸다.

"이미 당신께서는 수많은 기적을 일으키셨습니다. 스스로 부정하시는 겁니까? 전쟁은 이제 시작입니다. 아가씨께서 회귀하셨기에 페로하트는 충분히 구원의 기회를 얻었습니다. 이 모든 것이 헛되다고 여기십니까? 아닙니다! 절대로 아닙니다!"

루카스의 파랗고 갈색인 눈이 강렬하게 빛났다.

"끝날 때까지 끝난 게 아닙니다. 마지막에 이기면 되는 겁니다. 아가씨는 반드시 이길 겁니다! 정신 차리십시오!"

루카스의 일갈에 벨라는 엉거주춤 그의 손수건을 받아 들었다. 받지 않으면 루카스가 강제로 박박 닦아 줄 것 같은 분위기였다.

그때, 밖에서 강렬한 폭음과 비명이 들려왔다.

"개 같은 플란네르 놈들아! 여기는 페로하트의 수도다! 감히 이곳을 밟고도 무사히 살아 나갈 줄로 아느냐? 허튼수작 부리지 마라!"

수도 방위 사령관이란 자가 플란네르의 체펠린선에 발포 명령을 내리고 있었다.

"안 돼요! 절대로 쏘면 안 돼요!"

깜짝 놀란 벨라가 뛰어가서 소리 질러 댔으나 플란네르의 확성기 방송에 격분한 수도 방위 사령관은 계속해서 발포 명령을 내리고 있었다.

"플란네르 놈들을 모조리 사살하라! 우리의 조국을 수호하라!"

벨라는 흥분해서 수도 방위 사령관에게 달려가려 했으나 병사들이 벨라를 가로막았다.

"체펠린선을 쏘면 안 돼요! 폭발하면 큰일 나요! 안에 든 독가스가……!"

벨라가 누군지 아는 장교 하나가 그녀를 뜯어말리며 말했다.

"후작님, 이것은 군대의 일입니다. 참견하지 마십시오."

"저게 터지면 끔찍한 일이 발생한다고요!"

벨라가 필사적으로 말했으나 가로막은 장교는 그녀를 타일렀다.

"그 독가스란 게 직접 뒤집어쓴 사람도 그냥 기침하고 토하는 정도인데 뭐가 문젭니까? 당장 죽지도 않던데요. 방독면도 있고, 응급 처치법도 당신네 측근들이 알려 줬으니 그정도면 됐습니다."

벨라는 답답하다는 듯 그를 붙들고 애원하듯 말했다.

"그 독가스가 당장 사람을 죽이는 게 아니라 서서히 죽인다고요! 독가스에 직접 노출된 사람들 결국에는 다 죽을 거예요!"

"총 맞은 것도 아닌데 뭐 어떻습니까? 많은 사람이 뒤집어썼는데 아직 죽은 사람은 없습니다. 그보다 저 기고만장한 적군이 우리를 휘젓고 달아나려는 것을 보고도 가만히 두라니요! 후작님께서는 군의 일에 한발 물러나 주십시오. 부탁드립니다."

"아, 그게 아니라니까요!"

벨라는 필사적으로 수도 방위 사령관에게 다가가려 하였으나 그 발치에도 이르지 못하고 떠밀렸다.

체펠린선의 등장으로 잠시 잠잠했던 교전이 다시 이어졌다.

"저 체펠린선을 그냥 놔두라고요!"

벨라가 비명처럼 소리쳐 댔으나 플란네르의 만행에 분노한 페로하트 병사들에겐 벨라의 목소리가 귀에 들어오지 않았다.

너무 이른 시대에 등장한 후대의 무기여서 그런지 페로하트군은 그것들이 어떤 참극을 빚을지 예상하지 못하고 있다.

"안 돼!"

체펠린선이 포탄에 맞아 불타오르기 시작했다.

벨라는 체펠린선이 포격당할 때마다 폭발할 것을 두려워하며 떨었다.

하지만 두세 발의 포탄을 더 맞은 후에도 그 거대한 비행선은 멀쩡했다. 게다가 풍선 같은 거대한 몸체로부터 은박지 같은 재질의 박쥐 날개 형태의 구조물이 뻗어져 나왔다. 그 둥그렇고 길쭉한 유령 같은 물체는 느리게 바람을 타고 떠오르기 시작했다.

"경고한다. 우리가 퇴각하는 것을 막지 마라. 그러면 우리도 최후의 선택은 보류하겠다."

체펠린선의 거대한 확성기로부터 들려오는 목소리에 수도 방위 사령관은 코웃음을 치며 포격을 명령했다. 포탄에 꿰뚫리면서도 그것은 용케 기체를 틀어 좀 더 떠오르기 시작했다.

체펠린선에서 경고하듯 소형 폭탄 수십 개를 집어 던졌다.

"방독면 쓰면 그만이다! 이 돼지 새끼들아!"

페로하트군은 방독면을 뒤집어쓴 채 소총 사격과 포격을 멈추지 않았다. 체펠린선은 불타는 유령이 부유하듯 그 자리를 한참 맴돌았다.

"별것도 아닌 것들이 감히 페로하트의 수도를 넘봐?"

그 아수라장의 현장에서 우연히 그 소형 폭탄 하나가 분수대로 떨어져 내렸다. 순간 용암처럼 분수의 물이 하늘 높이 치솟더니 그 물로부터 오렌지색 가스가 격렬하게 쏟아져 나왔다.

물과 반응한 그것은 말 그대로 죽음의 가스로 변했다.

방독면을 쓰고 있어도 노출된 피부에 그 가스가 와닿는 순간 흉측한 수포가 생기며 살이 타들어 갔다.

"으아아아악!"

페로하트군은 쏟아져 나오는 오렌지색 가스를 피해 대열을 흐트러뜨리며 달아났다. 가스가 덮친 곳에 있던 사람들은 예외 없이 모두 고통받았다.

단순히 숨 쉬는 게 문제가 아니었다. 불 없이 생살이 타들어 가는 고통에 사람들은 비명을 내질렀고, 피가 터지고 살이 문드러지도록 바닥에 몸을 굴려 댔다. 그러다가 끝내는 사지가 온통 비틀린 채로 게거품을 물고 숨을 거두었다.

그 참혹한 광경에 공포가 광장을 엄습해 왔다. 심지어 미처 피하지 못한 플란네르 군인들조차도 온몸을 비틀며 그 자리에서 죽어 갔다.

"바람의 반대 방향으로 달아나라!"

라울린의 목소리였다. 광장을 마구 달리던 사람들이 라울린의 목소리에 정신을 차린 듯 바람의 반대 방향으로 몸을 피했다. 아수라장이라 누가 책임자인지도 모를 상황에 벨라는 한 장교를 붙들었다.

"체펠린선이 가는 방향이 아무래도 그랑블루 강 같아요! 체펠린선을 막아요! 그랑블루 강에 추락하면 수도 사람들다 죽을지도 몰라요!"

그자가 화들짝 놀라 벨라를 수도 방위 사령관 쪽으로 데려가려 하였으나 수도 방위 사령관도 혼비백산해 인파에 뒤섞인 지 오래라 찾을 수가 없었다. 단지 바람을 피해 파도처럼 몰아치는 사람들 때문에 전진하기도 힘들었다.

순간 벨라의 손목을 누군가 잡았다. 라울린이었다.

"후작님! 몸을 피하십시오! 루카스가 오른쪽 골목에서 후작님을 찾아 헤매고 있습니다."

벨라는 라울린의 손을 붙들며 애원했다.

"체펠린선이 지금 그랑블루 강 쪽으로 날아가고 있어요! 막아야 해요!"

"저도 압니다."

라울린은 그 상황에서도 자신을 믿으라는 듯 웃어 보였다.

"걱정하지 마십시오. 후작님의 안전은 물론이고 브릭 사람들의 생명도 제가 보장하겠습니다. 어서 루카스에게 가십시오."

사람들에 떠밀려서 벨라는 얼결에 오른쪽 골목길로 휩쓸리고 말았다. 라울린은 걱정 말고 가라는 듯 손짓을 해 보였다.

자의 반 타의 반으로 오른쪽 골목으로 밀려가자 혼잡한 인파 사이에서도 남들보다 머리 하나는 더 높이 있는 루카스가 눈에 띄었다.

그는 벨라를 보자마자 안도한 듯 인파를 헤치고 다가왔다. 물론 그의 옷자락에 울며 매달린 사람은 클라라 황녀였다. 루카스 하나만으로는 안심이 되지 않는지 리체의 손목도 단단히 붙잡고 있었다.

"바람의 방향을 피하는 것보다 높은 건물 꼭대기 층으로 가는 것이 나을 것 같습니다."

루카스의 말에 벨라는 주변의 높은 건물을 힐끔 쳐다보았다.

"이쪽으로!"

루카스가 이끄는 데로 여자 셋은 열심히 따라 달렸다. 그 모습을 보고 우왕좌왕하던 다른 사람들도 건물 안으로 뛰어들어 갔다.

6층 정도의 높이에 이르자 벨라는 허리를 숙여 무릎을 짚고 가쁜 숨을 몰아쉬었다.

밖을 내다보자 건너편에 보이는 높은 건물들로 사람들이 속속들이 달려 올라가는 모습이 보였다. 그때 건너편 건물의 사람들이 비명을 지르며 어딘가를 손가락으로 가리켰다. 벨라는 반사적으로 그 방향을 보았다.

높은 신전 첨탑 지붕에서 몇 사람이 체펠린선으로 뛰어내리는 모습이 보였다.

헉!

휘날리는 금발은 분명 라울린이었다. 그리고 그를 따라 뛰어내리는 사람들도 벨라에게 익숙한 모습이었다. 그들은 모두 라울린이 처음 그리젤리로 올 때 데려왔던 몇몇 심복들이었다.

순간 벨라는 라울린이 무슨 각오를 했는지 깨달았다.

"라울린! 가지 마! 안 돼!"

목청이 찢어지도록 비명을 지르며 벨라는 라울린을 향해

손을 뻗었다.

"위험합니다, 아가씨!"

루카스가 창밖으로 상반신을 지나치게 내밀고 있는 벨라를 뒤로 잡아당겼다.

"루카! 라울린 좀 말려 봐요!"

적의 체펠린선에 그냥 뛰어들어도 위험한 마당에 위험물을 잔뜩 싣고 있는 데다 불까지 붙었다. 이건 누가 봐도 죽으러 가는 거였다. 벨라는 반쯤 이성을 잃고 소리쳤다.

"라울린! 제발 돌아와요! 안 돼! 가지 말아요! 그거 안 막아도 돼요! 캐시랑 카라랑 놔두고 어딜 가요! 가면 안 돼애애!"

벨라는 닿을 수 없는 거리에 있는 라울린을 향해 미친 사람처럼 팔을 휘저었다.

루카스는 허우적거리는 벨라가 떨어지지 않게 붙드느라 갖은 애를 썼다. 강제로 창문으로부터 멀리 끌려 나오자마자 벨라는 루카스를 밀쳐 내고 오렌지색 기체가 넘실거리는 밖으로 뛰쳐나가려고 했다.

하지만 아래에서 독가스를 피하려는 사람들이 속속들이 올라오고 있어서 그들을 밀쳐 내고 내려갈 수가 없었다. 사람들은 내려오는 벨라에 밀리지 않으려 안간힘을 쓰며 버텼다.

벨라는 그들을 쥐어뜯고 꼬집고 주먹으로 때려 가며 미친 여자처럼 빈틈을 헤집어 보았으나 이내, 나가는 게 불가능하다는 것을 깨달았다.

"라울린! 라울리인!"

벨라는 자신의 옷자락을 쥐어뜯었다.

"벨라 아가씨! 진정하십시오!"

루카스가 벨라를 달래려고 애썼다.

"내가 그리젤리 사람들에게 은혜를 갚으려고 돌아온 건데! 나를 위해 희생했던 사람들을 지켜 주고 싶었는데!"

벨라는 피를 토해 내듯 통곡하며 울부짖었다.

"푸딩도 지켜 주지 못했고 라울린도 지켜 주지 못했어! 라울린 어떻게 해! 내가 괜한 소리를 해서……!"

벨라는 꺽꺽대며 숨넘어갈 듯 울었다. 심장이 도려내지는 것처럼 아팠다.

개는 수명이라도 짧다 치자. 하지만 라울린은……!

이제야 그리워했던 캐시와 재회했고 딸도 겨우 품에 안았다. 아직 얼굴도 보지 못한 아이도 있고 성대하게 치러 주기로 한 결혼식도 못 올렸다.

못 해 준 것이 너무나 많은데.

제대로 행복하게 해 주지도 못했는데.

벨라는 탈진하도록 울다가 힘에 부쳐 스르르 의식을 잃었다. 순간 루카스가 급히 그녀를 끌어안았다.

"벨라 아가씨!"

기절해 버린 벨라는 루카스의 셔츠 자락 쪽으로 고개를 떨궜다. 루카스는 다비드 후작의 죽음 앞에서 울다 탈진해 쓰러져 들것에 실려 나가던 어린 벨라의 얼굴을 떠올렸다.

마치 다비드 후작이 죽을 때처럼 벨라는 슬퍼하였다.

루카스는 벨라의 정수리에 코를 묻은 채 축 늘어진 벨라를 소중히 끌어안았다.

"아가씨……."

여전히 작은 새처럼 가녀렸다. 후작직을 잘 수행하고 있어서 이젠 완전히 성숙한 어른이라고만 생각했다. 하지만 벨라는 벨라였다.

마음 여리고 잘 울고 정이 깊은 아르티드가의 가주.

"라울린도 부모가 죽었을 때처럼 울어 주는 아가씨를 만나 자신이 내린 선택에 후회가 없을 겁니다."

루카스는 가녀린 벨라의 숨소리를 들으며 체펠린선이 사라져 간 하늘을 바라보았다.

그날, 최후까지 지켜본 목격자의 증언에 의하면 화염에 휩싸인 체펠린선은 그랑블루 강기슭까지 날아갔다가 공중에서 방향을 틀었다.

제 갈 길을 모르고 갈팡질팡하던 비행선은 점점 고도를 낮추며 날개가 다 타들어 갈 때까지 비행하다, 수도 브릭 주변을 감싸고 있는 신성한 산 너머 어느 골짜기에서 폭파되었다고 했다.

그 여파로 일대에서 방목하고 있던 수백 마리의 양 떼가 떼죽음을 당했지만 그 외의 피해는 미미하였다고 한다.

애초에 그 체펠린선은 강물로 뛰어들 작정이었는지 기체를 값싼 수소로 채우지 않고 비싼 헬륨으로 채운 탓에 공중에서 오래 버틸 수 있었다. 그 점이 대참사를 피한 행운이기도 했다고 전해 왔다.

현장에 남은 소형 폭탄을 수거해 분석한 결과 그것은 폭발하면 효과가 1.5배 증가하는 데에 불과했지만, 물에 넣으면 20배는 독성이 더 강해지는 독가스였다. 그 체펠린선이 그랑블루 강에 빠졌다면 수도 브릭은 그대로 죽음의 도시가 될 뻔한 아찔한 사건이었다.

아르티드가의 명예를 걸고 체펠린선을 저지한 후작가의 고용인들은 체펠린선의 잔해 속에 재가 되어 무로 돌아갔다.

기절해 있던 벨라가 깨어났을 때 모든 상황은 종료되어 있었다. 수도 브릭에 침투했던 플란네르의 군인들은 모조리 색출되어 사살되거나 포로로 투옥되었다. 난장판이 된 도시에 숨어 있던 황제가 무사히 귀환했을 즈음엔 칼리아스도 메넬론 방어 작전에 성공하고 군대를 돌려 수도 브릭에 입성했다.

벨라는 눈을 뜨자마자 보이는 벨라시아 저택의 익숙한 모습에 눈을 느리게 떴다가 다시 감았다. 이내 눈물이 주르륵 흘렀다.

"라울린……."

그녀의 뺨을 타고 눈물은 계속 흘러내렸다.

"이제 내 곁에 라울린도 없어……."

16. 심장을 잃고

16. 심장을 잃고

"후작님은 괜찮으셔요?"

벨라가 쓰러졌다는 말에 그리젤리에서 벨라시아로 서둘러 올라온 낸시는 끝내 자신이 더 앓아누웠다. 심장에 무리가 간다는 만류에도 불구하고 마차 여행을 했으니 당연한 일이었다.

"걱정하지 말아요, 낸시. 이제 죽도 조금 드시고 기운 차리셨습니다. 낸시는 누워만 있어요."

그 말에 낸시는 안도하며 도로 누웠다. 브렌다는 그런 그녀의 베개를 똑바로 해 주었다.

"이 상황에서 낸시마저 잘못되면 후작님은 또 충격받습니다. 건강 관리에 힘쓰는 것이 후작님을 위하는 길입니다."

낸시는 누가 봐도 병색이 완연했다. 입술이 파래진 채 이따금 들이닥치는 흉통에 괴로워하면서도 그녀는 온통 벨라

걱정뿐이었다.

"또 실어증이 도진 줄 알고……. 얼마나 마음 졸였는지 몰라요."

벨라가 며칠 내내 아무 말 없이 누워 있었다는 소식을 들은 낸시는 아무것도 생각할 겨를이 없었다. 그저 자신이 가서 꼭 안아 주고 싶어 했을 뿐이었다.

⚜

벨라는 창가에서 밖을 물끄러미 바라보았다. 벨라시아 저택의 정원에 까만 옷의 캐시와 카라가 산책하고 있었다. 슬픈 표정의 캐시와는 달리 카라는 아직 죽음이란 것을 실감하지 못했다. 그저 어디선가 날아든 아름다운 나비에 반해 천진난만하게 뛰놀 뿐이었다.

그 두 모녀의 뒷모습을 보고 있노라니 벨라는 콧잔등이 시큰거렸다. 어느덧 뿌옇게 눈물도 차올랐다.

도저히 캐시의 얼굴을 볼 용기가 나지 않았다.

"미안해요, 캐시. 라울린을 지켜 주지 못해서……."

울지 않겠다 다짐하고 또 다짐해도 소용이 없었다. 벨라는 그저 손등으로 눈물을 닦고 또 닦았다.

정원 한편에 잘 가꾸어진 잔디밭 위로 라울린이 한가하게 프리스비를 던지며 푸딩과 놀아 주던 모습이 겹쳐져 보였다.

라울린……

푸딩……

텅 빈 잔디밭을 바라보며 벨라는 창문에 힘없이 이마를 기댔다.

'내가 왜 회귀를 했던가……'

벨라는 눈을 감았다.

다시 초라한 모습의 서른 살 창부의 모습으로 그랑블루 강가의 화이트포럼 다리 난간 위에 위태롭게 서 있는 것만 같았다.

그 다리 위에서 지독하게 자신의 삶을 후회했다.

나를 가족보다도 더 아껴 주고 사랑했던 고용인들에 대한 그리움에 지쳐 다리 밑 강물을 바라보고 서 있던 때의 기분이 다시 느껴졌다.

'좀 더 현명했더라면, 지금 이룬 것보다도 더 많은 것을 이룰 수 있었더라면……'

무력한 자신이 미워서 견디기 힘들었다.

"나는 많은 사람들을 잃었어. 그리고 혼자 남겨졌지. 그 슬픔을 극복하기 위해 나는 결국 시간을 거슬렀어. 그리 많은 시간을 거스르지 않아도 돼. 내가 사랑하는 이의 마지막 날 하루 전으로만 돌아가도 충분해."

문득 자신의 귓가에 들리는 목소리에 벨라는 화들짝 놀라 옆을 바라보았다.

아무것도 없었다.

하지만 분명 그 소리는 언젠가 그리젤리에 숨겨진 마법진

안에서 들었던 말이었다.

주변을 두리번거리며 그 소리가 어디서 났는지 찾으려고 애쓰는 벨라의 반대편 귓가에 다시 그 목소리가 들려왔다.

"하지만 정확히 그 하루 전으로 거슬러 올라가는 것이 십 년, 이십 년을 거슬러 올라가는 것보다도 더 힘들어. 고도의 수련을 필요로 하거든."

벨라는 반대편을 재빨리 쳐다보았다. 역시 아무것도 없었다.

'환청이라도 들은 걸까?'

벨라는 두려움에 뒤로 한 걸음 물러섰다.

'너무 슬퍼했더니 머릿속이 이상하게 되기라도 한 것인가?'

"여기에 희미하지만 너의 존재가 읽힌다고 했어. 너란 존 재가 내게 간절히 호소하더라고 전하더군."

이번엔 그 목소리가 바로 뒤에서 났다. 벨라는 소스라치 게 놀라 비명을 지르며 그 자리에 주저앉고 말았다.

웅크린 그녀의 귀에 누가 바짝 다가와 속삭이는 것처럼 목소리를 전해 왔다.

"나의 후손, 용감하고 강한 이여, 나는 그래서 이 텔레포 트 포인트를 만들었어. 부디 너의 선택이 옳았기를. 그리고 너의 앞날에 축복이 깃들기를."

벨라는 머리를 감싸 쥐며 무릎에 자신의 얼굴을 파묻었 다. 제스로와 루카스가 문을 벌컥 열고 들이닥쳤다.

"괜찮으십니까? 후작님!"

"무슨 일이라도!"

벨라는 움츠렸던 고개를 들어 그들을 멍하니 바라보았다.

그저 멍한 그녀의 표정에 둘은 심각한 표정을 지으며 그녀가 말하기만을 기다렸다. 초조한지 마른침 삼키는 소리가 꿀꺽하고 들려왔다.

　"아니야⋯⋯. 아무것도 아니야."

　벨라는 혼잣말을 하듯 중얼거렸다.

　"정말 아무것도 아닙니까? 주치의 피터 브라운 박사를 들여보내겠습니다."

　루카스의 말에 벨라는 고개를 저었다.

　"괜찮아요. 루카. 의사 필요 없어요."

　벨라는 휘청거리며 일어나 그들의 부축을 마다하고는 다시 침대에 몸을 뉘었다.

　"나가 줘요. 조금 쉬면 괜찮아질 거니까."

　벨라의 말에 둘은 머뭇거리다가 밖으로 나갔다. 루카스는 돌아누운 벨라의 뒷모습을 바라보다가 조용히 문을 닫았다.

　벨라는 문 닫는 소리를 들으며 아까 들은 말을 곱씹어 보았다.

　'슬픔을 극복하기 위해 시간을 거슬렀다니⋯⋯?'

　시공간을 마음대로 넘나들었다는 초대 가주 리 엘 아르티드. 그의 기억이 담긴 책이 가주의 방에 남아 있었다면 얼마나 좋았을까 하는 생각을 했다.

　그에게 묻고 싶은 것이 많았다.

　'그 책이 어딘가에 있다면 나의 많은 질문에 해답이 나와 있을지도 모르는데⋯⋯.'

　벨라는 멍하니 창밖을 바라보다 몸을 벌떡 일으켰다.

그래. 텔레포트 포인트!

무엇에 홀린 듯 벨라는 창가로 다가갔다.

브렌다가 트롤리에 음식을 싣고 와 문을 똑똑 두들겼다. 그러나 대답이 없었다. 왠지 서늘한 느낌에 사로잡힌 브렌다는 문을 열려고 해 보았다.

잠겨 있는 것이 심상찮았다. 항상 열쇠를 가지고 다니는 브렌다는 얼른 문을 따고 안을 들여다보았다. 열린 창문에서 들어오는 바람에 커튼이 흩날리고 있었다. 벨라가 방 안 그 어디에도 없었다.

브렌다는 달려가 창문 밖을 내다보았다. 저 멀리 정문 밖으로 도망가는 이의 뒷모습을 보았다.

"후작님! 후작님!"

벨라시아 저택에 일대 소동이 벌어졌다.

"잊을 만하면 꼭 탈출하신다니까! 진짜 탈출 하나는 타고났어! 후작님! 어떻게 해! 누가 후작님 잡아요!"

벨라시아 사람들이 식겁하여 말에 자동차에 자전거에 동원할 수 있는 모든 것을 동원하여 벨라의 뒤를 따랐다.

"루카스 버틀러 경만 지금 자리에 있었어도 이렇게 탈출하지 못하셨을 텐데!"

하필이면 방금 루카스는 외출한 후였다.

자동차에서 서둘러 내리며 브렌다는 벨라가 있는 방향을 살폈다. 벨라는 지금 잠옷 바람으로 화이트포럼 다리 위를 기어 올라가고 있었다.

"후작님 대체 어쩌시려고⋯⋯!"

뒤따라온 캐시의 중얼거림에 브렌다가 대답해 주었다.

"아무래도 화이트포럼 다리에서 뛰어내리시려는 듯합니다. 후⋯⋯ 정작 캐시도 가만히 있는데 후작님이 왜⋯⋯?"

그 말에 캐시는 화들짝 놀랐다.

"라울린 때문에 다리에서 뛰어내린다고요? 후작님께서 왜요?"

"그러니까 제 말이요!"

브렌다는 짜증을 벌컥 냈다. 제스로가 먼저 화이트포럼 다리로 조심스레 다가갔다.

"후작님! 내려오십시오! 미끄러지면 큰일 납니다!"

벨라는 다리 아래 흘러가는 푸른 강물을 바라보고 있었다. 밤에 바라보던 풍경과는 사뭇 다른 느낌이었다. 밝은 데서 보니 더 아찔하고 까마득해 보였다. 벨라는 발바닥이 따끔거리고 사지가 저리는 느낌이 들었다.

"제발 내려오세요! 후작님! 후작님 이러시는 거 낸시가 보면 심장이 멈추고 말 겁니다! 생각을 고쳐 다시 한번 용기 내 주세요!"

내려오라는 뜻인데 꼭 용기 내서 한 번 더 시간을 되돌려 보라는 말로 들려서 벨라는 희미하게 미소 지었다.

브렌다의 말에 캐시가 함께 나섰다.

"후작님! 후작님께서 이러시는 거 그이도 원치 않을 겁니다. 그의 죽음은 가치 있고 숭고한 것이었어요. 그러니 후회 따윈 없을 겁니다. 저는 그렇게 믿어요. 그러니까 그만 내려오세요!"

벨라는 캐시를 보자 다시 눈에 눈물이 고였다.

검은 상복을 입은 캐시가 오히려 자신을 달래는 것에 그만 울컥하고 뜨거운 무언가가 목구멍으로 넘어오는 듯한 기분이 들었다.

"라울린을 살려 내지 못해서 미안해!"

벨라는 주먹을 꼭 쥐고 그들을 돌아보았다.

"아닙니다! 후작님! 전혀 미안해하실 일이 아니에요! 오히려 저와 카라는 후작님께 감사드리고 있어요!"

"그래요! 내려오세요!"

브렌다가 발을 동동 구르는 모습은 처음 보는 일이었다. 항상 침착해서 무슨 일이 생겨도 결코 당황할 것 같지 않았던 그녀가 간절하게 벨라를 부르고 있었다.

"브렌다! 걱정하지 마! 나는 그저 시간을 되돌리려는 것뿐이야!"

벨라의 외침에 브렌다는 왜 벨라가 화이트포럼 다리 위에 올라갔는지 이유를 깨달았다.

"후작님! 당장 내려오세요! 빅터 브롬웰 선생이 그런 말을 한 것은 그저 가설이고 이론입니다! 그분의 추측에 목숨을 걸지 마세요! 아무도 증명 못 해요!"

"시간을 되돌려요?"

벨라가 그저 계시를 받은 줄 아는 캐시로서는 그녀가 충격을 받은 나머지 머리가 이상해진 것은 아닌가 걱정되었다.

"분명, 이 강물 밑바닥에 마법진이 있었을 거예요. 그래서 내가 시간을 되돌릴 수 있었다면 이번에도 분명 가능할 거예요."

"후작님! 쓸데없는 생각 그만하시고 일단 내려와서 이야기해요!"

브렌다가 애타게 벨라를 불렀다.

"루카스 버틀러 경을 데려올 때까지만이라도 거기 가만히 계세요. 부탁입니다!"

브렌다가 벨라를 살살 달래서 내려오게 하려고 애썼다.

"후작님! 루카스 버틀러 경과 이야기하면 생각이 달라질 거예요. 그러니까…… 악!!"

캐시는 말하다 말고 비명을 질렀다. 주먹을 굳게 쥔 벨라가 강물 아래로 몸을 던져 버렸기 때문이었다.

"벨라 님!"

브렌다는 목청 터져라 벨라를 불렀다.

풍덩.

높은 곳으로부터 수면으로 떨어질 때 둔탁한 충격이 느껴졌다. 온몸이 가루가 되어 부서지기라도 한 듯 아팠다. 깊숙이 가라앉으며 벨라는 헤엄칠 생각도 없이 깍지 끼고 눈을 감았다.

사위는 밝고 맑았지만 수면 아래로 떨어지는 순간 차갑고 검었던 그날의 기억이 새삼스럽게 느껴졌다. 플란네르에서 포격으로 깊은 바다에 빠져들던 순간의 공포가 가슴을 죄어 왔다.

일껏 머금었던 입 안의 공기가 강렬하게 조이는 물의 압력에 저절로 토해졌다. 한 모금의 공기마저 다 잃은 후 코와 목으로 강물이 넘어 들어왔다.

가장 두려운 순간이었다. 폐가 물로 채워지는 고통은 몇 번을 겪어도 두려웠다. 바늘을 삼키는 듯한 고통이 느껴졌다. 이 공포를 견디기 힘들어 이후로도 수영을 제대로 배우지 못했다.

그러나 이 모든 것이 라울린을 구할 수 있는 시간으로 돌아가는 과정이라고 생각하니 지불해야 할 대가라고 믿었다.

언젠가 들었던 목소리가 또 속삭여 왔다.

"하지만 이것은 알아. 네가 과거의 나에게 간절한 편지를 보내온 셈이란 것을 말야."

벨라는 정신을 잃지 않으려고 애썼다. 어쩌면 간절히 염원하면 시간을 거스르는 마법이 저절로 발동하지 않을까 기대했다.

"그래. 나의 후손, 용감하고 강한 이여."

이상하다. 리 엘 아르티드의 속삭임이 자꾸만 반복된다. 똑같은 말만 반복해서 듣자니 머릿속이 터질 것 같았다. 비명을 지를수록 물만 넘어 들어와 고통은 더욱 커졌다.

벨라는 귀를 틀어막았다. 비명을 지르고 싶어도 강물 속에 그녀의 비명은 묻혀 들어갔다.

뭔가 잘못되었다는 것을 깨달았다. 머릿속엔 리 엘 아르티드의 말이 두서없이 꼬여 들어 한꺼번에 웅웅대기 시작했다.

무슨 계시가 있어 그의 목소리가 들린 것이 아니었다.

그저 환청에 홀린 것 같았다.

너무 많은 목소리가 반복되어 머릿속에서 서로 충돌하여 벨라는 머리를 움켜쥔 채 허우적거리다가 살고 싶어서 버둥거렸다.

시간을 되돌리고 싶었던 것이지 죽으려고 뛰어든 것은 아니었다.

그러나 이러다가 죽을 것 같았다. 마법진이고 뭐고 믿고 뛰어든 게 잘못이었다. 브렌다의 말마따나 그것은 가설이었다.

후회도 늦었다. 다가올 죽음의 순간이 두려웠다.

강물 아래는 거센 물살의 흐름이 존재하고 있었다. 허우적거리며 몸의 균형을 잃은 벨라는 물살에 휘말려 어딘가 모를 곳에 머리를 세게 부딪쳤다.

소용돌이치듯 몸이 빨려 들어가 무언가라도 잡고 버티려고 애썼다. 나뭇가지 같은 것이 손에 잡혔다. 그러나 그것은 힘없이 떨어져 나와 벨라와 함께 말려들었다.

정신없이 세상이 뱅글뱅글 돌았다. 아울러 발작하듯 입과 코로 물을 빨아들인 후 눈앞이 까맣게 물들었다.

까맣다.

시궁창에 빠진 것처럼 기분이 나빴다. 흐릿하게 뜬 눈에 보인 하늘이 거무튀튀했다. 무언가 덩어리라도 잡힐 듯 진득한 검은 액체에 몸이 젖어 있었다.

정신을 차려 보니 웅덩이에 대자로 뻗어 누워 있었다. 벨라가 몸을 일으키자 머리카락에서 그 검고 진득한 것이 꿀렁거리며 흘러내렸다.

벨라는 손으로 그것을 훑어 내고는 털었다. 걸쭉한 덩어리가 그 진득한 액체가 고인 웅덩이 표면 위로 기어가듯 느리게 떨어졌다.

생긴 것은 꼭 석유 같은데 엄청난 시궁창 냄새가 났다.

물에 빠졌다가 어느 하수구에 밀려오기라도 한 것일까.

주변을 돌아본 벨라는 깜짝 놀랐다. 자신이 있는 곳은 황무지였다. 오아시스처럼 고인 그 검은 액체로부터 벨라는 몸을 일으켰다.

해가 뜨지 않는지 세상은 밤처럼 검었고 살아 있는 것이라곤 아무것도 보이지 않았다. 그저 황량한 바람 소리만이 음산하게 들려오고 있었다.

벨라는 웅덩이와 땅의 경계에 발을 내딛다가 악! 하고 소리 질렀다.

늪처럼 보이는 웅덩이와 땅의 경계는 변색되어 썩어 가는 나무토막 같은 것들이 가로질러 있었다. 진득한 진흙으로 범벅이 되어 있어 그것이 무엇인지 알아보기 힘들었다. 자신이 잘못 본 건가 싶어 한참 바라보았다. 그러다가 간신히 다가가 심호흡을 하고 그 괴상한 토막을 집게손가락으로 살짝 집었다.

'아무래도 무릎 양말처럼 보이는데…….'

그 양말의 끝엔 검은색 메리제인 구두 같은 것이 신겨 있었다. 본래는 하얀색이었을 양말의 입구로부터 걸쭉한 액체가 주르륵 흘러내렸다. 그러더니 바닥에 툭 하고 떨어진 것은 분명 사람의 뼈였다.

"으아아아악!"

벨라는 혼비백산해 그것을 집어 던지고 헛발질을 하며 서둘러 나와 땅바닥 위로 굴렀다. 그러고는 다리가 후들거려 도저히 걸을 수가 없어서 기어서 앞으로 나아갔다.

헉헉헉!

벨라는 너무 놀라 엎드린 자세로 한참 동안 숨만 거칠게 들이켰다. 얼마의 시간이 흐르고 문득 불어오는 세찬 바람에 정신을 차리고 뒤를 돌아보았다. 멀리서 그 웅덩이를 쳐다보자 깨달았다.

그곳은 웅덩이가 아니었다.

썩은 물 주변으로 누군가의 신발들이 수북하게 쌓여 있었다. 덜 썩은 몇몇 다리에는 아직도 뼈의 흔적이 선명하게 보였다.

'시체 썩은 물!'

"우욱! 우우욱!"

벨라는 헛구역질을 해 내며 달리기 시작했다. 어서 빨리 자신이 뒤집어쓴 시체 썩은 물을 씻어 내고 싶었다.

그러나 아무리 달려도 물을 찾을 수 없었다. 입에서 단내가 나고 입술이 메마르다 못해 바싹 말라 찝찔한 피 맛이 나도록 찾아 헤매도 황무지를 벗어나지 못했다.

벨라는 결코 익숙해지지 않는 그 시체 썩은 내에 흑흑 울면서 무릎을 꿇었다. 그리고 메마른 흙을 움켜쥐고 그 흙으로 온몸의 액체를 닦아 내었다. 그렇게 해서라도 악취에서 벗어나고 싶었다.

온몸에 흙을 뒤집어쓰고 몰골이 엉망이 되었지만 그것을 슬퍼할 겨를이 없었다.

'나…… 죽어서 지옥에 온 걸까?'

사방이 시체가 썩어 고인 웅덩이인데 파리 한 마리 날아다니지 않았다. 세상에서 들리는 소리라곤 오로지 바람 소리뿐, 그 울창하던 숲도 없고 날아가는 새도 없고 인기척 따위도 없었다.

물……! 물……!

지독한 갈증이 엄습해 왔다. 벨라는 비틀거리며 걷고 또 걸었다. 어떻게든 물을 찾아야만 하는데 아무것도 보이지 않았다.

그곳은 깊고 메마른 골짜기 같은 곳이었다. 아무리 걸어도 골짜기만 계속해 이어질 뿐이었다.

골짜기 위로 기어 올라가야 무언가 보일 거라 생각했다. 그래서 그 가파른 경사를 미끄러지고 또 미끄러지며 간신히 올라갔다.

그 위는 의외로 산이 아니고 평지였다. 주변을 두리번거리는데 저 멀리 높은 건물이 보였다. 순간 눈물 나게 반가워서 벨라는 허우적거리며 그 건물로 달려갔다. 그리고 그 근처에서 한 마을이 보였다.

"누구 사람 없……!!"

허물어진 마을에는 바람 소리만 윙윙대고 있었다. 모든 것은 흙을 반쯤 뒤집어쓰고 퇴색해 가고 있었다.

벨라는 그 끝에 무엇이 있는지 마을의 제일 끝까지 걸어가 확인해 보았다. 그리고 그 끝은 다시 황무지와 연결된 것을 보았다. 마을에서 나가는 길엔 이미 시체 썩은 물도 말라붙어 시꺼먼 자국만 남은 흔적이 몇 개 보였을 뿐이었다.

마을이니까 우물이라도 찾아보려고 했다. 그리고 한참을 헤맨 끝에 우물로 보이는 것을 발견했다. 가까이 다가가다가 뒤로 몇 걸음 물러서야 했다.

우물에도 마른 나뭇가지처럼 비죽 삐져나와 있는 것은 사람의 발이었다. 그것도 말라 버린 지 오래된 앙상한 발이어서 신발조차 헐렁해 버티고 있지 못했다. 바람에 밑창 떨어진 신발 한 짝만이 이리저리 굴러다녔다.

살아 있는 것은 아무것도 없었다. 맥이 풀린 벨라는 그 곁에 있는 의자에 앉았다. 앉자마자 의자는 형태를 잃고 모래처럼 부스러져 엉덩방아를 찧고 말았다.

일어날 힘도 없었다. 한숨만이 나왔다.

지옥이 뭐 이래……?

목이 너무 말라서 침 삼키는 것도 힘들었다. 입술이 쩍쩍 들러붙고 혀는 갈라지는 것처럼 아팠다.

라울린…….

황량한 바람결에 벨라는 또다시 눈물을 흘렸다. 목말라 죽겠는데 눈물까지 흘리려니 고역이었다.

라울린을 살리고 싶어서 자신 있게 그랑블루 강에 뛰어들 었는데 지옥에나 떨어져 버렸다.

자신의 꼴이 너무 우스워서 울면서도 비웃듯 웃음이 나왔 다. 자신의 어리석음에 혐오스러워서 미칠 것만 같았다.

그리젤리 사람들에게 은혜를 갚겠다며……?

그들을 행복하게 해 주려고 회귀한 거라며……?

그래, 이게 은혜 갚고 행복하게 해 준 거니?

벨라는 힘없이 파들거리며 벽에 등을 기댔다.

스윽.

이상한 느낌에 고개를 돌려 보니 흙먼지가 등에 묻으며 새까만 검댕이 묻어났다.

메말랐는데 새까맣다?

벨라는 주변의 벽을 손으로 더듬어 보았다. 흙먼지를 뒤 집어쓰고 있어서 희끄무레한 것이지 속이 새까맸다.

혹시나 싶어 근처에 있는 돌을 털어 보았다. 돌까지 까맸 다. 그 돌을 들어 땅을 팠다. 쌓인 흙을 걷어 내자 그 밑바닥 도 새까만 것을 깨달았다.

벨라는 정신없이 그 바닥 일대를 돌로 파고 손으로 걷어 냈다.

까맣다.

모두 까맣다.

그것을 만지는 벨라의 손도 까맣게 변했다.

벨라는 자신의 파자마 가운을 벗어서 손에 둘둘 말고 그 것을 걸레 삼아서 일대의 벽을 훑어보았다.

까맣지 않은 것을 찾을 수 없었다.

까맣다고 생각했던 하늘이 시간이 더 지나자 빛이라곤 모 두 빨아들여 버린 것 같은 검은색으로 완전히 시꺼멓게 변 해 갔다.

밤이 온 모양이었다.

밤에 눈을 한참 감았다가 뜨면 그 어둠 속에서도 희미하 게 사물의 윤곽이란 게 보이기 마련이었다.

그런데 여기서는 정말 아무것도 보이지 않았다. 이렇게 까만색은 일전에 본 적이 없었다.

"무서워!"

벨라는 어둠을 견디다 말고 소리 질렀다.

"누구 없어요?"

있는 힘을 다해 소리 질렀다. 그러나 들려오는 소리라곤 바람 소리뿐이었다. 바람 소리가 이렇게 무서운 줄을 처음 알았다.

텅 빈 공간을 감싸는 차가운 바람에 벨라는 덜덜 떨면서 연신 손에 입김을 호호 불었다.

"지옥이면 차라리 날 벌하기라도 해 줘! 혼자 두지 말고!"

벨라는 처절하게 외쳤다. 하지만 대답으로 파리 한 마리 날아다니는 소리조차도 들리지 않았다.

"어떻게…… 어떻게…… 이럴 수가 있어? 어떻게 이럴 수 가 있어?"

벨라는 울었다. 할 수 있는 게 우는 것밖에 없었다. 눈물 닦는 자신의 손조차 보이지 않는 암흑이 너무 무서웠다.

무서워……

루카……. 나 정말 무서워요. 아무것도 없는 것은 싫어요. 아빠, 엄마, 천국에 있다면 내게 빛 한 자락만 줘요.

암흑이 싫어. 제발 여기 말고 다른 지옥으로 보내 줘요…….

벨라는 이 어둠을 벗어나고 싶어서 뛰었다. 아무것도 보이지 않아서 자꾸만 넘어져 굴렀다. 무릎에서 피가 나고 옷이 찢어진 것 같은데 모르겠다. 지금으로서는 통증 이외에는 자신이 다쳤다는 사실조차 알 수가 없었다.

마구 날뛰다가 미끄덩한 것을 밟아 넘어져 뒹굴었다. 고약한 악취와 그 걸쭉한 느낌에 또 시체 썩은 구덩이에 빠졌구나 하는 사실을 깨달았다.

"싫어 싫다고! 아아아악!"

벨라는 발작하듯 소리를 지르며 일어나 그곳을 벗어나려고 했다. 그러나 허둥대니 더욱 미끄러져 구르다가 입 안에 튀어 들어가기까지 해서 구역질을 계속했다.

"으악!"

필사적으로 일어나려다가 도로 미끄러져 두 손으로 바닥을 짚었다. 다시 벌떡 일어나려다 말고 벨라는 엉거주춤 엎드려서 이번엔 조심스레 바닥을 더듬어 보았다.

촉감이 이상했다.

금속이었다.

통통 두들겨 보니 그것은 분명 금속이 틀림없었다. 매끈하고 차가운 그것을 더듬어 보다가 그것의 생긴 형태를 살폈다.

썩은 물이 고인 곳은 단순한 웅덩이가 아니었다. 금속으로 만들어진 무언가의 안이었다.

암흑 속에서 벨라는 그것을 열심히 더듬었다. 차라리 발목만 남은 시체들이 보이지 않아 더듬는 것이 더 수월하게 느껴졌다.

시체들은 그냥 땅 위에 널브러진 게 아니고 그릇에 담겨 썩은 것 같았다.

이해할 수 없는 이 금속 물질을 더듬던 벨라는 발목만 남은 시체 아래도 더듬어 봐야 이것이 무엇인지 알 수 있을 것 같다는 생각에 역겨워서 고개를 저었다. 하지만 이미 손은 더러워질 대로 더러워졌고, 이 극한 상황에서도 충족되지 않는 호기심에 홀려 마른침을 꿀꺽 삼켰다. 썼는데 뭘 더 만진들 더 더러울 수 있겠는가.

벨라는 심호흡을 한 뒤 다리들의 밑을 더듬었다.

둥글고 길쭉한 것이 여러 개가 중심 원에 붙어 있는 또 다른 금속 물체가 손에 닿았다.

프로펠러?

이상한 생각에 벨라는 용기를 내어 더욱더 적극적으로 누군가의 발을 치우고 전체의 형태를 알기 위해 오감을 총동원했다.

비행기?

거대한 비행기의 잔해였다.

아무리 생각해 봐도 맞춰지지 않는 생각의 퍼즐 때문에 벨라는 그 웅덩이의 밖으로 나온 후 흙에 오물을 닦아 내며 곰곰이 생각에 잠겼다.

"나의 후손에게."

또다. 언젠가 그리젤리의 지하 창고에서 들었던 리 엘 아르티드의 목소리가 또다시 귓가에 들려왔다.

벨라는 고개를 저었다.

"바로 너로구나. 나에게 이런 고민거리를 안겨 준 것이."

머리가 아팠다.

또 똑같은 말이 윙윙대며 머릿속에서 뒤섞일 차례인가 보다 하는 생각이 들었다.

"네가 만진 것은 내가 주문을 걸어 둔 마법 스크롤이니 걱정하지 마라."

이번엔 마구 뒤섞여 들리는 것이 아니라 예전에 들었을 때처럼 순서대로 들려왔다. 벨라는 그 목소리에 귀를 기울였다.

"나는 리 엘 아르티드. 사람들은 나를 시간을 거스르는 마법사라고도 하고, 그 가진 능력으로 모든 일을 제멋대로 되돌린 것은 아니냐는 의심을 받기도 하지."

다시 들으려니 느낌이 새로웠다.

"사람들은 나를 신을 넘보는 자라 하여 두려워했어. 하지만 아무리 그런 능력이 있다고 해서 무한하게 시간을 거스를 수 있는 것은 아니야."

리 엘 아르티드의 목소리가 아빠의 목소리처럼 들리는 듯했다. 벨라는 리 엘 아르티드의 모습도 아빠와 닮았을 거라 상상했다.

어둠 저편에서 리 엘 아르티드가 다가와 아빠처럼 다정한 목소리로 말을 건네는 듯했다.

"나는 신처럼 유능하지 않아. 그랬다면 이런 마법 스크롤을 남기는 것이 아니라 네가 있는 시간이 어딘지 좌표를 알아내서 네 앞에 나타나는 쪽을 택했겠지. 나도 무작정 옮겨 갈 수 있는 것은 아니야."

그러게요. 제게 나타나서 직접 말씀해 주셨다면 좋았을 텐데요. 제가 이런 고생을 하지 않아도 되고요…….

벨라는 한숨을 내뱉었다.

"공간이든 시간이든 정확한 좌표를 알아야 갈 수 있어."

그의 목소리가 끊어지지 않고 계속해 다정스레 이어졌다.

"나는 많은 사람들을 잃었어. 그리고 혼자 남겨졌지."

저도 그래요…….

벨라는 쓴 입맛을 다셨다.

"그 슬픔을 극복하기 위해 나는 결국 시간을 거슬렀어."

저도 라울린을 위해 시간을 거슬러 보려고 했는데 실패했어요…….

더 생각해 봐야 무엇하겠는가 싶었다. 내가 하는 일이 다 그렇지 뭐 하고 한숨만 또 나왔다.

"그리 많은 시간을 거스르지 않아도 돼. 내가 사랑하는 이의 마지막 날 하루 전으로만 돌아가도 충분해. 하지만 정확히 그 하루 전으로 거슬러 올라가는 것이 십 년, 이십 년을 거슬러 올라가는 것보다 더 힘들어. 고도의 수련이 필요하거든."

미안해요. 고도의 수련 같은 거 하지도 않았고 마력을 제대로 써 본 적도 없는 제가 회귀하겠다고 무턱대고 강물에 뛰어들어 아르티드가의 대를 끊어 놓았네요.

벨라는 자꾸만 자신을 비웃게 되었다. 슬펐다.

"하지만 놀랐어. 내가 걸어 놓을 봉인 마법을 이기고 스스로 시간을 거스를 후손이 있다는 사실은 나에게 큰 깨달음을 주었지."

그 후손이 바로 나라서 미안해요. 당신과는 다르게 멍청하고 무능해서 죄송해요.

벨라의 눈에서 또다시 눈물이 굴러떨어졌다.

"더 이상 나는 그들을 그리워하며 갇혀진 시간 속에 살지 않아도 돼. 네 덕에 진정으로 자유로워지는 법에 대해 깨달았어. 고맙다, 나의 후손."

당신처럼 내가 강했다면…….

벨라는 흑흑대며 울었다.

나는 사람들을 구하지 못했어. 실수만 여태 했어. 내가 다 망쳤어. 다 나 때문이야. 회귀조차 똑바로 못하는 나를 믿고 그들은…….

"처음, 텔레포트 포인트를 이곳에 만들었을 때, 나는 거대한 폭발과 함께 사라질 뻔했어. 그리고 간신히 시간을 돌려 구사일생으로 살아남았지. 누가 대체 이런 엄청난 짓을 저질렀을까 화가 났어. 이 대지를 모두 날려 버릴 그 거대한 폭발은 살아 있는 생명체가 견뎌 낼 수 있는 것이 아니었지."

벨라는 그 말을 들으며 리 엘 아르티드가 옆에서 듣기라도 하는 것처럼 중얼거렸다.

"이렇게 아무것도 없을 리가 있으려고요. 여기 좀 보세요. 살아 있는 것이라곤 개미 새끼 한 마리도 없어요. 여기야말로 모든 것이 죽어 있어요."

그 말을 들을 수 없는 리 엘 아르티드의 목소리는 계속되었다.

"그래서 되돌린 삶에서 이곳에 텔레포트 포인트를 만들지 않겠다고 결심했어. 그런데 어느 순간 궁금한 거야. 대체 이 강력한 폭발은 무엇이었을까, 모두 다 죽여 버리겠다는 듯 사납게 타오르는 이 지옥의 불길을 일으킬 만한 원흉이 무엇인지……."

벨라는 땅을 파고 또 파도 새까만 검댕이 묻어나던 것을 떠올렸다.

"여기는 땅 전체가 홀라당 타 버린 것 같은 몰골인걸요. 오래전에 불탄 것인지 그 위에 바람 불어 켜켜이 쌓인 흙먼지만 가득하네요."

벨라는 또다시 한숨을 쉬었다.

"……한 번쯤은 알아보고 싶다는 몹쓸 호기심이 발동했지."

후우…….

대체 여기는 어디인 걸까?

과연 지옥이 맞는 걸까?

"일곱 번. 무려 일곱 번을 나는 이 지옥의 불길에서 아무 것도 구하지 못했어. 그만큼 이 불길은 맹렬했고 이것에 깃든 사악한 기운은 이루 말할 수가 없었지."

일곱 번의 지옥 같은 불길이라……? 저도 참 궁금하네요…….

벨라의 공허한 마음을 따라 차고 메마른 바람이 어디선가 불어왔다.

"그래서 생각을 바꿨어. 대체 이 불길을 누가 보냈는가. 나는 따져 묻고 싶었어. 대체 살아 있는 생명체에게 어떤 억하심정이 있기에 마족의 왕이 타고 다니는 드래곤의 불길조차 능가할 이 흉측한 것을 내가 사는 이 순간으로 보내 버린 걸까."

큭큭. 드래곤의 불길조차 능가할 흉측한 것이래…….

얼마나 폭발을 해야 드래곤의 불길을 능가할 만한 것이라고 부를 수 있을까?

벨라는 힘없이 웃었다.

"여기에 쓰인 것이 무슨 말인지는 잘 모르겠지만 꼭 깃발 같군. 네가 살게 될 후대에는 이러한 나라들이 존재하는 걸까?"

리 엘 아르티드가 뭔 소리를 하는지 도통 알아들을 수 없었다. 다시 듣는 것인데도 그랬다. 깃발은 또 뭐고 이러한 나라들은 뭐고 대체 뭘 보고 저런 말을 하는지 저 말 자체가 더 궁금했다.

무엇에 대한 묘사인지 감을 잡을 수 없었다.

"나는 수없이 그것을 다시 보고 또 돌려 보았어. 네 덕에 몇 번을 죽기 직전에 시간을 돌려 간신히 살아남았는지 몰

라. 덕분에 내 수명이 확 줄어 버릴 지경이었으니까. 하지만 반복되는 그 화염 속에서 나는 그 물건을 좀 더 많이 건져 낼 수 있었지."

도대체 그 물건이 뭐고 뭘 건져 냈다고 하는 건지 전혀 이해할 수 없었다. 그의 말은 오히려 상상을 방해했다.

"후대의 마법사는 대체 어떻게 물건에 마법이 깃들게 하는지 잘 모르겠지만, 이것들에는 지독한 사념이 깃들어 있더군. 그리고 나의 아내가 그 사념에 깃든 기억을 조금이나마 읽어 냈지. 아내는 그 사념을 읽고 한참을 충격받아서 울고 또 울었어. 이렇게 살의로 가득한 것은 처음 만져 보았다더군."

대체 뭐야 그 물건이! 알아들을 수 있는 말로 하라고!

벨라는 미간을 찡그렸다.

"반드시 상대를 죽여 버리겠다는 단호한 사념만이 채워진 그 물건을 보며 나는 괜한 일을 아내에게 시켰다는 죄책감에 같이 울었어. 역시 이 텔레포트 포인트는 절대로 만들지 않아야 하는 걸까?"

차라리…… 루카스의 마지막 편지를 쥐고 그랑블루에서 뛰어내렸을 때 확실하게 죽어 버렸다면 좀 더 평안할 수 있었을까?

벨라는 지나온 삶을 돌이켜 보았다.

회귀했으니까 이번엔 열심히 살아야겠다고 다짐하며 치열하게 노력했던 순간들이 떠올랐다.

정말 열심히 노력했는데…….

정말 잘 해 보고 싶었는데…….

심장이 터져 나갈 듯 아팠다. 가슴이 미어진다는 표현만으로는 이 감정을 표현할 수가 없었다.

"그런데 다 울고 난 아내가 말했지. 꼭 이 텔레포트 포인트는 만들어야 한다고 말이야."

텔레포트 포인트가 있으면 뭘 하나. 나는 쓸 줄도 모르는데…….

벨라는 눈물만 뚝뚝 떨어뜨렸다.

"여기에 희미하지만 너의 존재가 읽힌다고 했어. 너란 존재가 내게 간절히 호소하더라고 전하더군. 무슨 호소를 한 걸까. 불행히도 그 이상을 읽어 내는 것은 우리로서도 무리였어. 하지만 이것은 알아. 네가 과거의 나에게 간절한 편지를 보내온 셈이란 것을 말야."

설마 그 후손이 저는 아니겠죠. 나는 이렇게 무능한걸요. 내가 그 후손일까 궁금했던 적도 있었지만 나는 아닌가 봐요.

"그래. 나의 후손, 용감하고 강한 이여, 나는 그래서 이 텔레포트 포인트를 만들었어. 부디 너의 선택이 옳았기를. 그리고 너의 앞날에 축복이 깃들기를."

용감하고 강하긴 개뿔……!

그의 밝고 경쾌한 목소리가 꼭 반어법처럼 들려서 서러움은 배가 되었다. 흐느끼려는 벨라에게 그때 작은 목소리가 들려왔다.

"맞아. 나의 딸아, 비록 너를 나는 만나 보지 못하겠지만, 넌 정말 용감하고 강해."

우아하고 아름다운 여인의 목소리가 들렸다.

"나라면 거기까지 가지도 못했을 거야. 이이도 실은 알고 보면 상당한 겁쟁이거든."

그녀의 웃음소리가 들렸다. 벨라는 눈을 동그랗게 떴다.

"울보 호구 아빠에 소심하고 겁쟁이인 엄마 밑에서 태어난 후손이 너처럼 용감하고 강하다니, 나는 감격스럽고도 자랑스러워."

여인의 목소리가 목이 메는 듯 떨려 왔다.

"아가, 예쁜 우리 미래의 아가, 우리는 페오스 황제와 약속했어. 우리의 능력을 두려워하는 페오스 황제를 달래려고 우리 자손에게 마력을 봉인하는 만드는 주문을 걸겠다고 다짐했지."

뭐? 마력을 봉인하는 주문?

"그래야 태중의 이 아이가 그리고 그 아이의 아이가, 그리고 너에 이르기까지 황제의 질투에 희생되지 않을 테니까."

벨라는 멍하니 그 말을 들으며 이게 무슨 뜻인지 파악하려고 애썼다.

"리, 스크롤은 두 번 세 번 반복해서 재생되게 해 줘. 우리 후손이면 분명히 머리가 나쁠 거야. 내 머리도 기억력이 꽤 나쁘지만, 당신처럼 뭐 하나 집중하면 나머지는 모조리 까먹는 사람은 본 적이 없어요."

"응? 벌써 한 번만 재생되게 해 놨는데? 반복해서 재생되면 악용하는 사람이 있지 않을까?"

"이이가, 지금이라도 반복 마법 걸면 되잖아!"

"중간에 걸면 마법이 꼬인다고!"

"마법을 걸어도 좋아지지 않는 머리를 가졌으면서 무슨 근거 없는 자신감으로 한 번만 재생되게 해 놨어요? 추가해요! 같이 존댓말로 기록하기로 해 놓고 벌써 까먹고 반말만 하던데 뭘."

"이렇게 중간에 개입하니까 벌써부터 꼬이잖아."

세상에나.

리 엘 아르티드는 아내와 투닥거리는 내용까지 스크롤에 기록되게 해 놨던 모양이다. 벨라는 듣다 말고 어이가 없어서 킥킥 웃고 말았다.

"미래의 우리 후손인데 우리가 이러는 거 알면 무슨 존경심이 생기겠어요? 사람들은 당신을 보고 대마법사라고 우와 하다가도 당신 실체를 알면 있던 존경심도 사라진다고 하던 말 기억 안 나요?"

"이거 도로 무를 수 없는 스크롤인 거 알지? 우리가 투닥거리는 거까지 다 남는다고! 이 마법 스크롤 재료는 다시 구할 수도 없어! 길이가 짧으니 할 말만 하자. 스크롤이 거의 끝나가!"

웃지 않을 수가 없었다. 이 유쾌한 초대 선조들 같으니라고!

"뭘 말하려던 건지 까먹었잖아! 당신 때문이야!"

"이래서는 스크롤 꼬여서 이상하게 재생되어도 난 모른다고!"

"필요할 때 한 번 더 재생되게 하는 마법이라도 추가하면 되잖아! 이 사람이 진짜!"

"아 몰라. 당신이 추가하든가. 스크롤 진짜 끝나가! 어쩔 거야?"

"아차차. 나의 후손, 지금 들은 내용은 창피하니까 기억에서 지워 줘."

벨라는 듣다 말고 웃음을 참을 수 없었다.

"내가 당부하고 싶은 것은 텔레포트 할 때 정신을 바짝 차리라는 거야. 저 사람도 텔레포트 하다가 이상한 데로 막 갔다가 헤매고서 돌아온다니까? 가령 가지 않아 본 미래라든지…… 어디서 이상한 거 보고 와서 헛소리하는 게 취미거든?"

"아 진짜! 그런 거까지 폭로하기야?"

"이 인간 하는 꼴이 빤해서 후손도 헤맬 거 같으니까 열쇠 꼭 만들어 두라고 할게. 걱정 마, 후손!"

"열쇠? 알았어. 그것도 추가해 주지. 길을 잃으면 당황하지 말고 처음 왔던 데로 가서 기다려. 꼭. 알았지?"

"약속해 놓고 까먹지나 마! 당신 기억력에 정말 문제 있어. 당신이 한 말 자동으로 다 기록하는 마법 같은 거 있으면 내가 꼭 걸어 주고 싶네. 내가 왜 하필 이런 인간하고 결혼했을까……. 이런 울보 호구가 뭐가 좋다고."

"자꾸 이러기야? 언제는 내가 인간이어도 좋다면서 먼저 덤벼들더니?"

"내가 언제 그랬어요? 그때는 내가……."

그러더니 더 이상 아무 소리도 들려오지 않았다.

한참을 더 기다려 보았으나 목소리는 거기서 끝이었다. 그런데 그들의 목소리가 왜 그리 유쾌한지 암흑 속에 있다는 것을 다 잊어버릴 정도였다.

"푸하하하!"

벨라는 목소리가 들리지 않는데도 그들이 곁에 있는 것 같아서 배꼽을 잡고 깔깔대며 웃었다.

왠지 그동안 궁금했던 것이 한꺼번에 해결되어 버린 것만 같았다.

들려온 대화에 의하면 초대 가주 리 엘 아르티드는 머리가 나쁜 데다 건망증도 심했고, 엘프 부인은 소심하고 겁이 많았다.

"딱 나네."

머리 나쁘고 건망증 있고 소심하고 겁이 많고.

내가 못나서 그런 게 아니라 그게 우리 집안 내력이었구나. 아이고 배야.

벨라는 너무 웃어서 흘린 눈물을 닦았다. 두 뺨이 당기는 것 같았다.

목소리가 뒤죽박죽으로 섞여 들렸던 것은 마법 스크롤을 실행하기 전에 미리 마법을 걸어 두었어야 했는데 실행한 이후에 마법을 추가하는 바람에 꼬여서 엉망으로 재생되어 그랬던 건가 보다.

"다시 듣고 싶은 목소리였는데……. 한 번만 더 재생하는 마법이라고 했으니 또다시 들을 수는 없겠지."

생각이 거기까지 닿자 벨라는 그들이 추가로 당부한 말을 기억해 내려고 애썼다. 분명 중요한 말이라 잊어버려서는 안 되었다.

"첫째로…… 뭐라고 했더라? 아, 열쇠!"

벨라는 빅터 브롬웰 교수가 오랫동안 기억하는 법이라면서 알려 준 기억 방식을 떠올리며 생각을 정리했다.

"초대 가주도 텔레포트 하다가 정신 팔면 이상한 곳으로 이동한다고 했어. 나도 텔레포트 하다가 정신을 집중하지 못해서 의도치 않은 곳으로 온 것일까?"

벨라는 기억하려고 중얼거리다가 자꾸만 리 엘 아르티드의 부인이 리를 타박하던 말이 떠올라 또 혼자 빵 터지고 말았다.

"하나 집중하면 다른 것을 모조리 까먹는다고 했지? 기억력에 문제가 있어서 한 말을 자동으로 기록하는 마법 같은 거 있으면 걸어 주고 싶다고……."

그래서였을까?

가주의 방에 있는 기억이 기록된 책들이 왜 거기에 있는지 알 수 있었다.

잘 까먹는 특성을 보완하려고 기록하는 마법을 걸어 둔 것이었다.

큭큭큭…… 고마워요. 선조님.

그나저나 열쇠가 뭘까? 내가 아는 열쇠라곤 가주의 방 열쇠밖에 없는데…….

벨라는 언제나 몸에 지니고 다니는 가주의 방 열쇠를 꺼내서 손에 쥐었다. 어둠 속에서도 그 열쇠에 박힌 보석들은 빛나 보였다.

'이 인간 하는 꼴이 빡세서 후손도 헤맬 거 같으니까 열쇠 꼭 만들어 두라고 할게. 걱정 마, 후손!'

'열쇠? 알았어. 그것도 추가해 주지. 길을 잃으면 당황하지 말고 처음 왔던 데로 가서 기다려. 꼭. 알았지?'

벨라는 그들이 나눴던 대화를 머릿속에 다시 떠올려 보았다.

텔레포트 하다 엉뚱한 데로 갈 후손을 위해 열쇠를 만들어 둔다……

손에 쥔 가주의 방 열쇠의 감촉이 묵직하게 느껴졌다.

"둘째. 길을 잃으면 당황하지 말고 처음 왔던 데로 가서 기다려라."

벨라는 혼자 중얼거렸다. 처음 자신이 누워 있던 그 불쾌한 웅덩이를 다시 찾아봐야겠다고 생각했다. 거기서 기다리면 이곳을 빠져나갈 무언가 묘책이 있지 않을까 하는 희망도 피어올랐다.

"가 본 적 없는 엉뚱한 미래……."

벨라는 뜻 모를 그 말을 반복해 중얼댔다.

까만 어둠 속에서 시간이 얼마나 흘렀을까.

서서히 어둠 속에서도 약간 밝아지기 시작했다. 그리고 사물의 형태가 조금씩 보이기 시작했다. 이것은 해가 뜬 것일지도 모른다고 벨라는 생각했다.

주변이 밝아지고 난 후 벨라는 처음 왔던 길을 되돌아서 걸어왔다. 올 때는 몰랐는데 돌아올 때 높은 곳에서 주변을 둘러보니 어쩐지 이 땅의 지형이 익숙한 느낌도 들었다.

"골짜기가…… 예전에 그랑블루 강이 흐르던 모양이랑 비슷하네?"

벨라는 무심결에 혼자 중얼거리다가 혹시 정말 그랑블루

강이 말라 버린 자리가 아닐까 하는 생각이 머릿속을 번뜩 스쳐 갔다.

"정말 굽은 형태가 그랑블루 강 같아!"

벨라는 주변을 두리번거리다가 자신이 처음 있었던 자리가 향한 곳을 바라보았다. 웅덩이의 근처 지형이 낯익었다.

"혹시 거기가 화이트포럼 다리가 있던 그 자리일까?"

벨라는 곰곰이 생각해 보았다.

"내가…… 열네 살로 회귀했을 때 나는 그리젤리에 있었지."

텔레포트 하면 나이까지 그 시간대로 바뀌는 걸까, 아니면 이 나이 그대로 옮겨지는 걸까?

벨라는 자신의 얼굴을 더듬어 보았다.

딱히 늙거나 젊어지지도 않은, 20대의 얼굴 그대로였다.

"난 이렇게 멀쩡한데, 왜 그땐 14살로 돌아간 거였지? 내가 텔레포트 하다가 길을 잃은 거라면 왜 이 나이 그대로 유지되는 거지?"

왜 하필 그땐 그리젤리에서 눈 뜬 것이었을까?

그 대답에 답해 줄 수 있는 사람은 아무도 없었다. 다만 추측하기로 그리젤리 지하 창고 바닥에 그려져 있던 마법진이 연관 있을 것 같았다.

그럼 이 가주의 방 열쇠는 그 마법진과는 또 다른 텔레포트 도구인 걸까?

아무것도 알 수는 없었다. 이것을 만든 사람은 이미 까마득한 오래전에 무로 돌아갔으니 말이다.

벨라는 가는 곳곳마다 돌로 땅을 조금씩 파 보았다. 어딜 가나 검은 검댕이 흙바닥 밑에 쌓여 있었다.

풀 한 포기 없고 벌레 한 마리 없는 것은 이런 이유일까.

벨라는 자신이 처음 있었던 자리로 돌아왔다.

멍하니 그것을 바라보고 있다가 혹시 이곳도 바닥이 금속으로 되어 있는 것은 아닐까 하는 생각이 들었다.

기왕 온 거, 호기심의 정체를 파악해 보고 싶었다.

주변을 뱅뱅 돌아보았다. 다시 보아도 발만 남은 그 웅덩이는 역겹고 소름 끼쳤다.

"프로펠러는 이 다리들 밑에서 만져졌으니까……."

벨라는 심호흡을 한 후 그 다리들을 다른 곳으로 들어냈다.

툭…….

주인 잃은 신발들은 간혹 뼈와 양말만 남은 발에서 굴러떨어지곤 했다.

그중 한 신발이 벨라의 눈에 띄었다.

"응?"

어쩐지 그 신발이 낯이 익은 느낌이었다.

벨라는 다리들을 내려놓고 그 신발을 집어 이리저리 둘러보았다. 썩고 낡아서 형태가 썩 좋은 것은 아니었지만 문양은 알아볼 수 있었다.

"깔창이 몇 겹 깔린 게 꼭 찰스 숙부의 신발처럼 생겼어……."

벨라는 뒤집어 보다 말고 미간을 찡그렸다.

아르티드가의 문장이 새겨져 있었다. 그걸 보자마자 벨라는 몸서리를 치며 신발을 던졌다.

"재수 없게 이런 것이 왜 있어?"

벨라는 다른 신발 무더기를 발로 툭 차면서 중얼거렸다.

"이게 찰스 숙부 신발이면 여기 금속으로 된 기사용 부츠는 뭐야. 카스웰 단장이 신던 부츠쯤 되나?"

농담처럼 다리 더미 사이에서 발로 건드린 금속 부츠는 그러고 보니 카스웰 단장의 신발처럼 보이는 것 같기도 했다.

"어우. 이것도 재수 없어."

벨라는 진저리치며 그 부츠도 멀리 차 버렸다. 찜찜함을 떨쳐 버리기라도 할 듯 벨라는 소매를 걷고 그 웅덩이로 들어가 더듬더듬 바닥을 더듬었다.

벨라는 다시금 확인하며 확신을 얻었다. 금속으로 된 바닥에 시체 썩은 물이 흡수되지 못하고 고인 것이 확실했다.

후……. 저쪽에서 발견된 웅덩이랑 같아. 바닥은 금속이고 프로펠러가 있고 거대해. 이게 대체 뭐지? 비행기인가?

꼭 상황은 비행기가 추락해서 사람들이 죽고 반파된 기체에 그 썩은 물이 고여 있는 것 같았다.

선조들의 말에 의하면 텔레포트 하다 실패할 경우 가 보지 않은 미래로 가는 수가 있다고 했다. 이것이 가 보지 않은 미래인 걸까?

벨라는 그 누구도 대답해 줄 수 없는 질문에 긴 한숨을 내쉬었다.

"길을 잃으면 낭황하지 말고 처음 왔던 데로 가서 기다리라고 했지?"

벨라는 한참 동안 그 역겨운 웅덩이에 서 있었다. 그런데 아무리 기다려도 아무런 반응도 일어나지 않았다.

"혹시 똑같은 모습으로 있어야 하는 것은 아니지?"

벨라는 머뭇거리다가 처음 이곳에 왔던 것처럼 하늘을 쳐다보는 자세로 그 역겨운 구덩이에 드러누웠다.

아무리 노력해도 이 역겨운 냄새는 절대 익숙해지지 않았다. 헛구역질이 자꾸만 났다.

"대체 언제까지 기다려야 하는 거야?"

세상이 점점 어두워지기 시작했다. 그리고 아무것도 형체를 알 수 없는 어둠이 곧 벨라를 뒤덮었다.

시체 썩은 물 위에 누워 있는 것이 쉬운 일은 아니었다.

"제발 나를 되돌아가게 해 줘요! 제발!"

벨라는 헛구역질해 가며 간절히 바랐다.

"돌아가고 싶어! 내가 있던 곳으로!"

벨라의 목소리는 텅 빈 어둠 속에서 메아리쳤다.

"제발 나를 데려가 줘요! 여기서 죽기는 싫어!"

이대로 시체 썩은 물에서 그녀 역시 이대로 생을 마감하는 것은 아닌가 하는 불길한 생각에 사로잡혔다.

"싫어! 여기서 혼자 죽기 싫어!"

벨라는 발악하듯 소리 질렀다.

"나 좀 데려가요! 엄마! 아빠! 그 누구든 간에! 데려가! 그리젤리로 나를 돌아가게 해 줘!"

순간 숨이 막혔다.

"커헉!"

벨라는 목을 두 손으로 움켜쥐었다. 누가 코로 바늘을 집어넣는 듯 고통스러웠다.

고통스러운데 누군가 그녀의 입을 틀어막은 듯 강하게 짓눌러 왔다.

벨라는 경련을 일으키며 부들부들 떨었다.

"살려 줘……!!"

어찌나 고통스러운지 차라리 죽여 달라는 말이 튀어나올 지경이었다.

"크흐윽!"

벨라는 발버둥을 쳤다.

촤아악.

벨라의 머리가 물 밖으로 들어 올려졌다.

그와 동시에 벨라는 물을 뱉어 내며 목을 움켜쥐고 괴롭게 헐떡거렸다. 배영 자세로 벨라를 눕히고 그녀의 목에 팔을 걸어 헤엄치는 사람은 캐시였다.

콜록콜록.

물에 올려지자마자 벨라는 속에 든 모든 것을 토해 내기라도 할 듯 격렬하게 기침해 댔다.

브렌다는 벨라에게 모포를 넣어 주고는 캐시에게 다가가 물기를 열심히 닦아 주었다.

"후작님 때문에 임산부가 찬물에 뛰어들었습니다. 하마터면 세 사람이 같이 큰일 날 뻔한 거 아시겠습니까?"

브렌다가 냉랭하게 말했다.

"저는 워낙 강골이라 괜찮습니다."

캐시의 말에 브렌다는 고개를 저었다.

"강골이고 뭐고 간에 혹시라도 모르니 진료부터 받아 봅시다."

"전 정말 괜찮다니까요. 후작님부터 진정시켜 주세요."

기침만 하는 벨라에게 캐시가 다가가 모포를 더욱 끌어당겨 덮어 주었다.

"후작님, 그 사람을 아껴 주신 마음에 감사드립니다."

느리게 그녀가 한마디 먼저 건넸다. 벨라는 면목이 없어 캐시를 물끄러미 바라보았다.

"미안해. 성공하지 못해서……."

캐시는 후…… 하고 깊은 한숨을 내쉬더니 벨라의 눈을 응시했다.

"그는 페로하트의 군인으로서 명예로운 죽음을 맞이했습니다. 따라서 저는 슬프지 않습니다."

그 말을 하는 캐시의 눈은 이루 말할 수 없이 슬퍼 보였지만 그녀는 애써 웃어 보였다.

"좀 더 함께할 시간이 길었다면 좋았겠지만, 그는 그다운 죽음을 선택했고 저는 그를 더욱더 존경하게 되었습니다."

캐시의 눈가에 눈물이 글썽글썽했지만 괴롭지 않다는 듯 그녀는 평온한 표정이었다.

"그는 정말 멋있는 사람이었어요. 아마 시간을 되돌린다

해도 그는 죽음을 택했을 겁니다. 그 아니면 할 수 없는 일이었거든요. 수많은 사람을 구해 주고 떠난 그를 저는 원망하지 않아요."

캐시의 뺨을 타고 조용히 눈물이 한 방울 흘러내렸다.

"그러니, 후작님, 그가 편히 가게 이제 그만 놓아주세요."

"캐시⋯⋯."

벨라의 눈가에 저도 모르게 눈물이 따라 흘렀다. 그리고 캐시를 와락 끌어안고 흐느꼈다.

"캐시이⋯⋯. 라울린이 너무너무 보고 싶을 거야."

"저도요⋯⋯."

캐시와 벨라는 울먹이며 서로를 달래 주었다.

"라울린을 만난 건 행운이었어."

벨라의 말에 캐시는 조용히 눈을 감으며 말했다.

"저에게도 행운이었어요."

"캐시, 나⋯⋯, 카라와 그 아이의 후견인이 될 수 있을까?"

벨라는 머뭇거리며 말했다.

"라울린에게 빌린 목숨값, 카라와 곧 태어날 아이에게 갚고 싶어. 내가 해 줄 수 있는 것이 그것뿐이어서 슬프지만, 최선을 다해 후견인이 되고 싶어. 그래도 될까?"

캐시는 웃으며 다정히 속삭이듯 벨라에게 말했다.

"저야말로 후작님 같은 분이 우리 아이들의 후견인이 되어 주신다면 영광입니다."

캐시는 벨라를 일으켜 세우고는 한쪽 무릎을 꿇고 그녀의 손을 잡으며 올려다보았다.

"자신의 의무를 더 이상 수행하지 못하게 된 그이 대신, 제가 후작님을 지켜 드리겠습니다. 그래도 되겠습니까?"

벨라의 코끝이 시큰해졌다. 캐시는 진심이었다.

"후작님께서는 어떻게 되셨습니까?"

루카스는 급하게 안으로 뛰어들어 왔다. 외출하느라 벨라에게 신경 쓰지 못한 것이 후회스러웠다.

"다행히도, 캐시가 물에 뛰어들어 아가씨를 구했어요. 아가씨께선 지금 목욕 중이십니다."

"목욕? 방금 돌아오셨습니까?"

루카스의 말에 브렌다는 안경을 추켜올리며 대답했다.

"아뇨. 세 번을 씻겨 드렸는데도 무슨 스컹크에게 봉변이라도 당하신 것처럼 심한 악취가 나서 아예 향수를 듬뿍 부은 목욕물에 몸을 푹 담그고 계십니다."

지금도 그 고약한 냄새가 난다는 듯 브렌다는 코를 찡긋거리며 인상을 썼다. 그때 마침 벨라가 목욕을 마치고 하녀들의 부축을 받으며 나왔다.

"으음……."

브렌다는 다시 한번 안경을 추켜올렸다. 루카스는 벨라의 등장에 브렌다의 말이 무엇인지 깨달았다.

"아직도 냄새나요?"

벨라의 말에 브렌다는 애매하다는 표정으로 신음을 흘렸다.

"처음보다는 낫긴 한데…… 으으음……!"

벨라는 소파에 가서 앉았다. 하녀들이 그녀의 머리를 말려 주고 로션을 발라 주느라 분주했다. 벨라는 그들의 도움을 받으며 뜨거운 차를 마셨다.

'이상한 곳에 텔레포트 했었다고 루카스에게 말할까?'

자신을 걱정하여 뛰어온 모양이었다. 벨라는 시선을 내리깔며 조용히 찻잔을 내려놓았다.

"이안과 빅터 브롬웰 교수님을 불러 주세요. 긴히 할 말이 있으니까."

벨라는 이 중요한 이야기를 루카스와 할까 말까 고민하다가 그를 제외하기로 마음먹었다.

루카스는 골치 아픈 문제로부터 손 떼게 해 주고 싶었다. 지금 이 상황을 상담할 적임자는 빅터 브롬웰 교수이고 이안은 루카스를 대신할 만한 사람이니 괜찮을 것 같았다.

'루카스를 더 이상 중요한 일에 쓰지 말자.'

벨라는 한숨을 내쉬었다.

비록 그가 자신의 사랑 고백을 거절했다 하더라도 괜한 일에 끼어들어 라울린처럼 헛되이 떠나보내고 싶지 않았다.

그렇다고 이안과 빅터가 소중하지 않은 건 아니었지만, 그래도 덜 아플 것 같았다.

더 이상 내 일에 끼지 말아요…….

자신은 왜 부르지 않느냐는 듯 벨라를 바라보는 루카스의 시선이 느껴졌다. 그러나 그녀는 고개를 숙여 다시 차를 한 모금 입에 머금을 뿐이었다.

당신을 안전한 곳에 보내는 게 당신을 위하는 일일 텐데…… 나는 이기적인 사람이라 내 곁에서 당신이 영원히 사라지는 건 싫어…….

하지만 내 일에 휘말려서 당신도 라울린처럼 그렇게 보내고 싶지 않아요.

벨라는 끔찍했던 웅덩이를 떠올렸다.

꿈에서 다시 볼까 두려운 그 풍경을 생각하자 진저리가 쳐졌다.

내가 좀 더 유능하지 못해 미안해요.

시간을 다시 되돌려 보고자 했는데 성공하지 못했어요.

차라리 체펠린선에 내가 뛰어내렸다면…….

나는 그 중요한 일을 라울린에게 떠맡긴 거예요.

그렇게 죽지 않아도 된 것인데 내가 그를 떠민 셈이에요.

그러니까…… 이젠 당신의 도움을 받지 않을게요.

다만 내 곁에서 멀리 떠나지만 말아요.

당신이 라울린처럼 되어 버리면 나는 미쳐 버릴지도 몰라.

"윽, 이게 무슨 냄새입니까?"

이안이 들어오다 말고 코를 싸쥐었다.

"많이 희석된 게 이 정도라고. 이안. 어서 들어와요."

빅터와 벨라가 먼저 기다리고 있었다.

"가뜩이나 시킨 일도 많으면서 또 뭘 더 시키시려고 부르셨습니까?"

이안이 불만을 표시하려는 듯 건들거리며 자리에 와 앉았다.

벨라는 진지한 표정으로 그들을 바라보았다.

"후작님이 그런 표정으로 쳐다보시면 무섭기부터 합니다. 또 뭔 일을 추가해서 과로하게 만드시려고……."

이안의 말에 벨라는 조용히 입을 열었다.

"화이트포럼 다리에서 뛰어내렸을 때, 텔레포트 했었어요."

그녀의 말에 이안이 화들짝 놀랐다.

"아니, 형 말로는 물에 빠졌다가 익사 직전에 캐시가 건져 냈다던데……."

벨라는 고개를 저었다.

"내 몸에 풍기는 냄새가 증거야. 그저 강물에 뛰어들었다가 건져졌는데 이 지독한 냄새가 배어들었잖아."

"그야 썩은 물에 뛰어들었으니까 그렇겠죠. 이런저런 동물을 사방에서 강으로 흘려보내니까……."

이안의 말에 벨라는 고개를 저었다.

"아무리 강이 썩었다 해도 이 정도의 악취가 나지는 않아. 강의 악취라면 캐시도 나와 똑같은 악취를 풍겼어야지."

생각해 보니 캐시는 멀쩡한 것 같아서 이안은 머리만 긁적거렸다.

후…….

벨라는 한숨을 내쉰 후에 빅터와 이안을 번갈아 가며 쳐다보았다.

"텔레포트 후 무엇을 보셨습니까?"

빅터의 말에 벨라는 그쪽으로 시선을 주었다.

"아무것도 없는 메마른 황무지요. 처음엔 가뭄이 든 골짜기에 제가 있는 줄 알았어요. 그런데 골짜기 위로 올라가 보니 그것은 말라 버린 지 오래된 그랑블루 강의 형태였어요."

"호오……. 말라 버린 강이라……. 그리고 또 무엇이 있던가요?"

빅터가 흥미롭다는 듯 턱을 엄지손가락으로 쓰다듬으며 고개를 바짝 잡아당겼다.

"흙먼지가 쌓여 있어서 몰랐는데 땅을 파 보니 온통 새까맣더군요. 하늘도 새카맣고 어두운 데다가 밤이 되니 빛이라곤 전혀 들지 않아서 사물의 윤곽조차 보이지 않았어요."

벨라는 그 공포스러웠던 순간을 떠올렸다. 고요하다는 것이 그렇게 무서운 줄은 처음 알았다.

"아무것도 없었어요. 사람도, 풀도, 곤충도……. 살아 있는 것은 그 무엇도 흔적조차 없었어요."

벨라의 입술이 저도 모르게 덜덜 떨려 오기 시작했다. 상상만으로도 끔찍한 광경이었다.

"그리고…… 시꺼멓고 걸쭉한 액체가 고인 웅덩이가 있었는데, 그 주변엔 발만 남은 뼈의 흔적이 즐비했죠."

그 말을 듣던 이안의 짙은 눈썹이 찌푸려졌다.

"혹시 이 냄새가……."

벨라는 조용히 고개를 끄덕였다.

"시체가 썩어 고인 웅덩이였어요. 거기서 허우적거리느라 이 냄새가 밴 거예요."

이안의 표정이 허옇게 질려 갔다.

"차마 솔직하게 이야기 못 했는데 진짜로 후작님에게서 시체 썩은 내가 납니다. 설마 시체 썩은 냄새일까 싶어서 긴가민가했건만……."

빅터는 숨소리 하나 없이 벨라의 이야기를 열심히 듣고 있었다. 벨라는 그 모습을 보며 마저 말을 이어 갔다.

"그 시체 웅덩이는 맨땅이 아니고 거대한 비행기의 잔해였어요. 꼭…… 그 모습은……."

벨라가 말을 잇지 못하고 망설이자 빅터가 재촉했다.

"그 모습이 어떠했습니까?"

"꼭……."

벨라는 여전히 망설였다. 답답하다는 듯 빅터가 물었다.

"꼭?"

"세상이 멸망해 버린 풍경 같았어요."

"네에?"

이안의 표정이 허옇다 못해 새파래졌다.

"이 세상이 망합니까? 정말로요? 종말이 정해져 있는 겁니까?"

빅터가 믿을 수 없다는 표정으로 말하자 이안이 머리를 쥐어뜯으며 큰 소리로 울부짖었다.

"으악! 종말론 따위 다 헛소리라고 우겼는데 사실이면 나는……! 장가도 가야 하고 자식도 낳아야 하고 그 자식이 잘

크는 것도 봐야 하는데 종말이 오면 내 후손들은……!!"

"이안! 시끄러워!"

벨라가 빽 내지르는 소리에 이안은 제정신을 차렸다.

"죄송합니다. 후작님."

"횡설수설 그만해. 내 심장이 유리라고 놀리지 말고 본인 심장이나 관리 잘해."

"주의하겠습니다."

이안은 얼굴을 붉혔다.

"하여간에, 거기서 본 광경을 뭐라 꼭 집어서 말할 수는 없지만, 꼭 세상이 모두 불태워진 후에 하늘이 그 매연으로 뒤덮여 햇빛도 제대로 들지 않는 것 같았어요."

벨라는 그 풍경을 다시 떠올리며 미간을 찡그렸다.

"그리고 시간이 지나 흙먼지가 덮인 위에 그 거대 비행기가 추락해 버린 것 같은 그런 모습……?"

"그리고 또 무엇을 보셨습니까?"

빅터의 말에 벨라는 초대 가주와 그의 아내의 목소리를 들었던 이야기를 할까 생각했으나 가주의 방에 쓰인 가훈을 떠올렸다.

가주들의 기억은 그 방 밖으로 가지고 나가지도 말며, 알고 있어도 다른 사람들에게 말하지 않아야 이 방이 이어질 수 있다고 했었지…….

그들의 대화를 빅터와 이안에게 말을 하면 가주의 방에 남은 기록들에 대해서도 말해야만 했다.

그럴 수는 없지.

벨라는 초대 가주가 혼자 말했던 앞부분은 이미 빅터와 루카스에게 이야기했던 적이 있으므로 부부가 이야기하는 뒷부분은 빼고 일부분만 말하기로 마음먹었다.

"일전에 그리젤리에서 제가 마법 스크롤을 만져서 혼자서 초대 가주의 목소리를 들었던 일, 기억하시죠?"

"세기의 발견일 뻔했는데 아깝게 되었죠. 쩝."

빅터가 다시 생각해 봐도 아까운 듯 쓰게 입맛을 다셨다.

"희한하게 그때 들었던 목소리가 거기서 한 번 더 반복되더라고요."

"네?"

"텔레포트 하다가 실수하면 가 본 적이 없는 미래로 가기도 한대요. 길을 잃으면 처음 있던 자리로 돌아와서 기다리라고 말해 줬어요."

그 말을 듣는 빅터의 눈빛이 날카롭게 반짝였다.

"그래서 거기서 기다리다가 정신이 들고 보니 물 밖으로 끌어 올려졌던 거예요."

벨라의 말에 빅터는 고개를 갸웃했다.

"그때 그런 말도 있었습니까? 후작님께서 들으신 내용을 그리젤리로 돌아오자마자 빠짐없이 적었다고 생각했는데 그 구절은 낯설군요. 가 본 적 없는 미래로 간다는 말씀입니까?"

벨라는 아차차 싶었지만 시치미를 떼었다.

"흠. 그땐 의미를 몰라서 흘려들었던 것뿐입니다."

빅터는 학문적 호기심에 눈빛을 반짝였다.

"듣기에 따라 해석할 의미가 달라질 수 있는 뉘앙스의 말이로군요."

"가 본 적 없는 미래나 미래에 종말이 온다는 거나 그게 그거 아닙니까?"

이안이 핼쑥한 표정으로 물었다. 벨라는 고개를 저었다.

"꼭…… 억양이……, 가 본 적 없는 미래란 것이 곧 다가올 미래란 말이 아니라, 다른 선택을 해서 생긴 또 다른 미래로 가는 것처럼 느껴졌어요."

"근거가 있습니까? 그 미래가 완전히 다른 차원의 미래라는 것이?"

빅터는 진지하게 물었으나 이안은 초조하게 눈을 이리저리 굴려 보더니 머리를 벅벅 긁었다.

"에이 씨, 난 몰라. 머리 터질 것 같네. 언제는 오르티우스 요새 탈환전에 가서 죽을 거라 하더니, 이젠 세상이 멸망할 거래……. 하핫! 나 원 참."

벨라는 이전 같았으면 이안의 이런 말을 자신을 믿지 못해서 하는 말이라고 생각했을 것이다. 하지만 그의 성격을 어느 정도 파악한 지금은 그저 웃음이 나올 뿐이었다.

벨라는 눈을 갸름하게 뜨며 이안을 흘겨보았다.

"이안, 세상의 종말이 올까 봐 겁먹었어? 솔직하게 말해 봐. 무서워서 밤에 잠도 못 자고 세계 종말에 대해 고민할 거지? 그렇지?"

벨라의 말에 이안이 벌컥 화를 냈다.

"저를 뭘로 보고 그러십니까?"

"에이. 아닌 거 같은데?"

벨라가 입꼬리를 끌어 올리며 비웃는 표정을 짓자 이안은 펄쩍 뛰었다.

"아 놔. 미치겠네!"

벨라는 킥킥거리며 말했다.

"걱정 마. 분명 그 말은 지금 우리가 종말을 맞이한다는 것이 아니라, 우리가 잘못된 선택을 할 경우 갈 수 있는 미래라고 한 것 같았어. 그 말에 '엉뚱한 미래'라는 말을 덧붙였거든. 그래서 나는 우리에게 예정된 미래를 본 것이 아니라고 믿어."

"쳇. 그쯤은 저도 압니다."

이안은 팔짱을 끼고 콧방귀를 뀌었다. 그러나 구겼던 미간이 풀어지며 혈색도 정상으로 돌아오기 시작했다.

벨라는 그 모습이 웃겨서 자꾸만 입꼬리가 당겨졌다. 계속 웃으면 이안은 진짜로 화를 낼 테니 참아야 했다.

"어쨌거나, 저는 그 모습을 보면서 왜 이런 미래가 생겼을까 하고 한참 동안 고민했어요. 그리고 곰곰이 생각을 거듭한 결과……."

벨라가 말끝을 흐리자 빅터는 마른침을 꿀꺽 삼키며 벨라의 다음 말을 재촉하는 눈빛으로 바라보았다.

"다가올 미래에, 좀 더 과학이 발전해서 더욱 무시무시한 신무기가 쓰인다면 그것이 무엇일까 하는 생각에 다다랐어요."

"그 말뜻은……."

빅터의 말에 벨라는 단호한 표정으로 대답했다.

"폭탄."

"폭탄?"

이안과 빅터가 동시에 말꼬리를 올렸다.

"강력한 폭탄이 나와 세상을 멸망시킬 수도 있다는 신의 계시가 아닐까 싶어요."

벨라의 말에 이안과 빅터는 입을 벌린 채 말을 잇지 못했다.

"인간의 과도한 욕심과 탐욕으로 감당하기 버거운 폭탄을 만들어 버려서 그게 터진다면 그런 풍경이 되지 않을까 하는 생각이 들었어요."

싸늘하기까지 한 벨라의 목소리에 이안은 뭐라 대답해야 할지 몰라서 입만 벙긋거렸고 잠자코 듣던 빅터는 어렵사리 입을 열었다.

"설마하니 인간이 그렇게까지 그른 판단을 하겠습니까? 인간에겐 이성이란 게 있는데……."

벨라는 느리게 눈을 한번 감았다가 떴다. 그리고 무거운 한숨을 내뱉었다.

"티베리가 쓴 독가스를 생각해 보세요. 그게 정상적인 인간이 할 짓인지."

벨라의 말에 빅터와 이안은 대답할 말을 찾지 못하고 깊은 침묵에 빠졌다.

"다행인 건, 아직 다가오지 않은 미래란 거예요. 어떻게든 그 미래가 다가오지 않게 막을 수 있을 거예요."

"어떻게요?"

이안의 말에 벨라는 미소 지었다.

"모르지. 앞으로 생각해 봐야지. 그 말을 하려고 불렀어요. 빅터 선생님, 이안."

푹……

순간 벨라는 웃지 않을 수 없었다.

"이안! 눈가에 눈물 고였다?"

"에엣? 그럴 리가요!"

이안은 시뻘겋게 달아오른 얼굴로 발끈했다. 그러나 빅터 브롬웰 역시 이안을 보고 배꼽을 잡지 않을 수 없었다.

"이안, 진짜로 눈물 고였어. 손수건이라도 줄까?"

"아니라니까 이분들이 왜 이러십니까?"

"비밀로 해 줄게."

푸하하 웃는 벨라를 보며 이안이 펄펄 뛰었다.

"그런 적 없다고요! 괜한 소문 만들지 마십시오!"

"비밀로 해 준대도 그러나."

빅터는 이안의 어깨를 툭툭 쳤다. 그는 그 손을 홱 쳐 내며 소리쳤다.

"교수님까지 왜 이러십니까?"

벨라는 이안과 빅터를 돌려보낸 후에 혼자 정원을 산책했다. 등나무 덩굴이 얽힌 산책로에는 보라색 꽃이 만개하여 달콤한 향기가 풍겼다.

산들산들 부는 바람에 꽃들이 살랑이며 흔들릴 때마다 나

비들이 아롱이며 다른 꽃으로 옮겨 가는 모습을 보는 것은 또 다른 기쁨이었다.

어디선가 민들레 홀씨가 날렸는지 보송거리는 솜털을 가진 씨앗들이 부드러운 곡선을 그리며 열 맞춰 하늘을 향해 날아갔다.

벨라시아의 정원사 역시 솜씨가 좋아서 정원을 걷는 재미가 쏠쏠했다.

하얀색 나무 울타리 사이로 흐드러지게 피어난 빨갛고 노랗고 파란 꽃들의 향기에 온갖 악취는 기억나지도 않았다.

하아…….

벨라는 폐 속 가득 스며 오는 상쾌한 꽃향기를 한껏 들이켰다.

세상은 이토록 혼탁하건만, 꽃의 아름다운 자태와 향기는 항상 변함이 없었다.

이렇게 아름다운 세상에서, 사람 살아가는 일은 왜 이리 복잡하고 어렵단 말인가…….

벨라는 우울한 표정으로 그 꽃들을 바라보았다.

인기척이 느껴져서 뒤를 돌아보았다. 그곳에는 루카스가 있었다.

벨라는 고개를 돌려 다시 꽃을 바라보았다.

그가 몇 걸음 다가오자 벨라는 원래 걸으려고 했던 것처럼 태연함을 가장해 몇 걸음 그로부터 멀어졌다.

표정을 보니 벨라가 이안, 빅터와 함께 나눈 이야기를 모두 들은 것 같았다. 보안에 신경 써 가며 그들을 부른 것은 아니었으니 브렌다나 근처에 있던 제스로도 들었을지도 모른다.

무표정해 보여도 이젠 그의 눈빛만 보아도 그가 어떤 기분인지 잘 알 것 같았다.

지금 그는 벨라를 걱정하느라 우연을 가장해 이 근처를 서성이며 인기척을 냈을 것이 뻔했다.

하지만, 그가 그 모든 것을 들었다 해도 그에게 아는 척을 하고 싶지 않았다.

깊이 알면 다쳐…….

벨라는 그녀가 본 황량한 미래의 모습이 어떻게든 닥치지 않게 방법을 찾아볼 테지만 그 일에 루카스가 관여하지 않길 바랐다.

벨라는 아무렇지도 않은 척, 예쁜 꽃 한 송이씩을 땄다. 본래 꽃을 꺾을 생각은 없었으나 그에게서 멀어지기 위한 핑계로는 좋았다.

꽃다발을 엮는 척. 그가 가까이 다가오면 화병에 꽂으러 가는 척.

그렇게 해서 그에게 곁을 주지 않을 생각이었다.

당신 성격에 내가 위험한 일을 하겠다 하면 그걸 가만히 보고 넘길 사람이 아니겠지…….

루카. 내게 다가오지 마요. 당신이 나를 자꾸만 멀리한 건 어쩌면 현명한 선택이었어요.

벨라는 쓸쓸한 미소를 지으며 눈앞의 소담스러운 꽃을 꺾었다.

루카스가 다가오면 다가올수록, 벨라는 그와의 거리를 벌렸다.

"후작님."

참다못한 루카스가 먼저 그녀를 불렀다. 벨라는 돌아보고 싶지 않았다. 그러나 그녀가 망설이는 사이 루카스는 성큼성큼 다가왔다.

그가 먼저 세상의 마지막 모습에 대해 말하기 전에 벨라는 먼저 입을 열었다.

"루카스."

항상 곁에 두고 싶은 사람.

곁에 있는 것만으로도 안심이 되는 사람.

벨라는 애써 미소 지으며 말했다.

"아무래도 확전이 될 것 같은데 당분간 나는 포르위네로 돌아가지 못하고 수도에서 귀족 회의에 참석해야 해서 포르위네의 업무에 공백이 생길 것이 우려되네요."

벨라는 그동안 생각해 온 핑계를 끄집어냈다.

"루카스, 미안하지만 제가 돌아갈 때까지 포르위네로 가서 성주 대리 업무를 맡아 줄래요?"

"확전이 된다면 저야말로……."

루카스의 말허리를 자르며 벨라는 틈새를 주지 않았다.

"명령이에요. 당장 포르위네로 가요."

벨라는 품에서 자신의 인장을 꺼냈다.

"이걸 맡길 테니까 어서요."

루카스는 한참을 그 인장을 바라만 보고 서 있었다.

"성주 대리는 리체 보좌관에게 맡기시는 편이 좋을 것 같습니다."

"리체는 당장 내가 필요해서 데리고 있어야 하고, 루카스는 이전에 성주 대리 임무를 성실히 수행했던 경력이 있으니까 루카가 맡아 줘요."

"사양하겠습니다."

"루카!"

벨라는 입술을 깨물었다.

"성주 대리 역을 맡는 게 얼마나 힘든 것인지 잘 알지만 루카 아니면 안심이 되지 않아서 그래요!"

벨라의 말에 루카스는 무표정한 얼굴로 대답했다.

"저 말고도 이젠 그 역할을 할 수 있는 사람이 많습니다만, 아가씨의 곁에는 아직 제가 필요합니다."

벨라는 짜증스럽다는 듯 고개를 저었다.

"아뇨! 필요 없어요!"

제발 포르위네로 가라고요. 루카. 거기서 안전한 여생을 보내라고요.

"내 나이가 몇인데 루카스가 필요하겠어요? 후견인으로서의 역할은 이미 끝난 지 오래예요. 이제 그만 쉬고 싶다고 한 사람 보좌관 하라고 끌고 온 건 미안한데, 이제 안 해도 되니까 성주 대리를 맡아 주기 싫다면 집사직마저 그만두고 나가도 좋아요."

벨라는 자신의 말이 필요 이상으로 차갑게 들릴 수도 있다는 생각에 잠시 입을 다물었다가 서둘러 말을 이어 갔다.

"물론, 내가 애원해서라도 붙잡아야 할 유능한 인재란 것은 누구보다 잘 알아요. 하지만 지금까지 충분히 고생했으니까 그만두더라도 여생을 섭섭하지 않게 보낼 만큼 충분한 배려를 해 드릴게요."

루카스의 무표정한 얼굴을 벨라는 빤히 쳐다보았다.

'넌 해고야'라는 뉘앙스로 들리지 않았기를 빌며 벨라는 분위기를 수습하려고 애썼다. 왜 자신이 말을 내뱉어 놓고 갑자기 눈물이 나려고 하는지 모르겠다는 생각이 들었다.

'내게 당신이 얼마나 소중한 사람인데…….'

벨라의 눈에 눈물이 가득 고였다.

낸시에게 '넌 해고야!'를 외쳤던 때의 모습이 데자뷰가 되어 루카스와 겹쳐 보였다. 가슴이 두근거리고 속이 메슥거리기 시작했다.

그의 눈빛이 시시각각 변해 가는 것을 보며 벨라는 다급하게 변명하듯 입을 열었다.

"루카스, 나는 루카스가 위험한 일에 말려들길 바라지 않아서 그래요. 여긴 플란네르의 급습을 받기도 했고, 시시각각 여론도 험악해지고 있어요. 루카스가 포르위네로 내려가서 안전하게 지내는 모습을 보면 내 마음이 편할 것 같아서 그래요."

하아…….

벨라는 길게 숨을 내쉬었다.

'루카…… 당신이 안전하길 바라서 밀어내려는 거예요. 제발 내 마음을 알아줘요.'

어쩐지 그를 계속 쳐다보고 있으면 눈물이 흐를 거 같아서 벨라는 고개를 돌렸다. 그리고 꽃을 마저 땄다.

말없이 꽃만 따고 있는 벨라를 그는 한참 쳐다보았다.

둘 사이에는 영원히 가까워질 수 없는 평행선이 그어진 듯한 느낌이었다.

'그 잘못된 미래의 모습을 본 건 나이지 당신이 아니에요.'

내가 무슨 초인도 아니고 그 미래를 나 혼자 버둥댄다 해서 바꿀 수 있는 것도 아니지만, 적어도 당신이 그 일에 말려들지 않길 바라는 거예요.

'그러니까 제발 포르위네로 가 달라고요……'

벨라는 꽃을 꺾으며 눈을 감았다.

당신이 곁에 없는 것은 슬프겠지만, 그래도 당신이 영원히 내 손이 닿지 않을 곳으로 떠나 버리는 것보다는 힘들지 않을 거예요.

'루카. 이젠 나 같은 거 잊고 당신 삶을 살아요. 당신도 아직 한창 젊고, 충분히 유능하잖아요.'

나 대신 내 삶의 무게를 짊어지고 힘들어하지 말아요.

벨라는 간절한 마음으로 그녀의 생각이 전해지기를 빌었다.

"싫습니다. 후작님은 아직 제가 필요합니다."

긴 침묵 끝에 그가 말했다. 벨라는 탄식을 내뱉으며 뒤를 돌아보았다.

"루카, 아직도 내 마음을 모르겠어요? 나는 지금 루카스마저 라울린처럼 될까 봐 수도에서 멀리 떨어뜨려 놓으려는 거라고요! 돌려서 말하니까 모르겠어요?"

벨라는 화가 난 것을 가장해 그에게 말했다.

"그래서 더더욱 곁에 있겠다는 겁니다."

루카스는 담담하게 대답했다.

"제 명령을 거역하겠다는 건가요?"

"네."

"보좌관직과 집사직을 박탈해도요? 전 당신을 반드시 정세와는 상관없는 곳으로 보내 버릴 거예요."

벨라는 날카롭게 말했다.

"직위 해제 시키셔도 곁에 있을 겁니다."

"하!"

벨라는 그의 대답에 코웃음을 쳤다.

"누구 맘대로?"

"언제나 저는 당신의 곁에 제 의지로 있었습니다."

루카스의 말에 벨라는 고개를 돌렸다.

"웃겨 정말."

그렇게 가까이 다가가고 싶다고 매달려도 곁을 주지 않던 그가 자신에게 필요한 존재라고 확신하고 있다니 아이러니했다.

"저는 더 이상 어린아이가 아니라고 말씀드렸을 텐데요?"

벨라는 냉랭하게 말했다.

"잘 압니다."

루카스는 전혀 물러날 기세가 아니었다.

"암살 위험은 늘 곳곳에 도사리고 있고, 여전히 아르티드가의 재산은 차고도 넘칩니다. 정세마저 불안하니 후작님께는 여전히 제가 필요합니다. 그래서 곁을 떠날 수 없습니다."

이 고집불통!

벨라는 이를 악물었다.

한 번 정한 것은 지긋지긋하도록 바꾸지 않고 고수하는 그였다.

'도저히 상처 주지 않고서는 내게서 떠나보낼 수 없는 것일까?'

벨라는 피눈물을 머금는 심정으로 그를 바라보며 서 있다가 한참 후에 입을 다시 열었다.

"황태자 전하께서 메넬론 방어전이 끝나면 제게 청혼하겠다고 하셨어요. 조만간 며칠 내로 저를 찾아오시겠죠. 그러면 저는 그 청혼을 받아들일 겁니다. 루카스의 소.원.대.로.요."

벨라는 일부러 힘주어 강조하며 말했다.

"그러면 굳이 루카스가 내 곁에 있지 않아도 돼요. 이젠 황태자 전하께서 제 곁을 지켜 주실 거니까요."

루카스는 그 말에 아무런 대답을 하지 못했다.

"그러니까 더 이상 루카스는 필요 없어요. 내 일은 내가 알아서 할게요. 성주 대리 역을 맡아 주든지, 이제 그만 사표 내고 귀향하든지 정하세요."

그 말을 내뱉으며 벨라는 가슴에 피멍이 드는 것 같았다.

"설마하니 본인이 황태자 전하보다도 저를 더 잘 지켜 줄 수 있다고 자신하는 것은 아니겠죠?"

벨라는 떨리는 손으로 마지막 꽃송이를 꺾어서 꽃다발로

엮고는 발걸음을 옮겼다.

"며칠 말미를 줄 테니 정하세요. 그리고 내게 알려 줘요. 시들기 전에 꽃을 화병에 꽂아야겠어요. 그럼 이만."

벨라는 눈물 흘리는 자신의 얼굴을 그가 보지 못하게 고개를 돌린 채로 저택 안으로 걸어 들어갔다.

루카에게 이렇게 모진 말을 해야 하는 것이 슬펐다.

우리는 왜 이렇게…….

다가가려 하면 멀어지고 멀어지려 하면 다가오고…… 영원히 가까워질 수 없는 길을 가는 걸까요?

벨라가 자신의 방으로 돌아갈 때까지도 루카스는 정원에 우두커니 서 있었다.

"아직 정하지 않았어요?"

벨라는 일부러 차갑게 말했다. 하지만 루카스는 평소와 똑같은 모습으로 말했다.

"생각할 시간을 주십시오."

"며칠째 생각 중이에요? 그게 그렇게 어려운 문제인가?"

오히려 그 말을 하는 벨라 자신이 민망할 정도로 그는 그녀의 보좌관으로서, 집사로서 한 점 흐트러짐 없이 행동했다. 그 모습이 답답해서 채근해 보았지만, 그는 생각할 시간을 달라는 말로 은근슬쩍 넘어갈 뿐이었다.

바보…….

그 모습을 볼 때마다 벨라는 눈가가 뜨거워졌다.

모진 말을 하는 것이 자신의 심장에 그대로 돌아와 다시 박히는 듯한 기분이 들었지만 그렇다고 물러설 수도 없었다.

루카스는 내 곁에 있다간 제명대로 살지 못할 거야. 평생을 내 뒤치다꺼리나 하다 희생되게 할 수는 없어.

그를 아끼는 만큼, 더욱 그를 유령 취급하였다.

도저히 좋은 말로는 그를 떠나보낼 수가 없었기에 일부러 냉랭하게 굴었다.

하지만 그가 따라 준 차만큼 그녀의 입맛에 딱 맞는 것도 없었고, 그녀가 자주 쓰는 물건들을 그녀가 가장 쓰기 편한 자리에 정확히 열 맞춰 깔끔하게 정리해 놓는 것도 그만큼 잘할 수 있는 사람도 없었다.

무슨 색 구두를 좋아하는지, 어떤 날씨를 좋아하는지, 무엇을 자꾸 잊어버려 챙겨 줘야 하는지…….

다른 사람의 챙김을 받을 때마다 깨닫곤 했다.

아무 생각 없이 쓰던 사물들이 그의 손을 거치지 않은 것이 없었다. 그런 그를 이젠 떠나보내야 했다.

그 마음을 다시금 되새길 때마다 자신의 심장을 도려내는 듯 아팠다.

그와 함께한 시간이 너무나도 길었고, 그의 헌신을 과거의 삶에서도 현재의 삶에서도 한결같이 받았다.

사랑하고 싶었으나 그녀의 사랑을 받아 주지 않았고, 차라리 멀어져 버리고 싶었으나 뜻대로 멀어지지 않는 그였다.

어쩌면 심장 깊숙이 뿌리내린 나무와도 같아서 섣부르게 뽑아내려다가는 그녀가 먼저 피를 흘리며 쓰러질지도 모를 일이었다.

하지만 캐시를 보며 그 마음을 다잡았다.

벨라를 볼 때마다 괜찮은 척하는 캐시이지만 이따금 멍하니 하늘을 바라보며 늘어뜨린 그녀의 어깨를 마주하면 얼마나 가슴 아픈지 모른다.

라울린이 세상에 없다는 것이 벨라 자신에게도 아픈데 캐시에게는 오죽할까.

그래서 마음이 약해지려 할 때마다 벨라는 이를 악물었다.

"후작님, 황태자 전하께서 곧 도착하십니다."

벨라는 마시던 차를 내려놓고 몸을 일으켰다.

"어머나……!!"

벨라는 순식간에 벨라시아 저택 정원이 보라색 버베나 꽃으로 뒤덮이는 광경을 보며 눈을 크게 떴다.

황태자가 마차에서 내리는 사이 수많은 인력이 보라색 눈이 내린 것처럼 벨라시아 저택 안을 꾸몄다. 그것을 보자마자 정말로 청혼하러 왔다는 것을 알 수 있었다. 마차에서 내린 칼리아스가 환한 웃음을 지으며 벨라에게 손을 내밀었다.

벨라는 문득 뒤에 루카스가 있다는 것을 깨달았다. 그녀의 눈가가 뿌옇게 흐려졌다.

마음이 아팠다.

그냥 아프다는 말로는 표현하기 힘들었다. 이제 더 이상 루카스는 자신의 정인이 될 수 없다는 사실에 가슴속에 선혈이 낭자하게 번져 나가는 듯한 기분이었다.

'내가 이 발걸음을 내딛는 순간 루카스와는 정말로 끝이구나.'

눈물이 눈가에 맺혔다.

아픔의 눈물인 것을 들키면 안 되었다. 감동의 눈물로 보여야만 했다.

벨라는 주저 없이 칼리아스를 향해 뛰어갔다. 그리고 그에게 안겼다. 그 바람에 칼리아스가 다른 손에 쥐고 있던 거대한 버베나 꽃다발의 꽃잎이 풀썩 흩날렸다.

"정말로 와 주었군요. 버베나 꽃을 한 아름 가지고……."

벨라는 울면서 그의 목에 두 팔을 감았다.

칼리아스는 뿌듯한 표정으로 그녀의 허리를 감싸 안았다.

"감격한 건가?"

"네."

벨라는 눈물을 닦으며 연신 고개를 끄덕였다.

"고마워요. 어린 날의 약속을 지켜 줘서……."

벨라의 눈물짓는 모습에 칼리아스는 천진난만하게 기뻐하며 말했다.

"그대기 해 딜라고 한 것을 해 줬을 뿐인데 그렇게 감동받았어?"

벨라는 애써 웃으며 강조하듯 고개를 끄덕이고 또 끄덕였다.

그리고 자신의 모습을 루카스가 보고 있으리란 생각에 눈을 질끈 감고 그의 입술에 키스했다.

먼저 부딪쳐 온 그녀의 입술에 칼리아스는 순간 놀랐으나 웃으며 그 키스에 가볍게 응했다. 그녀를 달래며 품에서 반지 케이스를 꺼내 그 안의 반지를 집어 들었다.

햇빛에 그 반지가 눈부시게 반짝거렸다.

"벨라, 항상 가지고 다니던 것이었다. 당장이라도 청혼하고 싶은데 얼마나 오랫동안 참았는지 모른다. 하지만 숙녀에게 평생에 한 번뿐인 이벤트인데 그냥 넘어갈 수는 없지 않나."

칼리아스는 그 반지를 벨라의 손가락에 끼우기 위해 그녀의 손을 잡았다.

"벨라, 나와 평생을 함께해 주겠어?"

벨라는 일부러 크게 외쳤다.

"네! 기꺼이!"

"벨라……."

그런 벨라의 모습이 사랑스럽다는 듯 웃으며 바라보던 칼리아스는 벨라의 입술 위에 자신의 입술을 포갰다.

보고 있던 수행원들과 지나가던 행인들과 일대의 사람들이 구름 떼를 이루어 벨라시아 저택 담장과 정문과 곳곳에서 지켜보다가 함성과 박수갈채를 보내왔다.

칼리아스와 키스하는 벨라의 눈에서 눈물이 줄줄 흘러내렸다.

그러니까 떠나가라고요! 루카.

벨라가 감격해서 흘리는 눈물인 줄 아는 칼리아스는 그녀의 얼굴을 감싸 쥔 손의 엄지로 그녀의 눈가에 눈물을 스윽 닦아 주며 키스를 이어 갔다.

'당신 필요 없으니까, 이제 제발 당신의 삶을 살아요……나 때문에 희생하지 말고…….'

눈물을 멈추고 싶었으나 자꾸만 서럽게 흘러내렸다. 칼리아스에게 미안한 마음도 들었지만 칼리아스를 배려해 줄 마음의 여유가 없었다.

사랑은, 언제나 아프고도 힘들었다.

"벨라, 아무래도 빠른 시일 안에 나는 또 출정해야 할 거야."

벨라의 손을 잡고 버베나 꽃으로 뒤덮인 정원을 걸으며 칼리아스가 말했다.

아름다웠던 등나무 꽃과 수많은 예쁜 꽃들이 꺾어다 억지로 꽂아 놓은 버베나 꽃 무리에 뒤덮여 보이지 않는 것이 어쩐지 마음 한편을 시큰거리게 했다. 그 모습을 멍하니 바라보던 벨라는 칼리아스의 말에 정신을 차리고 고개를 돌렸다.

"출정……?"

칼리아스는 면복 없다는 듯 고개를 숙이며 말했다.

"아무래도 보복전이 될 것 같아. 이 일로 인해 본격적으로 페로하트 대 연합군 전이 되더라도 여론이 전쟁을 강력하게 부르짖는 상황이라서⋯⋯."

벨라는 불안한 표정으로 그를 쳐다보았다.

아무리 그래도 그렇지 세계가 말려드는 전쟁이 너무 이르게 다가오고 있었다.

"나는 어떻게든 중재를 해 보려고 노력했지만⋯⋯."

칼리아스는 안타까운 표정으로 미간을 찡그렸다.

"사람들이 나의 능력을 과대평가하고 있어. 나는 전지전능한 신이 아니야."

칼리아스는 자신의 손바닥을 바라보았다.

"나에게 엄청난 잠재력이 숨어 있다는 것은 알지만, 그렇다고 손가락 하나 허공에 그어서 수많은 이들을 말살시킬 정도의 괴물이 아니라고."

벨라는 눈빛을 흐리며 그에게 말했다.

"메넬론 방어전에서 날아가는 비행기도 폭파시켰다면서요. 전하의 그 성스러운 불의 검으로⋯⋯."

"그건, 내 불의 힘이 닿을 만큼 가까운 거리에 추락하고 있었던 비행기였어. 그저 우리 군사들의 머리 위에서 그것이 터져 벌어질 인명 피해를 막고자 했을 뿐, 사람들이 떠들어 대는 것만큼 대단한 것이 아니었다."

칼리아스는 지금 생각해도 화가 난다는 듯 이를 악물었다.

"수도로 돌아와서야 알았다. 빌어먹을! 그 쓰레기 같은 기자 놈들이 무슨 소설을 그렇게 장황하게 만들어 냈는지, 내가 그렇게 엄청난 괴물인 줄을 신문 보고 알았으니 말 다 했지 않나."

칼리아스는 탄식하며 손으로 얼굴을 가렸다.

"하아……. 생각만 해도 머리가 지끈거린다. 그 망할 신문 기사 때문에 사람들이 내 손가락 하나면 적이 다 죽을 줄 안 다고! 이게 말이 돼?"

"정말 큰일이네요……."

벨라의 말에 칼리아스는 그간 쌓였던 울분이 터진 듯 불 만을 성토했다.

"나도 적군이 집중포화를 퍼부어 대면 죽을 수 있다고! 내 성스러운 힘으로 불의 방패를 시전해도 막는 것에 한계란 것이 있어."

칼리아스의 목소리가 부들부들 떨렸다.

"내가 신도 아닌데 무슨 수로 전군에게 불의 방패를 뒤집 어씌우고 다른 한 손으로는 적의 첨단 무기를 다 베어 내냐 고! 사람들이 신화집을 너무 진지하게 읽어 댄 것 아닌가?"

한탄하던 칼리아스는 벨라의 저 너머로 보이는 에클레르 의 필사적인 얼굴을 보았다. 그는 연신 두 팔을 교차해 엑스 표를 만들면서 '일.이.야.기.금.지'를 입 모양으로 외쳤다.

아무래도 그는 젊은 나이에 혈압을 주체 못 해 조만간 뒷 목 잡고 쓰러질 것 같았다.

"황제 폐하께서는 내가 그런 말을 하면 능력을 더 키우려 고 노력하라 말씀하신다."

그는 한숨을 쉬었다.

"노력하는 것도 정도가 있지, 내가 무슨 수로 이 땅을 구 원하며 사람들을 지키느냐 말이다."

그의 금빛 눈동자가 날카롭게 빛났다.

"초대 황제께서 그리하셨으니 나도 그렇게 할 수 있다? 이런 이상한 논리대로라면 황제 폐하께서는 왜 못하시는데!"

열통을 터뜨리는 칼리아스를 보며 에클레르의 얼굴색이 하얗게 질렸다. 공개된 장소에서 황제에 대한 불만을 말하면 분명히 어느 아첨꾼 하나가 쪼르르 달려가 황제에게 고자질할 게 뻔했다.

맏이 아끼는 아들이자 황태자이지 황제에겐 가장 큰 정적이나 마찬가지였다. 자신의 일거수일투족을 주변 사람들이 주시하고 있다는 것을 늘 알고 조심하던 칼리아스였으나 자꾸만 벨라 앞에서는 그 사실을 잊고 풀어지니 큰일이었다.

칼리아스는 더 말하려다가 에클레르의 허옇게 뜬 얼굴을 보고는 쓴 입맛을 다시며 입을 다물었다. 그가 무슨 걱정을 하는지 누구보다도 잘 알면서 실수를 한 것은 사실이었으니 할 말이 없었다.

'하지만, 나는 왜 언제나 입을 닫고 조심하기만 하며 살아야 하는데? 나의 약혼자 앞에서까지 가식적으로 뭐든 괜찮은 척 이해하는 척하여야 하는가?'

피를 나눈 아버지가 맞긴 한 건지 칼리아스의 마음은 답답하기만 했다.

'나도 숨통 트일 구멍 하나는 있어야 한다. 나의 마음을 전적으로 이해해 주는 사람 하나 정도는 필요하지 않는가.'

변명처럼 속으로 투덜거리며 칼리아스는 더 하고픈 말을 참았다.

"잠시 딴 이야기로 빠져들었지만, 그래서 벨라, 일주일 동안 나와 함께 지내자. 황궁에 머물러라. 돌아와서 바로 성대한 결혼식을 올릴 수 있도록 황궁에서 나를 기다리며 혼인 준비를 하는 것이 어떻겠어?"

칼리아스는 부드러운 표정을 지으며 벨라의 손을 끌어당겼다.

"상황이 상황인 만큼, 약식으로 약혼식을 치르고 황궁으로 들어와. 황실 예법 교육도 받고 신부 수업도 하면서 나를 기다려 줘."

벨라는 순간 당황했다. 하지만 뒤를 돌아보자 루카스의 눈동자와 마주쳤다.

'후견인의 임무는 아가씨께서 제국 최고의 신랑감을 얻어 결혼하실 때까지 계속됩니다. 서류상으로는 종료되었다고 하나 저는 책임지고 그 약속을 지켜 내려 합니다.'

차라리 하루빨리 황궁에 들어가는 편이 루카스의 할 일을 마치게 해 주는 것이 될지도 모른다…….

벨라는 고개를 돌렸다.

'내가 결혼하게 되면 더 이상 그는 책임감 따위 느끼지 않아도 되니까…….'

어차피 해야 할 결혼이라면 하루빨리 루카를 자유롭게 해 주고 싶어.

벨라는 고개를 끄덕였다.

"황실에서 허락하기만 한다면……."

벨라의 말에 칼리아스는 갑자기 벨라의 허리를 끌어안고

번쩍 들어 올렸다.

"꺅!"

"좋았어, 벨라!"

칼리아스는 진심으로 기뻐하며 그녀를 힘껏 끌어안았다.

"출정하기 전에 내내 군사 훈련만 하게 될 뻔했는데 이렇게 되면 그대와 같이 있을 시간이 조금이라도 더 늘어난다. 황제 폐하와 황실의 승낙은 걱정하지 마라. 내가 알아서 처리할 것이니."

그의 목소리가 들떴다.

"내가 조국을 수호하는 대신, 그대에 관한 것은 뭐든 얻어 낼 것이다. 말만 하라. 그 무엇이라도 원하는 대로 다 갖게 해 주겠다."

순수하게 기뻐하는 칼리아스의 품에 안겨 벨라는 흐린 눈빛을 감추려 눈을 지그시 감았다.

"뭐? 약혼식?"

찰스는 침대에서 몸을 벌떡 일으켰다.

"나를 이 꼴로 만들어 놓고 자기는 황태자와 약혼식에 미리 황궁에 들어가 황태자비 행세를 하겠다고?"

격분하였으나 곧 심한 기침을 하며 도로 누워야 했다.

"내가 왜 이런 꼴을 당해야 하는데……, 크흑!"

"진정하시오. 그러다가 폐를 더 다치는 수가 있소이다."

병문안차 온 에이든 엘 카스웰 기사단장이 찰스를 진정시키며 도로 눕혔다.

"벨라 그년이 일부러 그런 걸 거야. 커어억! 쿨럭쿨럭."

발작적으로 기침을 하는 찰스에게 에이든 기사단장은 물을 한 잔 건넸다.

"보아하니 그 독가스란 게 들이마신 사람은 날이 갈수록 더 상태가 악화된다고 했는데 조심하지 그러셨습니까?"

카스웰 기사단장이 하는 말에 찰스는 기침을 허리가 꼬부라지도록 한 다음 발끈하듯 말했다.

"독가스 대응 지침을 저는 듣지 못했단 말입니다!"

"그게 입에서 입으로 전달된 지침이라 그렇소. 아르티드 영식께서는 못 들으셨습니까?"

"빌어먹을! 저에게는 아무도 전달해 주지 않았다고요! 전투 중에 느닷없이 전달하면 못 들은 사람은 어쩌라고!"

"허허. 그쪽까지는 독가스가 풍겨 가지 않았을 줄 알았건만."

카스웰의 웃음에 찰스는 더욱더 분통을 터뜨렸다.

"지금 숨어 있었다고 비꼬는 겁니까 뭡니까?"

버럭거리다 말고 찰스는 다시 기침을 심하게 했다.

"어찌 된 게 전선에서 직접 싸운 사람보다 참호 뒤에 숨어 있던 사람이 더 심하게 앓으니……."

"그야 방독면을 썼으니까 그랬겠죠! 저에게는 방독면을 가져다주는 사람도 없었는걸요!"

찰스의 말에 카스웰의 이마에서 힘줄이 불끈거렸지만 카

스웰은 여전히 웃는 낯으로 대답했다.

"당장 적하고 전투 중인데 후방에 숨은 사람까지 챙길 여력이 어디 있습니까?"

"쿨럭쿨럭. 내가 이래서 참전하지 않으려고 했는데……! 낙마하는 통에 한쪽 다리를 절뚝거리기까지 하는데 이런 나를 전장에 보내 버리다니 이 사악한 계집!"

그의 말에 카스웰 단장은 그의 머리부터 발끝까지 슬쩍 훑어보았다.

그는 자신이 필요한 상황에서만 다리를 절었다. 그게 과연 낙마 후유증이라고 볼 수 있는 건지 무장으로서의 자존심이 허락하지 않았지만 그런 생각은 태연하게 낯빛에서 지웠다.

"그래서, 이대로 아르티드 후작이 황궁까지 들어가게 놔두실 겁니까?"

카스웰 단장의 말에 찰스는 울부짖듯 대답했다.

"불명예스럽게 성에서 쫓겨나고 순수 혈통도 아니라는 누명을 쓰고 가진 재산도 없고 몸마저 성치 않은 제가 이제 뭘 더 할 수 있습니까? 신도 너무하시지……."

카스웰 단장은 눈을 갸름하게 뜨고 그를 째려보다가 그와 눈이 마주치자 미소 지었다.

"손 놓고 모든 것을 포기하실 겁니까?"

"이 꼴로 제가 할 수 있는 게 뭔데요!"

추한 모습으로 훌쩍거리는 찰스에게 카스웰 단장은 바짝 다가가 속삭였다.

"이제야 고백하는 것이지만, 당신 아버지는 이노크 키튼이 아닙니다."

그 말에 찰스는 고개를 번쩍 들었다.

"이노크 키튼은 단지 협잡꾼이라 돈 뜯어내려고 교묘하게 당신의 어머니를 협박해 온 놈이어서 제 손으로 처리했습니다."

그의 말에 찰스는 깜짝 놀랐다.

"……그리고 그가 계속 살아 있는 것으로 꾸미고자 그가 돈을 주고받은 기록을 만들었을 뿐."

찰스의 눈이 초롱초롱해졌다.

"그럼 단장님께선 제 아버지가 누구인지 아신다는 말씀입니까?"

카스웰 단장은 그저 미소 띤 얼굴로 그를 바라볼 뿐이었다.

"알려 주십시오. 제 아비가 누군지. 제 어머니조차 독하게 입을 다물고 말씀해 주지 않으셔서 자포자기하던 상태였습니다. 제가 누구의 아들인지 빨리 알려 주십시오! 제발!"

찰스가 그의 손을 잡고 애원하듯 말했다. 카스웰 단장은 천천히 입을 열었다.

"당신이 찰스 키튼이라고 불리자마자 수많은 사람이 당장에 당신에게서 등을 돌렸습니다. 좋은 시절엔 달라붙어서 단물만 쪽쪽 빨던 버러지 같은 것들이……!"

찰스의 눈가에 눈물이 가득 고였다.

"당장 저와 함께 재판정에 가서 제 아버지가 누구인지를 증명해 주십시오! 저는 찰스 키튼이 결코 아닙니다! 그래, 제 아버지가 누구냐고요!"

찰스는 애절하게 말하며 그의 손을 잡은 손에 힘을 주었다.

"다 떠나고도 혼자 곁에 남은 사람. 그 사람이 아버지 아니겠습니까?"

카스웰 단장의 말에 찰스의 눈이 휘둥그레졌다. 그리고 그의 눈가가 붉어지기 시작했다. 카스웰 단장은 웃는 얼굴로 찰스를 지켜보았다.

"제가 그 모욕을 당하고 있을 때 그럼 구경만 하신 겁니까?"

찰스는 불같이 화를 내며 잡았던 손을 홱 쳐 냈다.

"제가 망신당하고 바닥을 구르며 애걸복걸하던 모습을 구경하는 것이 재미있으셨습니까?"

분노해서 입가를 바들거리는 찰스를 쳐다보는 카스웰 단장의 눈매가 싸늘해졌다.

"입 다무십시오. 이곳에도 보는 눈과 듣는 귀란 것이 있으니 말입니다."

"싫습니다! 저는 인정 못 합니다! 당신 같은 아버지 둔 적이 없습니다!"

"저도 당신 같은 아들 둔 적 없습니다."

카스웰 단장은 차가운 목소리로 말했다. 그 말에 격분한 찰스가 침대를 박차고 기어 나가려다가 쏟아지는 기침을 못 이겨 고개를 엎드렸다.

"기껏 상을 다 차려서 주니까 먹지도 못하고 박찬 놈이 어찌 내 아들이겠습니까? 그렇게 못났으니 아무도 곁에 남지 않았지."

바로 대답하지 못하고 한참 기침만 하던 찰스는 분노에

부들부들 떨며 그를 올려다보았다.

"잘 생각해 보라고. 내가 왜 당신처럼 멍청한 사람의 편을 계속 들어주었는지. 그것만 생각해 봐도 답이 딱 나올 텐데."

카스웰 단장의 목소리는 작게 속삭이고 있었지만 한마디 한마디가 찰스의 가슴에 대못 박듯 박혀 왔다.

"나 같은 아버지를 두기 싫다면 수단과 방법을 가리지 않고서라도 아르티드 후작을 끌어내리란 말야. 그렇게 발버둥치다 실패하면 먼발치에서라도 아비로서라도 응원의 뜻을 보내겠지만, 지금처럼 아무것도 안 하고 신세 한탄이나 할 거라면 그냥 찰스 키튼 해."

카스웰 단장은 침대 곁 의자에서 몸을 일으켰다.

"무엇을 해야 할지 결심이 선다면 언제든 퇴원하고 내게로 오도록. 하지만 망설일 거면 혼자 쭉 망설이고 다신 나를 찾지 마. 나는 당신 같은 아들 둔 적 없으니까."

고개를 숙인 찰스를 휙 흘겨본 카스웰 단장은 찬바람을 쌩하고 일으키고는 밖으로 나갔다.

'무엇을 해야 할지 결심이 선다면 나를 찾아와. 하지만 아무것도 하지 않고 망설이기만 할 거면 나는 당신을 알지 못해. 내게 동생으로서 인정받고 싶다면 적어도 무언가 하나는 걸어야 할 것 아닌가?'

레오폴드 엘 슈르츠가 그에게 했던 말이 떠오르는 순간이었다. 그때 에이든 엘 카스웰은 지금의 찰스처럼 고개를 숙이고 있었다.

차남이라 홀대받는 줄 알았다. 에이든 엘 카스웰은 집안의 구박 덩어리로 자랐다. 내가 원래 못나서 그런 취급을 받는가 보다 생각할 때도 있었다. 그러나 실은 자신이 전대 슈르츠 공작과 불륜으로 얻어진 자식이란 사실을 알았을 때의 절망감이란.

성인이 되자마자 카스웰 백작가에서 등 떠밀리듯 나왔다. 차남이니 제 앞길은 스스로 알아서 하라 하였다.

성은 카스웰이지만 카스웰 가문으로부터 아무것도 받지 못한 그는 어쨌거나 살아야겠기에 슈르츠 공작가를 찾아갔다.

슈르츠 공작가에 들어서자 엄청난 부와 사치스러움에 깜짝 놀랐다.

'나는 이렇게 무일푼인데 슈르츠 공작가는 이렇게 갑부일 줄이야.'

염치 불구하고 슈르츠 공작에게 손을 벌리려 하였다.

'실은 제가 공작님의 이복동생입니다.'

그 말을 건넬 때 부끄러워서 혀를 깨물고 죽고 싶은 것을 간신히 참았다.

'지금까지 대체 뭘 했기에 그 지경에 그 꼴로 살고 있었나?'

슈르츠 공작은 첫 만남부터 대놓고 에이든을 무시했다. 거지 취급하는 것이 서러워 그와 대판 싸우기도 했다.

'도와주기 싫으면 도와주지 않으면 되는 거지 이렇게 망신까지 줄 필요가 있습니까?'

격분한 에이든에게 슈르츠 공작이 속삭였다.

'나의 동생으로 인정받고 싶다면, 내 동생임을 증명하라고. 내 동생이라면 환경 탓, 타인 탓 안 해. 나를 봐. 나 역시 무일푼에서 이렇게 화려하게 일어섰어.'

그가 은밀한 곳으로 가서 에이든을 비밀리에 만나 말했다.

'나의 성공 비결을 알려 줄까? 퍼도 퍼도 마르지 않는 샘물 같은 부가 있는 그곳을⋯⋯.'

에이든은 눈을 크게 떴다.

'순진해서 사람도 잘 믿지⋯⋯, 그곳은. 첫인상이 중요해. 그 첫인상을 꾸준히 연기해. 그러면 돼.'

엄청난 부자의 눈에 들라고 그가 말했다.

'그러기 위해서는 극적인 사연이 필수지. 나는 너를 문전박대해서 쫓아낼 거야. 아주 매정하게 말이지. 너는 이를 갈며 슈르츠 공작가 쪽 방향은 잘 때조차 다리도 뻗기 싫다고 하면서 그곳에 몸을 의탁해.'

슈르츠 공작은 은밀하게 속삭였다.

'그리고 성실함을 연기하면 돼.'

그 말이 끝나자마자 레오폴드 엘 슈르츠는 에이든의 따귀를 있는 힘껏 때렸다. 눈에 불이 번쩍하는 충격에 얼떨떨해하는 에이든의 뺨에 가죽 장갑이 찰싹하고 부딪쳐 왔다.

'나는 너 같은 동생을 둔 적이 없으므로, 이복동생 운운하는 것은 나의 부모에 대한 모욕이며 슈르츠 가문에 대한 수

치이다. 결투를 신청한다.'

레오폴드는 에이든을 급소만 피해 간신히 목숨이 붙을 정도로 무참히 칼로 찔렀다. 그리고 들것에 실려 나가는 에이든에게 속삭였다.

'내가 준 기회를 놓치면 너는 내 동생이 아니다.'

에이든 엘 카스웰은 부상병을 치료하는 야전 병원을 나서며 코웃음을 쳤다.

찰스의 아버지가 이노크이든 자신이든 알게 뭔가.

찰스의 어머니가 아무리 찰스가 진실을 알려 달라 졸라대도 뭐라 대답을 해 줄 수 없는 이유를 누구보다 잘 아는 카스웰 기사단장은 그저 웃음만 나올 뿐이었다.

실은 그녀 본인도 찰스가 누구의 자식인지 모른다.

본래 애인은 이노크 키튼이었고, 뻔히 애인과 잠자리를 수시로 하는 걸 아는데 자신에게 유혹의 추파를 던진 것도 그녀가 먼저였다. 그러다가 어마어마한 갑부인 제 주인이 술에 취해 인사불성이 되자마자 얼른 옷 벗고 그 침대로 기어들어 간 것 또한 그녀 자신의 의지였다.

그러니 찰스가 누구 자식인들 알게 뭔가. 찰스는 이노크도 닮지 않았고 그를 닮지도 않았으며 토레스 또한 닮지도 않았다. 그러니 제4의 인물이 아비일 가능성도 배제할 수 없다.

하지만 굳이 그의 아비를 자청한 것은 이대로 아르티드가에서 밀려날 수는 없기 때문이었다.

지금이라도 아르티드 후작이 죽으면 아르티드가의 재산

을 상속할 사람은 콜레드 엘 슈르츠밖에 없다. 그렇게 되면 슈르츠 공작이 찾아오라고 한 비밀 문서를 찾아오지 않아도 충분한 대가를 받아 낼 수 있을 것이다.

딱히 슈르츠 공작에 대한 애정도 없고, 그 가문의 일원이 되고 싶은 생각도 없었다.

다만, 지금까지 일평생을 몸담아 온 아르티드가에서 찰스 편을 들었다 하여 이렇게 밀려나는 것이 억울하고 분할 뿐이었다.

슈르츠 공작에게 등 떠밀려서 아르티드가에 들어오긴 했으나 기사단장에 오르기까지 노력은 온전히 에이든 자신의 것이었다.

미쳤다고 죽 쒀서 개 주겠는가.

차라리 자신이 아비를 자처하여 찰스를 아르티드 후작 자리에 올리는 편이 콜레트가 아르티드가의 재산을 물려받는 것보다 나았다. 그뿐이었다.

그런데 후방에 숨어 있으라고 뒤로 빼돌려 줬더니 거기서 독가스나 들이마시고 그것도 부상이랍시고 병상에 누워 있는 꼬락서니라니.

에이든은 자신의 피를 이었으면 절대로 저럴 리가 없다는 생각에 고개를 절레절레 저었다.

하지만 썩은 동아줄이라도 붙잡아야만 했다. 그들은 운명 공동체였다.

"아르티드 후작이 황궁으로 들어가기 전에 해치워야 합니다. 준황족으로 인정받아 버리면 일이 더 어려워집니다. 황족 암살 기도로 확대 해석되면 삼족을 멸해 버리는 것은 잘 아실 겁니다."

카스웰 단장은 찰스에게 전과 다름없는 존칭으로 말했다. 찰스의 표정은 전과는 비교할 수도 없이 굳어 있었다.

"이렇게 찾아오신 것은 결정을 내렸다는 뜻 아닙니까?"

다 듣고도 대답이 없는 찰스가 답답해서 카스웰 단장은 남몰래 한숨을 내쉬었다.

"저……. 꼭 제가 해야 합니까?"

카스웰 단장은 찰스의 말에 눈썹을 치켜세웠다.

"그럼 누가 해 주겠소?"

찰스는 눈치를 보며 말을 얼버무렸다.

"단장님께서 직접 하시는 편이 실력도 좋으시고……, 여러모로……."

"그냥 찰스 키튼으로 사십시오. 더 말해 봐야 입만 아프오."

쌀쌀한 카스웰 단장의 말에 찰스는 난처한 표정을 지으며 말했다.

"다비드를 죽일 때처럼 단장님께서 하시면 되지 않습니까?"

"말은 똑바로 하지. 애초에 당신의 사주였어."

카스웰 단장의 냉랭한 목소리에 찰스는 눈치를 보았다.

"그 사냥꾼의 손을 한 번만 더 빌리면 안 됩니까?"

"바보 같은 소릴!"

애써 평정을 유지하고 있던 카스웰 단장은 속이 터지다 못해 노성을 내질렀다.

"이미 그자는 신분이 노출되어 두 번 다시 쓸 수가 없대도 그러십니까!"

"증거가 없지 않습니까? 그저 그 계집애의 꿈인지 뭔지 하는 허무맹랑한 소리만 믿고 이렇게 몸 사릴 필요가 없단 말입니다!"

찰스의 말에 카스웰은 한숨을 내쉬었다.

"그자는 코가 주먹코에 딸기색이라 한눈에 띈다고!"

"눈에 띄는 그 특색 때문에 알리바이 꾸미기도 쉽지 않습니까?"

찰스의 말에 카스웰은 고개를 저었다.

"도둑이 잡히는 이유는 썼던 수법을 똑같이 또 써서이고, 카드 패는 한 번 쓰고 버리는 게 원칙이오. 잘못하다가 토레스 님은 물론이고 다비드 님의 죽음에 대한 것을 그자가 털어놓기라도 하면 어쩌려고 그러는 거요?"

"기왕 도와주는 김에 확실히 도와주십시오! 아르티드 후작이 죽으면 제일 먼저 의심받을 것은 나란 말입니다."

"그러는 나라고 의심 안 받을 줄 아시오? 기사단장실의 비밀 통로가 드러나는 바람에 거기로 자객이 드나든 혐의를 받게 되었소. 포르위네로 돌아가면 난자당하듯 공격받을 게 뻔한데 말이오?"

"슈르츠 공작의 도움을 이번에도 받아 봅시다. 우리끼리 하는 것은 위험해서 안 됩니다."

"거기에 돈을 상당량 떼 줘야 하는데도?"

"지금 당장에 우리가 살고 봐야 하는 거 아니겠습니까? 경께서도 포르위네로 돌아가기 곤란한 입장 아닙니까? 아르티드 후작이 죽어야 우리가 돌아갈 자리가 생깁니다."

둘은 마주 보며 한숨을 쉬었다.

"……차라리 또 다른 도움을 구하는 것은 어떨까요?"

고민 끝에 찰스가 말했다.

"무슨 말씀이시오?"

카스웰 단장에게 찰스가 어두운 표정으로 말했다.

"듣자 하니 플란네르에서도 아르티드 후작을 눈엣가시로 여긴다고 하더이다……."

"미쳤소? 적국에 손을 내밀게? 그러느니 차라리 아르티드 후작이 황태자비가 된 후에 황궁에서 죽이고 삼대가 멸족당하는 게 더 낫겠소이다."

카스웰 단장의 말에 찰스는 아니라는 듯 눈을 반짝이며 말했다.

"벨라가 했다는 말 중 기억나십니까? 심어 뒀던 자가 전에 듣고 보내왔던 보고 일지에 그란첼 백작이 이 나라의 숨은 실세라 했다면서요? 카이런 황자의 장인이기도 하고, 그 쪽이야말로 황태자가 눈엣가시일 테니 그란첼 백작에게 도움을 구하면 될지도?"

"으음……."

벨라는 갑자기 진행된 약혼식에 당황스러웠다. 칼리아스

의 청혼을 받아들이긴 했지만, 일주일 후면 출정한다는 사람이 이미 약혼식 일정에 황실의 허락, 벨라가 준황태자비의 자격으로 머물 곳과 누구에게 황실 예절을 교육받을지까지 정해 놓았다는 사실에 혀를 내둘렀다.

'내가 급히 서두른 청혼을 반드시 받아들일 거란 확신이 있었던 거야?'

벨라는 리체와 몰리를 불러서 급작스레 황궁으로 들어가게 된 연유와, 급하게 준비할 것의 이야기를 꺼내자 두 자매는 빙그레 웃어 보였다.

"이미 뭘 준비할지 다 마련해 놓았어."

"응?"

벨라는 자신의 귀를 의심했다.

"약혼식 날짜를 방금 전에 듣고 왔는데 어떻게 미리 준비해 놨다는 거지?"

"벨라. 너만 모르고 있었고 다들 당연하게 준비하고 있었어. 심지어 유모 낸시까지……. 뜨개질로 선물 만든다고 아픈 와중에 자꾸만 바느질해서 다들 못 하게 말리느라 힘들었어."

리체의 말에 벨라는 눈을 크게 떴다.

"상황이 좋았으면 더욱 잘 준비했겠지만, 지금 국제 정세 때문에 후다닥 치러야 하는 것이 속상해도 이해는 가. 그래도 아르티드 후작가의 명성에 누가 되지 않도록 루카스 버틀러 경이 신경 많이 썼어."

리체는 벨라에게 준비된 혼수 목록을 보여 주었다.

"이것 봐. 그간 마련한 것들이야."

그 목록을 받아 든 벨라의 손이 떨렸다.

십 년을 거쳐 준비한 것 아니고서야 이렇게 거창할 수가 없었다. 이 목록을 보고 누가 약혼식 날짜를 급조해서 서둘렀다고 생각할 수 있을까?

황실에 혼수로 내놓아도 손색없는 초호화판 물품들의 목록을 보며 벨라는 마음이 찢어지는 듯 아팠다.

'루카, 나와의 이별을 미리 준비하고 있었던 거예요?'

애초에 루카스는 그녀의 고백을 들을 마음이 없었다. 이렇게 혼수를 준비하면서 그녀를 붙잡고 싶은 마음조차 가질 수 없었을 거였다.

벨라의 눈에서 눈물이 방울방울 떨어져 내렸다.

"울어, 벨라?"

리체는 벨라의 표정에서 심상찮음을 깨닫고 손수건을 꺼냈다.

"왜 이렇게 슬퍼해?"

벨라는 대답 대신 서글픈 눈물만 계속해서 흘렸다.

'당신의 마음속엔 애초에 내가 당신과 이루어질 리가 없다는 생각밖에 없었던 건가요?'

벨라는 눈을 감았다. 무인도에서 즐거웠던 한때의 풍경이 떠올랐다. 거기서는 그도 표정에 활기가 있었고 세상 근심 따위 던져둔 채 바다를 바라보곤 했다. 거기서는 적어도 제 나이 또래의 젊은 남성으로 보였다.

'나는 당신에게 내 아버지의 자리를 대신해 달라고 한 적

없다고요.'

자신은 그를 이성으로 생각했는데 그는 자신을 딸 같은 존재로만 여겼나 보다.

마치 친정아버지가 혼수 물품을 챙겨 보내듯 소소한 물품까지 신경 써서 목록을 작성한 것을 보고 벨라는 눈물을 멈출 수 없었다.

'나를 이성으로 생각한 적이 없었나요? 나 혼자만의 일방통행이었어요? 처음부터 지금까지 쭈욱?'

아파…….

마음속이 너무나 아파…….

그리고 자신에게 한마디 상의 없이 이렇게 혼수를 준비하고 무조건 황태자에게 밀어낼 준비를 하고 있었던 그가 원망스러웠다.

이렇게 차가울 수가.

이렇게 냉정할 수가.

마음이 조각조각 부스러져 내리는 것만 같았다.

마음속에 한 가닥 남아 있던, '그래도 그 역시 날 사랑할지 몰라, 내색은 하지 않아도…….'라고 품었던 희미한 희망마저 툭 하고 끊어져 내리는 기분이었다.

의무감밖에 없는 사람을 사랑하였다.

애초에 나를 사랑하지 않았으니까, 아무리 애원해도 내게 넘어오지 않았다. 그것이 체면치레라고 생각했는데 본심이었다.

그저 철벽을 치고 자신을 생각해서 멀리 떨어져 있다고

생각했는데 애초에 나를 사랑한 적이 없었으므로 이 모든 것은 나 혼자 웃고 울며 쌓아 온 환상이었다.

그 사실을 깨닫자 비참해져서 견딜 수가 없었다.

리체는 벨라를 보며 달래 줄 수 있는 문제가 아니라는 사실을 눈치채고 말없이 다독여 주었다.

페로하트에서는 황제로서, 황태자로서 과시용인 의례가 많았다. 신의 선택을 받은 자이므로 국민 앞에서 특별한 존재임을 각인시킴과 동시에 그러한 자가 평범한 일반 시민이 쓰는 장소를 이용함으로써 황실에서 국민을 존중한다는 뜻을 과시하곤 했다.

어차피 정치용 이미지 관리 차원의 이벤트였지만 벨라는 그 전통에 따라 혼수를 실은 행렬과 함께 대신전으로 향했다.

일반 시민들도 그곳에서 약혼이나 결혼 서약을 하곤 했는데, 그곳에서 칼리아스와 황제 앞에서 약식으로 약혼 서약을 하게 된 것이었다.

약혼식이 끝나면 바로 황궁으로 들어가 별도의 궁에서 황태자비가 되는 교육을 받고 결혼식도 황궁에서 치를 것이어서 이대로 황궁에 들어가면 더 이상 사사로이 황궁 밖으로 나올 수 없는 몸이 될 예정이었다.

라울린의 뒤를 이어 기사단장 대리가 된 미키는 혹시라도 가는 동안 불미스러운 일이 생기지 않기 위해 노력하느라 이마에 땀을 뻘뻘 흘리며 빠진 것은 없는지 점검하고 또 점검했다.

"미키 대장! 이건 아까 점검했잖습니까?"

"아…… 그렇지……!"

라울린의 빈자리를 잘 채워야 한다는 생각에 미키는 애처로울 정도로 점검하고 또 점검하며 경호에 실수가 없게 하려고 애썼다.

벨라시아에서 대신전으로 향하는 길은 그리 멀지 않았다.

루카스는 마차에 오르려는 벨라를 에스코트하기 위해 손을 내밀었다.

그러나 벨라는 그의 손을 잡지 않았다. 시종일관 쌩하고 찬바람이 부는 듯한 표정으로 그의 시선을 외면했다.

손이 머쓱해진 루카스는 마차에 따라 오르려고 했다.

"리체와 함께 단둘이 이야기하며 가고 싶어요. 리체가 타게 해 줘요."

벨라의 말에 루카스는 마차에서 내렸다. 그리고 리체가 그 자리에 대신 앉았다.

"벨라, 버틀러 경 머쓱하게 왜 그래……?"

리체의 말에 벨라는 입술만 꼭 다문 채 아무 말도 하지 않았다.

"벨라, 네가 결혼이란 걸 하게 되는구나."

마차가 출발하자 리체가 웃으며 말했다.

"결혼 아니야. 약혼식이지. 그것도 약식으로. 결혼은 황태자비 수업을 받고 황후의 허락이 떨어져야 가능해져."

"약혼식도 결국은 결혼을 위한 한 과정이잖아. 이제 내가 황궁에 사유를 적어서 내지 않으면 너를 보러 갈 수도 없고……. 그러니 사실상 이것이 현실에서 너의 결혼식을 미리 보는 셈이나 마찬가지인 의례 아니겠니."

리체의 말에 벨라는 가만히 듣기만 했다.

"참…… 시간 빠르다."

리체는 웃으며 벨라의 손을 잡았다.

"승전 연회 때였지? 이제 곧 사채에 팔려 가겠구나 싶어서 울면서 불꽃놀이를 바라보고 있을 때, 네가 마법처럼 나타나 준 게 엊그제 같은데……."

리체는 벨라의 손을 두 손으로 잡고 따뜻하게 쓰다듬었다.

"비참한 끝을 향해 달려가던 나를 건져 내 주고 그 많은 빚에 맞설 수 있게 해 주고, 내게 할 일을 주고…… 너 아니었으면 어쩔 뻔했니?"

"그야 네가 열심히 노력한 결과인걸."

"아냐. 너 아니었으면 결코 오지 않았을 기회였어."

"있는 기회를 네가 쓰지 않고 있었던 것뿐이야."

벨라의 말에 리체는 웃으며 고개를 저었다.

"널 만난 건 내 일생일대의 행운이고 기적이었어."

벨라의 굳었던 표정이 그제야 조금 풀렸다.

"행운에 기적은 무슨……. 그 어떤 행운과 기적도 그걸 붙잡을 준비 없이는 주어져도 잡을 수 없어. 네가 원래 준비되어 있었기에 가능했던 거야."

벨라의 말에 리체는 손등을 가볍게 몇 번 두들겼다.

"황태자 전하는 정말이지 복 받은 거야. 너처럼 훌륭한 사람을 아내로 맞이할 수 있게 되었으니까."

리체가 하는 말에 벨라는 피식 웃었다.

"남들이 들으면 거꾸로 말한다고 하겠다. 제국 최고의 신랑감은 황태자 전하지만 나는 제국 최고의 신붓감은 아닌걸."

"무슨 그런 서운한 소릴! 나는 네가 아까운데 말야. 좀 더 튕기고 애태우다 받아들이지 그랬어. 당연하다는 듯이 연애 기간도 별로 없이 약혼식을 바로 하게 되다니 나는 깜짝 놀랐어."

"워낙 황태자 전하께서 바쁜 분이니까 그렇지. 국제 정세가 이상하게 돌아가고 있기도 하고."

벨라의 말에 리체는 그녀의 얼굴을 빤히 바라보았다.

"벨라, 나 로맨스 소설 하나 쓰고 있는 게 있거든. 끝까지 비밀로 하려고 했는데 입이 간지러워서 안 되겠다."

"정말?"

벨라가 눈을 초롱초롱하게 뜨며 말했다.

"보여 줘! 진즉에 말하지 그랬어!"

"에이, 부끄럽기도 하고……."

리체는 수줍게 웃으며 볼을 붉혔다.

그러더니 리체는 머뭇거리며 품에서 작은 책 한 권을 꺼냈다.

"이거, 다른 필명으로 출간하려고 출판사에 원고는 넘겨 두었고, 이건 초고라서 지저분하긴 한데 이제 사사로이 친구로서 만날 기회가 별로 없을 것 같아서 부끄럽지만, 초고를 선물로 주려고⋯⋯."

벨라는 기뻐하며 그 작은 책을 받아 들었다. 그리고 당장 읽으려 하자 리체는 질겁하며 말했다.

"나중에 혼자서 읽어! 옆에서 읽으면 너무 창피해서 내가 얼굴을 들 수가 없잖아!"

"뭐가 어때서 그래? 내가 궁금한 거 못 참는다는 걸 잘 알면서 그래?"

"이리 내놔!"

"꺅!"

마차에서 우당탕거리는 소리와 함께 둘의 깔깔거리는 웃음소리가 새어 나왔다.

마차 뒤를 따르던 루카스는 그 소리에 굳은 표정을 조금 풀었다. 그런 그에게 이안이 급히 다가왔다.

"형, 봤어?"

루카스는 대답 대신 이안을 쳐다보았다.

"인파 사이에 고모가 서 있는 것 같았어."

루카스의 미간이 찡그려졌다.

"다시는 나타나지 말라고 돈을 줘서 보냈는데 왜 또 나타난 거지? 그것도 하필이면 이 중요한 날에?"

이안의 말에 루카스는 불쾌함을 감추지 못했다.

"혹시라도 다시 마주친다면 후작님의 약혼식에 불미스러운 일이라도 일으키면 아무리 고모님이라 해도 그냥 지나칠 수 없다고 전해라."

"미키에게 경호에 더 신경 쓰라고 전할까?"

이안의 말에 루카스는 잠시 대답하지 않고 뭔가 생각하고 있다가 말했다.

"기사단장 대리 일이 익숙하지 않아서 긴장하고 있는 사람에게 그런 사소한 것까지 신경 쓰게 한다면 오히려 실수가 생길지 모른다. 내가 더 주의 깊게 살펴보겠다."

벨라시아 저택에서 대신전까지 가는 행렬은 국민에게 곧 있을 황태자의 결혼식을 암시하는 볼거리이기도 했다. 가는 길에 수많은 인파가 아르티드가에서 싣고 가는 혼수품을 구경하며 감탄사를 내뱉고 있었다.

혹시라도 구경꾼들이 우르르 몰려들어 사고가 나거나, 혼수품에 탐심을 품은 좀도둑이라도 꾀어들까 봐 미키는 쉴 새 없이 살폈다. 진땀을 흘리느라 그의 얼굴이 새하얗게 질려 있었다.

"나…… 나는 진짜로 기사단장 대리감이 아닌데……. 차라리 제스로가 나보다 더 잘할 건데……."

미키는 사방을 주시하면서도 혼자 중얼거렸다.

정신 차리고 보니 라울린과 그가 아끼던 부하들이 한꺼번에 죽는 바람에 자신이 가장 높은 직위를 책임지게 되었다. 하지만 그것이 자신의 능력 때문에 도달한 자리가 아니란 사실을 누구보다 더 잘 알았다.

"성실하다는 것 이외엔 별 장점이 없는 내가 어쩌자고 이 중요한 일을 맡게 된 거지?"

그는 거의 공황 상태가 되어 있었다.

그런데 갑자기 군대가 나타나 그들의 뒤를 따랐다. 슈르츠 공작가의 사병이었다.

미키는 그 모습에 화들짝 놀라서 공격 자세를 취했다가 상대의 신원을 알고서 자세를 바로 했다.

늙은 말에 탄 콜레트 공작 부인이 벨라의 마차를 향해 손을 흔들었다.

"벨라, 너의 영광스러운 길을 우리 슈르츠 공작가에서도 보태마."

그 뒤로 황후의 오빠이자 티프리스가의 가주인 티프리스 후작이 이끄는 사병이 벨라의 행렬에 더해졌다.

역시나 낯선 사병들의 모습에 잔뜩 긴장한 미키는 하마터면 공격하라 명령할 뻔하고는 헉헉거렸다.

"사람 놀라게 미리 말 안 해 주고 나타나는 겁니까?"

미키의 말에 상대 쪽 책임자가 말했다.

"황제를 섬기는 가문은 전통적으로 황태자비를 호위하는 데에 힘을 보태던 관습이 있어서 그렇다! 관습도 모르고 출발했나?"

미키는 얼굴이 시뻘게졌다. 그런 말을 미리 해 주는 사람은 아무도 없었다.

점차 벨라 일행을 둘러싼 병사들의 수는 기하급수적으로 늘어갔다. 미키의 신경은 과부하 상태가 될 정도로 곤두섰다. 뒤에 선 기사가 미키의 어깨를 건드렸다가 칼로 찔리는 줄 알고 그는 깜짝 놀랐다.

"경호에 충실한 것은 좋지만 지나치군."

그때 루카스의 눈에 슈르츠가의 딸기코 사냥꾼이 눈에 띄었다.

벨라가 일전에 일기장에 쓴 내용에 의하면 과거의 삶에서 벨라를 암살하려다가 이안의 어깨를 대신 찔렀던 사람이 그자라는 것은 알고 있었다.

이 좋은 날에 왜 하필 저자가 눈앞에 띄는지 루카스의 심기가 불편해졌다.

"이안, 저 사람을 따라가. 혹시라도 수상한 짓을 하면 바로 알려라."

루카스의 말에 이안은 고개를 끄덕이며 그 사냥꾼의 뒤에 따라붙었다.

그러고 보니 인파 중에 맨날 토지 분쟁으로 악성 민원을 넣던 자가 나를 보라는 듯 소송 문서를 펄럭이며 서 있는 것이 눈에 띄었다.

왜 오늘 같은 날 위험해 보이는 사람이 자꾸 나타나는지 예감이 좋지 않았다.

루카스는 마차의 문을 두들기며 말했다.

"후작님, 아무래도 제가 가까이에서 후작님을 지켜 드려야 할 것 같습니다."

그러자 창문도 열어 보지 않고 벨라의 대답이 돌아왔다.

"제스로가 곁에 늘 있는데 뭐가 걱정이에요? 괜찮아요. 리체와 더 이야기 나누게 빠져 주세요."

벨라의 말에 루카스는 마차 안으로 들어가지 못하고 주변을 서성여야 했다.

대신전으로 가는 길에 자꾸만 벨라에게 원한을 가질 만한 가능성이 조금이라도 있는 사람들이 하나, 둘 얼굴을 비쳤다. 그럴수록 루카스는 신경이 예민해졌다.

루카스는 마차의 문을 두들겼다.

"후작님, 마차 속도를 빠르게 하시는 것이 좋겠습니다. 지금 속도로는 지나치게 느려서 누군가 뛰어들기 좋습니다."

"리체와 아직 못다 한 이야기가 많은데 루카스, 제가 알아서 할 테니까 그만 제자리로 돌아가세요."

벨라의 목소리에 그는 입술이 바짝바짝 타는 듯한 기분이 들었다.

신전 근처에 다다랐을 즈음이었다.

찰스가 목발을 짚은 채 기침을 콜록이고 있다가 벨라의 마차가 들어서자 손을 흔들었다.

"벨라! 벨라! 숙부의 축복을 받고 가야 할 것 아니냐!"

벨라의 마차가 그냥 지나치려 하자 찰스는 마차에 뛰어들어 치일 뻔했다.

"이게 무슨 짓이에요?"

벨라가 창밖으로 고개를 내밀었다.

"명색이 숙부인데 벨라 네 혼수에 무언가 보탬이 있어야 하지 않겠느냐? 나는 찰스 키튼이 아니고 찰스 엘 아르티드다! 이 혼수마저 거절하면 내 체면이 뭐가 되느냐?"

루카스는 찰스의 앞에 끼어들어 말렸다.

"그만 가십시오. 후작님의 앞을 막는 것은 결례입니다."

"나도 가문의 명예가 달린 일이다! 돌아가신 형님을 대신

해서 아버지가 딸에게 해 주는 축복을 내가 해 줘야 할 것 아닌가!"

"그런 축복 필요 없습니다."

루카스는 찰스를 떼어 놓으려고 애썼다.

"필요해! 필요하다고! 나는 벨라의 할머니나 마찬가지다! 벨라가 인륜지대사를 치르면서 이대로 아무것도 하지 않고 물러설 수는 없다!"

"그런 호의는 평소에 보였어야 합니다. 길에서 이러는 것은 안전에 도움이 되지 못하니 물러나 주십시오. 선물을 보태고 싶으시다면 제게 주십시오. 따로 전달하겠습니다."

루카스의 말에 찰스의 모친은 땅바닥에 주저앉으며 말의 진로를 막았다.

"아이고오…… 아이고오……. 포르위네에서도 내쫓더니 사람의 도리도 못 하게 한다아! 이를 어쩔꼬!"

찰스와 찰스 모친의 생떼에 미키는 쩔쩔매며 호위병들을 시켜 그들을 내보내라고 하였지만 둘은 바로 말발굽 앞에 드러누워서 남들 보기 민망할 정도로 떼를 썼다.

게다가 찰스가 데려온 자들이 너도나도 함께 드러누워 행패를 부리는 통에 호위 기사들이 그들을 끌어내느라 제대로 상황을 통제할 수가 없었다.

그때였다. 슈르츠가의 사병 차림을 한 한 남자가 폭탄을 끌어안은 채 마차로 뛰어들고 있었다.

콰아앙!

엄청난 폭발에 마차의 문짝이 날아가고 놀란 말이 미쳐

날뛰는 것을 마부가 말고삐를 끊어 마차가 뒤집히지 않게 막았다.

"후작님! 괜찮으십니까?"

미키가 헐레벌떡 달려왔다. 그리고 제스로가 벨라와 리체를 끌어안은 채 폭발에 버텨 등에 화상을 입은 것을 보았다.

다행히도 벨라와 리체는 별다른 부상 없이 무사할 수 있었다. 벨라는 그대로 벌떡 일어나 폭발이 일어난 마차의 문 쪽으로 다가갔다.

그곳엔, 더 큰 폭발이 일어나지 않게 몸으로 폭탄을 감싸 안았던 사람의 흔적이 남아 있었다.

"루카!"

그녀의 눈동자가 심하게 요동을 쳤다.

눈앞에 보이는 풍경이 믿어지지 않았다. 거짓말인 것만 같았다. 그러나 루카스의 피 묻은 옷 조각은 거짓이 아니었다.

"루카……. 어떻게…… 어떻게…… 루카스가…… 루카스가……!!"

벨라의 입술이 벌벌 떨렸다. 폭발음에 놀란 이안이 허겁지겁 달려와 그 모습을 보고 휘청거렸다.

"형……?"

이안 역시 믿을 수가 없다는 듯 손을 덜덜 떨었다. 미키는 격분하여 소리쳤다.

"머리에 손을 얹고 모두 제자리에 앉아! 도망치는 자는 공범으로 간주하겠다! 작당한 자는 응분의 벌을 받게 해 줄 테다아! 우리 아르티드가를 뭘로 보고 이따위 지독한 만행을 저지르다니!"

벨라는 충격을 크게 받은 나머지 눈물도 흘리지 못했다. 그저 멍하니 서서 루카스의 피가 사방에 참혹하게 튄 자국을 보고 있을 뿐이었다.

그 모습을 본 리체는 얼른 자신의 겉옷을 벗어 벨라의 머리를 덮고 눈을 가리려 했다.

하지만 벨라는 한사코 리체의 겉옷을 밀쳐 내며 루카스의 마지막 흔적을 멍하니 바라보았다.

"꿈이지 이거⋯⋯?"

혼자 넋 나간 듯 중얼거리는 벨라를 리체가 끌어안아 진정시키려 했지만, 벨라는 그마저도 필요 없다는 듯 뿌리쳤다.

"사실이 아니지? 나 지금 악몽을 꾸는 거지?"

"벨라⋯⋯ 정신 차려. 일단 이 자리를 피해서⋯⋯."

"그렇지? 루카스가 죽은 거 아니지? 다른 사람이 죽은 거지?"

"벨라!"

리체가 울면서 벨라의 팔을 잡아당겼다.

"이거 놔! 루카스가 나타날 때까지 난 여기서 기다릴 거야! 무사한지 확인하고 갈 거야!"

벨라는 멍한 눈으로 주변을 두리번거렸다.

"루카스가 어디 간 거지?"

"벨라, 그만해!"

리체가 애원하듯 벨라를 붙잡았지만 붙잡을 수가 없었다.

"루카스가 죽을 리 없어! 절대로 죽을 리가 없다고!"

벨라는 발작적으로 소리를 질렀다. 그 모습을 보다 못한 제스로와 미키가 벨라를 저지했다.

"놓으라고! 놓으란 말야! 사실을 확인하게 나 좀 가만 내 버려 두라고!"

"후작님! 정신 차리십시오!"

신전에서 소식을 들은 황태자와 황궁 기사단이 달려오는 소리가 다가왔다.

"루카스가 죽을 리 없다고오오!"

벨라의 눈에서 둑 터지듯 흘러나온 눈물은 루카스가 흘린 피 위로 떨어져 내렸다.

"루카스, 죽으면 안 돼! 제발! 절대로 죽으면 안 돼!"

벨라가 울부짖는 소리에 리체는 입을 틀어막고 흐느꼈다.

"안 돼! 이건 절대로 안 돼! 이미 나를 위해 한 번 죽었던 사람이라고! 이렇게 나를 위해 또 죽을 수는 없다고!"

벨라는 황태자가 말리는데도 정신을 차리지 못하고 울부 짖었다.

"누가 제발 루카스 좀 데려와 줘요! 루카스가 오기 전까지 나는 이곳에서 한 발짝도 가지 않아!"

"벨라! 나다! 나를 봐!"

칼리아스가 그녀의 두 팔을 움켜쥐었으나 벨라는 필사적 으로 버둥거렸다.

"루카스!"

벨라는 당장에라도 피를 토해 낼 듯 절절하게 그의 이름 을 부르며 울부짖었다.

"루카스, 나를 위해 죽지 말아요! 제발…… 제발……! 죽지 마아아!"

그녀의 오열하는 소리에 눈물짓지 않는 사람이 없었다.

벨라는 이 순간이 믿어지지 않았다.

그저 그랑블루 강 아래를 내려다보며 화이트포럼 다리 위에서 루카스의 마지막 편지를 들고 서 있던 서른 살의 지친 고급 창부로 돌아가 있는 기분이었다.

그리고 그의 마지막 편지 내용이 머릿속을 흘러가는 것만 같았다.

[우리는 서툴고 미숙했다.

당신이 어설펐던 것처럼 우리도 당신을 헤아리지 못했다.

이제 모든 것이 다 늦어 버린 후에 하는 나의 사랑 고백은, 안 하느니만 못한 후회가 되어 편지 위에 내려앉는다.

이 편지만이라도 당신의 손에 전해지게 해 달라 신께 생전 처음으로 간절히 빌어 본다.

부디 나의 죽음으로 당신이 다시 새로운 삶을 살기를.

아직도 당신의 삶은 창창하고 살아갈 날이 지나온 날보다 더 많이 남아 있다는 것을 잊지 말기를.]

그리고 지난 일들이 머릿속을 주마등처럼 스쳐 갔다.

'루카, 아직도 내 마음을 모르겠어요? 나는 지금 루카스마저 라울린처럼 될까 봐 수도에서 멀리 떨어뜨려 놓으려는 거라고요! 돌려서 말하니까 모르겠어요?'

'그래서 더더욱 곁에 있겠다는 겁니다.'

'제 명령을 거역하겠다는 건가요?'

'직위 해제시키셔도 곁에 있을 겁니다.'

'누구 맘대로?'

'언제나 저는 당신의 곁에 제 의지로 있었습니다.'

각각의 삶에서 루카스의 마지막 모습이 벨라의 머릿속에 떠올랐다.

몇 번을 이 순간을 되돌린다 해도 그는 벨라를 위해 자신의 목숨을 아낌없이 내놓을 사람이었다.

툭…….

툭…….

마치 핏물이 번지듯 그녀의 눈물이 땅바닥에 얼룩졌다.

내가 당신 없이 어떻게 이 세상을 살아요……? 당신 없이…….

"아아아악!"

이성을 잃고 그녀가 소리 지르는 순간이었다. 마차를 비롯해 근방에 있던 모든 것이 지면에서 이불 털리듯 공중에 붕 떴다가 떨어져 내렸다.

쿵!

그 묵직한 충격에 사람들은 휘청하거나 넘어지고 놀란 말은 제멋대로 뛰어 달아났다.

"이게 대체 무슨 일이지?"

"지진인가?"

당황한 사람들이 주변을 둘러보았다. 지진이라 하기엔 파동이 너무 짧았다.

그와 동시에 벨라는 털썩 무릎을 꿇었다. 온몸의 힘이 빨려 나가 버린 듯 기운이 없었다. 자신의 세상이 모조리 산산조각 나는 충격 속에 껍데기만 남은 듯 영혼의 빛을 잃었다.

17. 시간을 몇 번이고 거슬러

17. 시간을 몇 번이고 거슬러

"황궁으로 모시고 가라."

상황을 통제하던 칼리아스는 벨라를 데려가려 했다. 하지만 벨라는 멍하니 서서 꼼짝하지 않았다.

결국엔 신하들이 나서서 떠메고 가려 하자 이안이 가로막았다.

"우리 후작님을 놔두십시오."

칼리아스는 이안을 매섭게 쏘아보았다.

"오늘은 날이 아닌 것 같습니다. 후작님을 모시고 벨라시아로 돌아가겠습니다."

굳은 표정으로 눈물만 흘리고 있던 이안이 무겁게 입을 열었다.

"약혼식은 생략하고 황궁으로 데려가겠다. 황실 최고의 어의가 아르티드 후작을 보살필 것이니 끼어들지 말라."

칼리아스는 순순히 벨라를 넘겨주지 않았다.

"후작님을 편히 모셔야 합니다. 이만 돌아가 주십시오."

"나의 약혼녀이기도 하다. 그대는 현장을 수습하고 범인 색출에 협조하라. 여기서부터는 황실 기사단이 맡겠다."

황태자의 말에도 이안은 전혀 물러설 생각이 없어 보였다.

"황궁에 가면 오히려 부담감만 더 생깁니다. 실컷 울고 마음 추스를 수 있을 때까지 놓아주십시오."

이안이 힘으로라도 뺏을 듯한 표정을 짓자 칼리아스는 가소롭다는 듯 코웃음을 쳤다.

"충직한 가신이 죽은 충격은 이해한다. 그렇다고 더 큰 일을 뒤로 미룰 수는 없다. 배려는 약혼자가 하겠다. 가신의 충정을 높게 기릴 수 있도록 조처하겠으니 이만 물러서라."

"명백한 암살 기도였습니다. 형이 없는 지금, 후작님을 가장 잘 보호할 수 있는 것은 저희입니다."

이안은 충격 속에서 이성을 유지하려고 애썼다.

"일개 보좌관 따위가 이래라저래라할 수 없다."

칼리아스는 이안이 마음에 들지 않았다.

"후작님을 사람 많은 곳에 모시는 것은 위험합니다. 안전하다고 판단되면 보내 드리겠습니다."

"지금 황궁이 더 위험하다는 말을 하는 건가?"

칼리아스의 목소리가 날카로워졌다.

"네. 그러합니다."

"하! 차마 들어 줄 수가 없군!"

"정말로 저희 아가씨를 사랑하신다면 시간을 주십시오."

이안의 말에 분노한 칼리아스의 금빛 눈이 더욱 번쩍거렸다.

"사랑하니까 데려가서 직접 보호하겠단 말이다!"

"곧 출정하실 분이 어떻게 후작님을 지키겠단 말씀입니까?"

이안의 말에 칼리아스는 벌컥 화를 냈다.

"황궁이야말로 삼엄한 경비가 이루어지는 곳이다. 그러는 너희야말로 무슨 수로 지킬 것인가? 암살 기도를 사전에 차단했어야지! 이것이 제대로 지킨 것인가?"

"저희 형이 자신을 희생하여 후작님을 지켰습니다. 이런 일이 또 일어난다면 저 역시 형처럼 목숨을 걸고 후작님을 지킬 겁니다. 모든 것이 낯선 황궁보다는 익숙한 곳에서 저희가 지키는 편이 훨씬 안전합니다."

이안의 뺨에 굵은 눈물이 한 방울 흘러내렸다.

"무능하니까 막지 못하고 대신 죽었겠지. 나는 이런 일이 아예 생기지 않도록 할 것이다. 그러니 그만 비켜라."

이안은 그의 말을 반박했다.

"형이 목숨 걸고 지켜 왔으니 지금까지 버텨 온 겁니다. 형이 다하지 못한 뜻은 제가 잇겠습니다. 그러니 아가씨를 놔주십시오."

이안이 다가서자 칼리아스의 호위 기사들이 위압감을 느끼고 여기저기서 칼을 뽑아 들었다. 하지만 이안은 전혀 물러서지 않았다.

"자. 저와 함께 가십시오."

이안이 벨라의 팔을 잡아끌었다. 호위 기사들이 이안을 위협하려 들자 그때까지 멍하게 있던 벨라가 소리를 빽 질렀다.

"그만!"

그 순간 땅이 다시 울렁거렸다. 사람들은 모두 술이라도 취한 것처럼 제대로 서지 못하고 흔들거리다가 더러는 엉덩방아를 찧었다.

"정말 지진인가?"

"지진치고는 고약하군!"

사람들이 당황한 사이 벨라는 이안에게 다가섰다.

"이안을 건드리지 마요."

극도로 흥분한 표정과는 달리 벨라의 목소리는 이상할 정도로 차분했다.

"이안, 가자."

그녀는 냉랭한 목소리로 이안에게 말했다.

"벨라! 지금 어딜 가는 건가? 네가 가야 할 곳은 황궁이다!"

칼리아스의 말에 벨라는 뒤를 돌아보았다.

"방금 깨달았어요. 자기 자신은 자기가 지키는 거였어요."

순간 칼리아스는 날카로운 그녀의 기세에 멈칫했다.

"이안도, 전하도, 누가 누굴 지키네 마네 그런 소리 하지 말아요!"

벨라는 자기 자신에게 화가 나서 견딜 수가 없었다.

"내가 나를 지키지 못하니까 루카가 희생되었어요. 이건 모두 내가 약한 탓이에요. 그러니까, 이젠 앞으로 내가 나를 지키겠어요."

벨라의 어깨가 더욱 떨려 왔다. 의지와는 상관없는 떨림을 이기고자 주먹을 움켜쥐었다.

"그의 의지로 내 곁을 지켰고, 목숨까지 내던졌으니까, 이 생명은 오로지 그가 준 거예요."

이젠 눈물도 나지 않았다.

더 이상 아무것도 의지하고 싶지 않았다.

"또…… 그의 희생으로 내 삶의 시간을 늘리고 말았어."

벨라는 혼잣말로 후회하듯 중얼거렸다.

"하아……."

심장이 바스러지는 느낌이었다.

과거의 삶에서 그가 거짓으로 자백해서 대신 죽고 그의 삶으로 목숨을 연장했다. 그리고 오늘 또 목숨을 대신 받고 그를 떠나보냈다.

현재의 삶에서는 그를 행복하게 해 주고 싶었는데…….

벨라는 목이 메어 말을 이을 수 없었다.

어느새 나는 또 사랑을 받아야 한다고 생각했던 걸까?

내가 원하는 형태의 사랑이 아니라고 그를 원망하다 이렇게 떠나보내는 것인가?

이런 헌신이 사랑 아니면 무엇이란 말인가…….

뜨거운 그 무언가가 목구멍으로부터 차올랐다. 간절하게 도 몇 시간 전으로 되돌아가고 싶었다.

"죄송하지만 청혼 반지는 돌려드립니다. 이 상태로는 전하께 갈 수 없습니다."

벨라는 손가락에서 반지를 빼 칼리아스에게 내밀었다. 칼리아스는 당황해서 그 반지를 받으려 하지 않았다.

"왜 내 반지를 돌려주겠다는 거냐? 내가 저지른 일도 아닌데! 설령 오늘 오지 않는다고 해도 결국 황궁으로 올 텐데 반지는 왜 빼느냐?"

칼리아스는 벨라의 반응을 이해하지 못했다.

"범인은 반드시 잡아 주겠다. 현장의 수상한 자는 모조리 체포 중이고, 황실 기사단이 섭섭지 않게 처리할 것이다. 그런데 왜 함께 가지 못하겠다는 건가? 내가 모두 해결해 주겠다는데 왜!"

벨라는 슬프고도 뜨겁게 불타오르는 자신의 가슴을 주체할 수가 없었다.

"원망의 화살을 잘못 겨눴다는 생각은 들지 않나? 어찌하여 내가 이 결과를 감당해야 하는데?"

칼리아스는 그녀가 내미는 반지를 마다했다.

"그건……."

벨라는 입술을 깨물었다.

"나를 위해 모든 걸 다 바친 사람에 대한 도리가 아니기 때문입니다."

그녀는 다시 힘겹게 숨을 몰아쉬며 말했다.

"루카스는 단순한 집사 이상이었어요. 내 후견인이었고, 부모님의 빈자리를 채워 주는 가족 같은 존재였고……."

기분이 이상했다. 불과 조금 전까지만 해도 한 공간에서 같이 살아 숨 쉬는 사람이었다. 그런 그가 이제 세상에 없다. 바닥에 새겨진 핏자국만이 그가 이곳에서 삶을 내던졌다는 증거로 남아 있을 뿐 그는 그 어디에도 없었다.

"……그 이상으로 저를 사랑해 줄 사람은 없었어요."

그 말을 내뱉는 것조차 마음에 피멍이 들 듯 아팠다.

"키워 준 사람이니 당연히 다른 고용인보다 각별하게 여겨지겠지. 그 마음은 이해한다. 그러나 고용인일 뿐이다."

칼리아스는 벨라의 말이 꼭 그를 사랑해서 자신에게 올 수 없다는 것으로 들려서 미간을 찡그렸다. 무언가 느낌이 이상했다.

"그 이상입니다."

벨라가 그 말을 내뱉자 칼리아스도 그녀도 까마득한 어두운 물속으로 몸이 가라앉는 느낌에 휩싸였다.

"그는 내게 모든 것을 다 바쳤어요. 이렇게 모든 것을 다 준 사람을 두고 제 마음에 다른 누구를 어떻게 채워요?"

벨라의 말에 칼리아스의 표정이 점점 일그러졌다.

아무리 좋게 해석하려 해도 루카스를 사랑했기에 자신을 사랑할 수 없다고 말하는 것 같았다.

"훌륭한 가신인 것은 이해한다 해도! 하지만 말이 지나치군. 지금 그 말은, 나를 사랑할 수 없다는 말로 해석해도 되는가?"

벨라가 그 말을 부정해 주길 바랐다. 하지만 그녀는 망설임 없이 바로 대답했다.

"네."

칼리아스의 눈이 커졌다. 그러더니 코웃음을 쳤다.

"하! 지금 제정신으로 하는 말인가? 세국의 황태자이자 신의 축복을 받은 나에게 마음을 줄 수가 없다고?"

그녀가 집사를 사랑했다는 말을 인정할 수가 없어 칼리아스는 냉소를 띠었다.

"하핫! 정말로 제정신이 아닌가 보군. 어찌 감히 나를 집사와 비교해……?"

사랑의 경쟁자가 집사였다고 한다. 그를 기리려 자신을 거부하겠다니 칼리아스는 영문을 몰라 어리둥절했다.

"죄송합니다. 진즉 말씀드렸어야 했는데 이제야 깨달았습니다. 저는 감히 그를 두고 다른 사람을 사랑할 자격이 없습니다."

어처구니가 없는 나머지 그는 신경질적으로 웃었다. 수많은 사람이 보고 있는데도 그가 웃음을 멈췄을 때는 숨소리조차 들리지 않을 정도로 싸늘한 침묵이 주변을 감쌌다.

"지금 충격을 받아서 제정신이 아닌가 본데 강제로라도 데려가겠다. 그대를 위한 일이니 원망치 말라."

칼리아스가 손을 들자 황실 기사단이 벨라의 주변으로 몰려들었다.

인근의 수상한 자를 잡아들이던 미키는 상황을 깨닫자마자 아르티드가의 호위 기사들과 함께 벨라의 주변을 둘러쌌다. 그 역시 이안처럼 두 눈에서 불이 활활 타오르는 듯한 기세를 내뿜었다.

"그 누구도 후작님께 손대지 못합니다."

미키의 말에 칼리아스는 비웃듯 말했다.

"나를 향해 칼을 겨누는 것은 반역과도 마찬가지다. 당장 칼을 내려라."

"저의 주군은 후작님입니다. 황태자 전하가 아니고."

다소 불경스러운 말을 미키는 서슴지 않고 내뱉었다. 이안 역시 살기등등한 표정으로 벨라의 앞을 막아섰다.

"모두 그만둬라! 나 칼리아스의 이름으로 명한다. 아르티드 후작을 황궁으로 모셔 가라! 저항하는 자는 반역으로 간주한다!"

순간 미키와 호위 기사들에게 황실 기사단이 달려들었다.

"그만하라고요!"

벨라가 빽 소리를 지르자 또다시 사람들은 지면의 반동으로 공중으로 붕 떴다가 바닥에 내팽개쳐졌다. 칼리아스와 이안 역시 인정사정없이 엉덩방아를 찧고 말았다.

곳곳에서 억 소리가 났다.

"지진이 일어나는 타이밍 한번 기가 막히네!"

사람들이 앓는 소리를 하며 몸을 일으키려고 애썼다. 아까의 진동보다 몇 배는 더 강력한 충격이었다.

"지진 아닙니다. 무언가가 제 분노에 반응하는 겁니다."

벨라의 말에 칼리아스는 눈이 휘둥그레졌다.

"분노?"

벨라는 큰 소리로 외쳤다.

"모두 돌아가 주세요! 저 역시 돌아가겠습니다. 이 일은 모두 없었던 일로 하겠습니다."

"누구 맘대로!"

칼리아스가 머리끝까지 화가 나서 벨라에게 다가간 순간이었다.

다시 땅이 우르릉 울리면서 간신히 일어났던 사람들이 다시 넘어졌다.

"뭐…… 뭐야?"

땅을 데굴데굴 구른 사람들은 자신이 겪은 일에 믿을 수 없다는 표정으로 벨라를 멍하니 바라볼 뿐이었다.

칼리아스는 벨라에게 해명을 바라는 듯한 표정으로 쏘아보았다.

"방금 각성한 아르티드 가문의 잠재 능력입니다. 전하처럼요. 저를 보내 주십시오. 우리에겐 서로 생각할 시간이 필요합니다."

벨라는 황태자보다 먼저 고개를 돌리고 측근들의 곁으로 가 버렸다.

칼리아스는 이 모든 사실을 받아들일 수 없었다.

"지금 나에게 일방적으로 통보한 것인가?"

벨라는 대답하지 않았다.

"멈춰라! 명령이다!"

칼리아스의 눈이 분노로 일렁거렸다. 그리고 자신도 모르는 사이 그의 주변에 불기둥이 그를 집어삼킬 듯 휘감아 돌았다.

누가 보아도 지금 칼리아스는 머리끝까지 화가 나 있었다.

"이런 모욕을 내가 참을 것 같은가!"

벨라는 그 기세에 전혀 눌리지 않았다.

"전하께는 목숨을 바친 충직한 가신의 의미가 별것 아닙니까? 저는 그렇지 않습니다. 그 모든 것을 다 미루고서라도 그의 죽음에 아파할 시간이 필요합니다."

칼리아스는 부글부글 끓어오르는 분노를 간신히 억누르며 말했다.

"그래. 그럼 그 애도할 시간을 주지. 그러나 나와의 혼약을 깨뜨리겠다는 말은 용서할 수 없다. 나의 구애가 그대에겐 장난이었나?"

칼리아스의 분노를 따라 불길은 더욱 거세게 그의 주변을 휩싸고 돌았다.

"말해 보라. 가신의 죽음을 애도할 수는 있어도 감히 나의 감정을 가지고 논 것은 미안하지도 않은가?"

문득 벨라는 칼리아스를 보며 서글픈 생각이 들었다.

연애고 뭐고 결혼까지 단숨에 서두를 만큼 서툰 사람이었다.

루카스의 조언대로 흉내 내기는 했지만 그 동기는 순수한 마음이었던 것을 잘 알아서 벨라의 마음은 더욱 괴로웠다.

"저 역시 진심으로 전하의 사랑에 감사하였고 혼인할 생각이었습니다."

"그런데 대체 왜!"

분노로 일그러진 칼리아스의 모습을 보며 벨라는 그 모습 또한 마음 아팠다.

"이 모두가…… 제가 제 마음을 잘 몰랐던 탓입니다. 죄송합니다. 늦었지만 이제야 깨달았습니다."

"변명 따위 필요 없고, 여봐라, 아르티드 후작을 끌고 가라!"

분노한 칼리아스의 명령에 황실 기사단이 눈치를 보다가 벨라 쪽으로 몰렸다. 순간 또다시 강력한 충격으로 땅이 울리고 사람들이 공중에 떴다 내동댕이쳐졌다.

그중 다시 일어서려는 사람이 하나라도 있으면 곧바로 충격파가 밀려와 지진처럼 사람들을 흔들어 댔다.

아무도 전진할 수도 후퇴할 수도 없었다. 심지어 틈을 봐서 도망가려 하였던 찰스조차 사람들 사이에 뒤엉켜 맨 밑에 깔리고 말았다.

칼리아스는 이를 으득 악물었다. 벨라는 그저 슬픈 눈으로 칼리아스를 바라볼 뿐이었다.

"그래. 잠시 시간을 갖자. 거기까지는 내가 허락해 줄 수 있다!"

칼리아스가 분하다는 듯 입을 열었다.

"지금이야 심리적으로 충격을 받아 이런 실수를 했겠지만 제정신이 들면 내게 눈물로 빌어야 할 것이다."

칼리아스의 주변을 휘감고 타오르던 불기둥이 사라졌다.

그러나 벨라는 그저 조용히 몸을 돌려 반대 방향으로 향했다.

미키는 찰스와 찰스 모친, 그리고 그들을 따라온 협잡꾼들과 여러 의심스러운 자들을 포박해서 벨라의 뒤를 따랐다.

순간 칼리아스가 미간을 찡그리며 손짓을 했다.

"심문은 내가 하겠다. 이쪽으로 넘겨라."

"싫습니다."

벨라는 단칼에 거절했다.

"내가 직접 진실을 밝혀서 그대의 분노를 풀어 주겠다."

"제 고용인의 죽음에 대한 대가는 제가 직접 받아 내겠습니다. 남의 손에 맡기지 않겠습니다."

"내가 남인가?"

칼리아스는 벌컥 화를 내었다. 그러나 벨라는 전혀 굽히지 않았다.

"제 호위 인력 주변으로 슈르츠가와 티프리스가의 사병들이 따라오는 바람에 오히려 경계가 흐트러졌습니다. 그 책임 또한 직접 묻겠습니다. 이 사건은 저희 아르티드가에 대한 도전으로 받아들이고 반드시 진실을 밝힐 겁니다. 각오하십시오."

그러자 슈르츠가의 책임자와 티프리스가의 책임자가 나서서 말했다.

"이는 전통일 뿐, 저희에게 책임을 묻는 것은 지나친 것이 아닌가 합니다."

"본디 이 전통이 왜 생겼는지 아시지 않습니까? 따르는 귀족 가문의 무리만큼 예비 황태자비에 대한 지지 세력을 과시하는 일종의 관습입니다. 제국의 두 기둥이 예비 황태자비 전하를 따른 것인데 이를 곡해하여 받아들이시면 곤란합니다."

벨라는 그 말에 조용히 응수했다.

"배려라고 하기엔 참으로 무질서하더군요. 제 생각에는 두 가문이 오히려 저를 방해하러 오신 것이 아닌가 합니다만?"

"지금 황실과 슈르츠가, 티프리스가 모두를 탓하시는 겁니까?"

각 책임자들이 험악한 표정으로 벨라를 쳐다보았다.

"아마도요."

벨라는 싸늘하게 대답하며 돌아섰다.

"그건 조사해 보고 말씀드리겠습니다."

칼리아스는 눈썹을 찡그린 채 그 모습을 보고만 있다가 입을 열었다.

"이래서 내가 조사한다고 하였다. 황실에서 조사하는 편이 결과에 대한 논란이 적을 것이다! 아르티드가에서 결론을 내려도 귀족끼리 무엇을 논할 수 있겠는가? 아르티드 후작이 만족할 만큼 철저히 조사하고 공정한 판단을 내려 주겠다."

칼리아스의 눈이 차갑게 빛났다.

"대신. 그 분함이 풀리거든 결혼은 다시 이야기해 보도록 하자. 한 번 내뱉은 말은 그 진위가 무엇이든 책임을 지는 것이 성숙한 자의 모습이다."

벨라는 칼리아스를 빤히 바라보았다.

결혼을 없었던 일로 하자는 말에 분노하여 불타올랐던 그였지만 일단 분노가 가시자 냉정하게 무엇이 나은 선택인지 계산하는 모양이었다. 칼리아스와 틀어져 제국 전체와 등을 지면 포리나 장원에 그다지 좋은 일은 아니었다.

벨라는 마지못한 듯 조용히 고개를 숙여 감사의 뜻을 표시했다.

당장에라도 찰스의 목을 조르고 싶은 충동이 일었지만 그렇다고 쉽게 죽여 주는 것은 성에 차지 않았다. 기나긴 시간 동안 비싼 대가를 치르고 얻은 교훈은 감정이 이끄는 대로 나서기 전에 한 발짝 쉬고 찬바람 속에 숨을 고르라는 것이었다.

칼리아스는 격앙된 감정을 애써 억누르며 말했다.

"그대의 고용인의 죽음에 대하여 가볍게 말한 것을 유감스럽게 생각한다. 그러니 부디 서운한 게 있다면 마음을 풀고 몸을 잘 추스른 다음 내게 돌아와 주기를 바란다."

벨라는 슬픈 미소를 지었다.

"다시 생각해도 제 결론은 변하지 않을 테지만……."

"그만! 시간이 지나서 판단력을 되찾으면 그때 말하라. 그렇게 쉽게 말할 수 있는 것이 아니라 해도!"

찰스는 눈치를 슬금슬금 보다가 인파 중 하나가 건네준 주머니칼을 가지고 자신을 포박한 줄을 잘랐다. 찰스가 데려온 협잡꾼들 역시 순순히 포박당해 끌려가는 척하다가 각자 하나씩 받은 주머니칼을 재빨리 꺼내 밧줄을 자르고 도망쳤다. 일순간에 많은 이가 도망을 치자 일대 혼란이 일었다.

순간 다시 거대한 충격이 지면에 일었다.

쾅당!

아무도 도망칠 수 없었다.

이 진동을 지배하는 자는 분명 벨라였다. 찰스는 도망치려고 애쓰다가 몇 번이고 바닥에 얼굴을 박고 나서 얼빠진 얼굴로 벨라를 쳐다보았다.

엉거주춤 일어난 황실 기사단이 찰스와 협잡꾼들에게 다가가 그들을 다시 묶고 연행하였다. 그들이 다시는 도망칠 수 없게 쇠창살이 달린 마차에 강세로 실었다. 확인하듯 그 모습을 다 지켜본 벨라는 그제야 뒤돌아서 제 갈 길을 걸었다.

뒤에서 보고 있던 보좌관 에클레르가 뒷북치듯 흥분하여

칼리아스에게 다가왔다.

"일개 후작이 감히 전하께 먼저 등을 보이고 저리 무례하게……!!"

그러나 칼리아스는 에클레르를 저지하듯 손으로 그를 막았다.

"놔두어라. 죽은 자는 내 생명의 은인이기도 했다."

언제 분노했었나 싶게 칼리아스의 얼굴에 냉랭한 기운이 감돌았다.

"그자와 아르티드 후작 사이가 각별하다는 것은 잘 알고 있었다. 둘 사이에 아무 일도 없었지만 어쩐지 내가 끼어들 수 없는 것 같은 느낌이 있었다. 그건 나도 알고 있는 사실이었다."

칼리아스는 한숨을 쉬듯 말했다.

"쓸데없는 예감은 빗나가지 않는군."

"에엣? 전하…… 그럼 아르티드 후작과의 혼담은 아예 없었던 것이 되는 겁니까?"

에클레르의 당황한 표정을 보며 칼리아스는 고개를 저었다.

"아니. 그의 죽음을 충분히 애도하고 나면 내게 돌아올 것이다."

"전하……!"

"돌아올 수밖에 없게 만들 것이다. 나는."

에클레르는 눈이 휘둥그레져서 칼리아스를 바라보았다.

"저따위 불손한 언동을 일삼는 아르티드 후작을 다시 받아들이겠다는 말입니까? 저는 결사반대입니다! 전하께서 뭐가 모자란데요! 오히려 적반하장입니다!"

칼리아스는 벨라의 멀어져 가는 뒷모습을 지켜보다가 말했다.

"다른 사람에게 가겠다는 것도 아니고, 애도하느라 아무도 만나지 않겠다는 것 아닌가. 처음엔 나도 격분했지만 생각해 보니 죽은 사람이다. 다시 만날 수도 없지 않나. 결국 방황 끝에 돌아올 곳은 내 곁이다."

칼리아스는 숨을 길게 내쉬었다.

"본래는 다정한 사람이다. 그저 충격받아서 저러는 것이라고 나는 믿는다."

담담한 칼리아스와는 달리 다른 사람들은 지금 본 광경을 믿을 수가 없어 한참 동안 떠들어 댔다.

"지진인 줄 알았는데 아르티드 후작의 능력이었어?"

"내 몸이 공중에 붕 뜨는데, 땅이 나를 발로 찬 줄 알았어."

"황태자 전하의 신성한 불의 검에, 아르티드 후작의 지진 능력? 엄청난데? 마법이란 게 옛날이야기에 나오는 허무맹랑한 말 아니었나?"

"이건 조사를 해 봐야 해! 과학의 발견보다 더 획기적인 일이라고! 아르티드 후작을 연구하면 다시 마법을 쓸 수 있는 길이 열리는 것인가?"

저 멀리서 이를 지켜보고 있던 슈르츠 공작과 티프리스 후작은 복잡한 표정으로 바라보고 있었다.

"인간이 맞는 걸까? 저런 무시무시한 힘이라니."

"건드리기 더 힘들어진 것은 사실입니다."

그들의 눈빛이 흐려졌다.

벨라의 감정이 격해질 때마다 집안의 가구들이 달그락대며 떨렸다. 유령이 나오는 집이라 해도 믿을 판이었다.

장식장을 정리하던 브렌다는 그릇들이 제멋대로 요동을 쳐서 정리를 포기하고는 한숨을 푹 쉬었다.

"네페라, 포르위네 성의 괴담 알지?"

브렌다의 말에 네페라는 가장 비싼 그릇이 깨지지 않게 양손 가득 들고 있다가 그녀를 쳐다보았다.

"알다마다요. 포르위네 성에는 귀신이 있어서 어두운 밤이면 가구들이 돌아다닌다는 이야기. 저 그 말 처음 듣고 일주일 동안 화장실도 못 갔어요."

브렌다는 한숨을 쉬며 말했다.

"귀신이 한 일이 아니라 아무래도 아르티드 가문의 내력이었나 봐. 인제 보니 범인이 벨라 아가씨였어⋯⋯. 생각해 보니 다비드 님도, 토레스 님도⋯⋯ 벨라 아가씨보다는 미미하지만 이런 일을 일으키셨던 것 같아. 이런 괴담 소설 주인공 같은 분들 같으니라고."

네페라는 가구의 진동이 멈추자 안도하며 비싼 그릇을 조심스레 내려놓았다.

"초대 가주가 마도사이고, 그 부인이 엘프였다는 전설이 사실이었나 봐요. 진짜 애들 들으라고 만든 이야기인 줄 알았는데."

그들이 이야기하는 창가 아래 벨라가 서 있었다. 잘 가꾸어진 정원은 오늘도 변함없이 아름답고 싱그러웠다. 그런데 그 아름다움을 보고도 별 감흥을 느낄 수가 없었다.

아무것도 변한 것은 없는데…….

'그래서 더더욱 곁에 있겠다는 겁니다.'

그녀의 시선이 정원 한구석을 향했다.

지금은 텅 빈, 루카스가 서 있던 곳을 슬프게 바라보며 그가 했던 말을 떠올렸다.

'언제나 저는 당신의 곁에 제 의지로 있었습니다.'

지금도 그 말을 하며 서 있던 루카스의 모습이 그려 낼 듯 눈에 선했다.

보고 싶어요……. 루카스.

벨라의 뺨을 타고 눈물이 흘러내렸다. 손에 든 붉은 꽃 한 송이 위로 눈물이 톡 하고 떨어졌다.

그가 지금 듣고 있기라도 하듯 벨라는 마음속으로 그에게 말을 건넸다.

나는 겁쟁이였어요.

당신이 내게 곁을 주지 않는다는 사실에 슬퍼하기만 했어요.

당신이 그러했듯 나의 의지로 곁에 있으면 되는 거였는데…….

행복하게 해 주고 싶었는데, 결국 또 당신을 희생시켰네요.

미안해요.

과거에도 지금도 난 변함없이 어리석어서…….

감정싸움 따위 하지 말았어야 했는데.

그러느니 마지막이 되었을 당신의 손을 한 번 더 잡았더라면…….

꽃송이 위로 자꾸만 눈물이 떨어졌다. 심장이 있던 자리가 텅 비고 그 구멍으로 세상의 찬바람이 드나들었다.

바보…….

벨라는 손등으로 눈물을 훔쳤다.

항상 그녀가 울면 루카스는 곧바로 잘 다려진 손수건을 내밀었다.

'루카, 어디로 갔어요? 내가 울고 있으니 손수건 줘야죠. 지금이라도 그 손수건 다시 주면 나는 너무나도 행복할 것 같은데.'

아무리 기다려도 누군가 손수건을 내밀 리 없었다.

이렇게 큰 사랑을 주고 가면, 내가 어떻게 감히 다른 사람을 사랑할 수 있어요?

그 큰 빈자리를 대체 무엇으로 채울 수 있는데……?

그가 밀어냈기 때문에 칼리아스의 데이트 신청을 받아들이고 청혼에 응했다는 것은 그저 핑계였을 뿐이었다.

벨라의 보라색 눈동자에서 끊임없이 반짝이는 눈물이 굴러떨어졌다.

시간을 다시 돌이킬 수 있다면…….

당신을 다시 한번 더 만날 수 있다면…….

그때는 당신이 나를 온 힘을 다해 밀어내도, 내가 더 꽉 끌어안아 줄 텐데.

거절당하는 순간에도 나는 나 자신만 먼저 생각했던 거였어요.

수많았던 그와의 기억들이 머릿속에서 휘몰아쳤다.

모두 반짝거리며 부서져 가는 아련한 추억이었다.

보고 싶다.

가슴에 사무치도록 그립다.

루카스. 모든 것은 그 자리에 그대로 있는데 당신만 없어.

돌이켜 보니 당신과 함께 있었던 그 모든 시간이 사랑이었는데.

흐느껴 울고 있는 벨라에게 인기척이 들렸다. 계속 울고 있노라니 누군가가 손수건을 내밀었다.

화들짝 놀라 고개를 들어 보니 이안이었다. 벨라는 적잖이 실망하면서도 그의 손수건이 고마워서 애써 눈물을 닦고 미소를 지어 보였다.

"이럴 때 형이 늘 손수건을 주는 거 같아서 저도 흉내 내 봤습니다."

머쓱해하는 이안을 보며 벨라는 눈물 젖은 눈으로 방긋 웃었다.

이안이 보고 있으니 더 울 수가 없어서 벨라는 꽃을 바라보며 눈물을 말렸다.

이안 역시 말없이 벨라의 곁에 서 있었다.

그래도 형제라서인지 그가 곁에 있으니 조금이나마 마음이 진정되는 것 같았다. 한때 외출한 루카스 대신 그의 옷자락을 붙들고 다녔던 일이 생각이 나 저도 모르게 피식 웃고 말았다.

"아…… 울다가 웃으면 안 되는데."

벨라는 손수건을 돌려주며 말했다.

"찰스 키튼은 어떻게 되었어?"

"똑같죠, 뭐. 헛소리만 지껄이고."

"사지를 찢어 죽여 버리고 싶어."

벨라의 말에 이안이 깜짝 놀랐다.

"하지만 걱정 마, 모든 사실을 실토할 때까지는 참을 거니까."

항상 밝게 웃던 그녀가 그 말을 하자 살벌하기가 이루 말할 수 없었다. 벨라의 눈동자에는 지금 어둠의 불길이 활활 타오르고 있었다.

"내가 직접 심문하고 싶었는데 분해. 입을 열 방법이 무엇이 있을까……? 안 되면 입이라도 찢어 버릴까?"

벨라가 그런 말을 하니 정말 이상했다. 익숙하지 않은 느낌에 이안은 헛기침을 했다.

"미키도 이 일에 모든 책임자를 색출하고 죗값을 치를 때까지는 기사단장 대리를 맡겠다고 합니다. 그 후에 책임을 지고 물러나겠다는군요."

벨라는 손에 쥐었던 꽃송이를 꽉 움켜쥐었다.

"죽여 버리고 싶어……! 이놈이고 저놈이고 다!"

이안은 늘 바르고 고운 말만 하던 벨라의 입에서 나오는 말을 들으며 눈을 크게 떴다. 다시 벨라의 눈가에 눈물이 맺혀 반짝거렸다.

"목격자의 말에 따르면 얼굴이 일그러진 사람이 주변을 서성였다고 했어. 분명 루카는 잠시 얼어붙은 것처럼 멈춰 서 있었댔지. 그리고 그자가 뛰어들자 다급하게 그를 막았지."

벨라의 말에 이안은 재차 헛기침했다.

"분명 그자가 마차로 달려들기 전에 도움받을 시간적 여유가 있었어. 그런데 루카답지 않게 그 순간 왜 머뭇거렸을까?"

벨라는 혼잣말하듯 중얼거리다가 이안을 바라보았다.

"고모라는 사람은 뭐래?"

"저도 직접 본 게 아니라서 정확히는 모릅니다만 찰스 키튼과 마찬가지로 헛소리만 한다더군요."

"내 생각엔 일그러진 얼굴을 한 그 범인이 실은 루카스의 고모부가 아니었을까 싶은데 말야. 하아…… 조사 결과를 어떻게 기다리지? 생각할수록 화가 나!"

벨라의 말에 이안은 눈을 흐렸다.

"후작님께서는 그자가 제 고모부라고 확신하시는 겁니까?"

"적은 분명 루카스의 심리를 잘 알고 머뭇거리게 만들었어. 그게 실마리일지 몰라."

벨라의 말을 들은 이안은 잠시 망설이다가 조심스레 입을 열었다.

"아가씨께서 이미 알고 계신 것 같으니 그 일은 더 자세히 말씀드릴 필요가 없겠습니다만……."

이안은 슬픈 표정으로 머리카락을 쓸어 올리며 고개를 숙였다.

"그래서 형이 후작님의 마음을 받아들이지 못했을 겁니다."

뜻밖의 말에 벨라는 이안을 뚫어져라 쳐다보았다.

"내가 루카를 좋아한 거 알고 있었어?"

그 말에 이안은 대답 대신 쓸쓸한 표정으로 웃었다.

"……!!"

이안은 더욱더 고개를 숙였다.

"형에게 먼저 고백하셨다는 거 압니다. 그리고 형은 자격이 없다고 거절한 것도요."

"그걸 이안이 어떻게 알아?"

벨라의 말에 이안은 희미하게 미소를 지었다.

"형이 직접 말하지 않더라도 보는 눈과 듣는 귀는 항시 열려 있습니다."

벨라는 이안이 하는 말에 귀 기울였다.

"형은 자신이 더럽다고 생각했거든요."

"대체 왜!!! 루카가 어디가 더러워!"

벨라는 울컥하여 대답했다. 이안은 뜸 들이며 벨라에게 형의 일에 대해 말했다.

"세뇌라는 것이 극복하기 힘듭니다……. 겪어 보지 않은 사람은 모릅니다."

이안은 한숨을 쉰 후 말했다.

"형은 늘 부정적인 말을 들으며 자랐습니다. 기댈 데라곤 아무 곳도 없었죠. 제 친어머니조차 형을 그리 예뻐하지 않았습니다……."

벨라의 눈이 커졌다.

"그래도 친어머니 살아 계실 적엔 최소한의 보살핌은 받았다면서. 그렇지 못했던 거야?"

벨라의 말에 이안은 눈빛을 흐렸다.

"보살핌을 받은 건 오히려 저죠……."

"사랑하니까 낳은 거고 사랑하니까 보육원에 버리지 않고 재혼할 때 데리고 간 거잖아. 그런데 왜?"

"형은 아무도 아껴 주지 않았습니다. 제 어머니는 기분에 많이 좌우되는 분이었어요. 어느 날은 애처롭다며 끌어안고 울고 어느 날은 너 때문에 인생 망쳤다고 울고…… 이중적인 분이었습니다."

벨라는 이안의 말에 경악했다.

"어머니가 살아 계셨을 때는 자신의 신세를 망친 게 모두 형의 탓인 것처럼 학대했고, 어머니가 돌아가신 후로는 아버지가 형을 학대했고……, 엄마 없는 살림이라 고모와 집을 합쳐서 살았는데 고모는 형이 무슨 일을 당하는지 뻔히 알면서도 오히려 제 아버지와 고모부 편을 들었습니다."

이안은 힘겹게 한마디씩 이어 갔다.

벨라의 눈가에 눈물이 흘렀다.

나는 부모님을 일찍 잃은 것 외엔 다 가진 사람이었는데…….

이안은 벨라의 눈물을 보며 고개를 더 떨구었다.

"형을 학대하는 주제에 다들 모든 게 네가 더러운 피를 가져서 그런 거라고들 말했어요. 그런데도 형은 올바른 어른이 되었죠. 형이 할 수 있는 최대한의 복수는 그들과는 완전히 다른 사람이 되는 거라고 말이죠. 그래서 저는 형을 더더욱 존경했습니다."

이안은 벨라의 놀란 얼굴을 보며 애써 미소 지어 보였다.

"그런 형에게 후작님은 특별한 존재였을 겁니다."

벨라는 가슴이 먹먹하여 아무 말도 할 수 없었다.

"자신과는 달리 태어나면서부터 단 한 점의 티끌도 없는 분이라 여겼어요. 출생부터가 완벽한 분이었죠. 언젠가 형이 창가에 서서 무언가를 열심히 보기에 그 시선이 향하는 곳을 바라보았더니 후작님이셨습니다."

아아…….

루카스는 창가에 서서 벨라를 바라보곤 했었다. 벨라는 그 모습이 떠올랐다.

"형이 그러더군요. 이보다 더 아름다운 생명체가 세상에 또 있겠느냐고요. 감히 건드리면 바스러질까 두려워서 차마 만져 보지도 못하겠다고 중얼거리더군요."

이안의 말에 벨라는 숨조차 쉴 수 없었다.

그래서 루카스는 내가 나를 비하하면 그토록 싫어했구나…….

"고맙습니다…… 형을 사랑해 주셔서. 비록 후작님의 마음을 받지는 못했지만, 마음을 주셨다는 자체로 기뻐했습니다. 그래서 형은 기꺼이 행복하게 죽었을 겁니다. 저는 그렇게 믿습니다."

다시는 울지 않겠다고 아무리 다짐해도 소용없는 모양이었다.

어느새 벨라의 두 뺨에는 눈물이 흐르고 있었다.

"형이 아는 한 후작님은 세상에서 가장 완벽하신 분이었거든요. 모든 것을 다 걸고 싶을 만큼."

바보…….

루카 정말 바보…….

세상에 아무런 행복한 기억이 없었으니까 내가 주는 사랑이라도 받고 가지 그랬어.

왜 자신은 그렇게 나에게 아낌없는 사랑을 퍼부어 주고는 본인은 아무 행복한 기억 없이 떠나간 거야?

벨라는 그를 생각하며 지그시 눈을 감았다. 눈을 감아도 눈물은 자꾸만 흘러내렸다.

"이런, 울려 드리려고 한 게 아닌데. 제가 괜한 이야기를 꺼내서 죄송합니다."

"……아니야. 오히려 고마워."

벨라는 이안이 준 손수건으로 눈물을 닦아 냈다.

더럽긴 누가 더러워…….

저도 모르게 입술을 꼭 깨물고 말았다.

나는 과거의 삶에서 인생 최고 밑바닥의 창부였어. 하지만 지금은 아니야.

루카, 당신도 마찬가지야.

당신 의지가 아니었던 일로 평생을 아파했으면 됐지 왜 그걸 자기 탓으로 돌려?

루카 당신은 정말 바보야…….

내가 당신을 행복하게 해 줄 시간을 주지 그랬어…….

그랬다면…….

그랬다면 나는…….

벨라는 심호흡을 하며 격해진 감정을 추슬렀다.

애써 눈물을 끊어 낸 후 차분하게 말했다.

"일단, 용의자들에게 가 보겠어. 아무리 황태자 전하께서 알아서 하신대도 답답해서 기다릴 수가 없어."

이안은 생각났다는 듯이 들고 있던 상자를 벨라에게 내밀었다.

"이걸 드리려고 왔는데 잠시 잊고 있었습니다. 이건 어찌하시겠습니까?"

아르티드가의 가보인 지팡이였다. 혼수 가져갈 때 함께 챙겨 갔는데 이안이 따로 챙겨 온 모양이었다.

벨라는 오랜만에 그 지팡이를 꺼내 보았다.

"가주의 방 열쇠처럼 이것도 열쇠고리에 달고 다니면 얼마나 좋을까."

가주의 상징이어서가 아니라, 선조의 손때가 묻은 물건이라 좋았다. 왠지 초대 가주의 목소리가 유쾌하게 다시 들려올 것 같아 힘이 절로 솟았다.

"작게 해서 들고 다니십시오."

이안의 말에 벨라는 피식 웃었다.

"이 긴 것을 무슨 수로 작게 해."

벨라가 그 말을 하는 동안 이안은 그것을 보란 듯이 작게 줄여 벨라에게 내밀었다.

벨라는 화들짝 놀라 이안의 손을 쳐다보았다.

"무슨 짓을 한 거야? 하나뿐인 가보라고! 부러뜨리면 어떻게 해!"

벨라의 말에 이안은 뭐 이런 걸 고민하냐는 듯한 표정으로 길게 해 보였다.

헙!

벨라의 눈이 커다래졌다.

"이건 무슨 마법이야?"

그러자 이안은 킥킥거렸다.

"마법이긴요. 손잡이 돌리니까 늘고 줄고 하는데."

"엇?"

놀라워하는 벨라에게 이안은 삐걱삐걱 소리 나게 지팡이 손잡이를 돌려 늘였다 줄였다 해 보였다.

"이안! 천재구나! 이걸 어떻게 알았어?"

벨라의 말에 이안은 큭큭거리며 웃고 말았다.

"천재는 무슨. 천재가 다 얼어 죽었습니까? 원래 마법사의 지팡이는 속임수가 중요한 거 아닙니까? 거리의 마법사도 지팡이 길이를 늘였다 줄이는 마술을 부리지 않습니까? 당연한 건데?"

"꺅!"

벨라는 신나 하며 작아진 지팡이를 받아 들었다.

"이제 보니 눈썰미 최고!"

벨라의 말에 이안은 어깨를 으쓱했다.

"이 정도쯤이야……."

벨라는 가주의 방 열쇠에 지팡이를 장식품처럼 달았다.

"그나저나 황실과 등져서 괜찮겠습니까? 그래도 클라라 황녀님의 방문이라도 받아들였어야 하는 거 아닙니까?"

이안의 걱정스러운 말투에 벨라는 피식 웃었다.

"황태자 전하일지라도 한 대 쥐어 팰 기세더니 걱정은 되었나 보네."

머쓱해진 이안에게 벨라는 별일 아니라는 투로 말했다.

"어차피 우리 집안은 황제의 질투를 피해 은둔하던 집안이야. 황태자 전하와 황녀께서 서운하다 하셔도 할 수 없어. 내가 싫다는데 누굴 보라 마라 해?"

"상대는 이 나라 최고 권력자 아닙니까?"

벨라는 코웃음을 쳤다.

"어차피 루카에게 조언을 구해서 앵무새처럼 따라 했을 뿐이야. 그걸 사랑이라고 할 수 있을까?"

"황태자 전하께선 그리 생각하지 않으시는 것 같던데 말입니다."

벨라가 정원을 걷기 시작하자 이안이 뒤따랐다.

"차라리 잘됐는지도 몰라. 황태자비가 되면 우리 가문의 유훈과는 반대로 좋든 싫든 정치에 휘말리게 되니까."

"황태자 전하를 제외하면 제국에 아가씨와 격이 맞을 만한 인물은 슈르트 공작가, 알레바인 공작가, 티프리스 후작가 정도인데, 아시잖습니까? 돌아가신 다비드 님께서 그 세 집안하고는 사이가 그리 좋지 않았다는 것."

이안의 말에 벨라는 일곱 살의 크리스마스 연회를 떠올렸다.

"그래서 형은 황태자 전하와의 혼인을 적극 추진했을 겁니다."

그날도 부모님은 그 세 가문의 사람들과 날카롭게 신경전을 벌였다. 어릴 때의 기억이라 그 내용은 기억나지 않았지만, 대신 가주의 방에 아버지가 남긴 책에서 전말을 알 수 있었다.

'대놓고 혼자 착한 척하지 말라는 거였지. 그러다 정계 진출할 속셈 아니냐고……. 명백한 견제 행동이었어.'

"나로선 정치에 나설 생각이 없으니 미워하든 말든 상관없어. 눈치를 볼 만한 이유도 없고."

벨라는 상관없다는 투로 대답했다.

"그래도…… 사람 일이란 게……."

이안의 말에 벨라는 놀리듯 웃어 보였다.

"와. 이안, 진짜 많이 변했다. 이안이 남의 눈치란 걸 보다니 신기한 일일세."

"상황이 그렇지 않습니까? 이젠 형도 없고……."

벨라는 한숨을 내쉬듯 이안의 말에 대답했다.

"마음대로 행동하고 싶으면 그에 상응하는 힘을 가지고 나서 그리해라…… 뭐 그런 뜻이야?"

벨라는 걷다 말고 뒤돌아섰다.

"이상한 힘이 새로 생겼잖아. 어딜 가든 귀신 나올 집으로 만드는 능력."

벨라의 말에 이안은 미간을 찡그렸다.

"사람 놀라게 하기밖에 더합니까? 딱히 별 쓸모는 없어 보이던데. 그래서 저는 더욱 걱정됩니다."

이안의 말에 벨라는 장난기가 슬며시 일었다.

땅에서 사람들이 튕겨져 나가 가볍게 엉덩방아를 찧게 만드는 그 능력은 억지로 눈물 흘리는 시늉을 할 때와 비슷한 노력이 필요했다.

지나간 삶에서 억지로 눈물 흘리는 것은 단골손님을 붙들고 꾀어내기 위해 익혀야만 했었다. 하지만 익히고 나니 아무 때나 쉽게 울 수 있었다. 살면서 가장 한 맺히고 힘들었던 순간을 떠올리면 된다.

벨라는 루카가 죽던 순간을 떠올렸다. 지금도 그가 죽던 순간을 떠올리면 몇 시간이고 울 수도 있었다.

"정말 이게 쓸모없어?"

벨라는 눈물을 흘리면서 그때 그 순간에 집중했다.

우르르릉.

예상 밖의 굉음과 함께 벨라시아 저택이 순간 공중으로 번쩍 떠올랐다.

"어헉!"

이안은 눈이 튀어나올 정도로 놀라서 외마디 비명을 질렀다. 당황한 것은 벨라 역시 마찬가지였다. 그녀의 집중력이 흐트러지자마자 공중에 떴던 벨라시아 저택이 제자리에 육중한 굉음을 내며 도로 가서 박혔다.

"끼아아아아아악!"

"아아악!"

브렌다와 네페라가 애써 정리했던 그릇장이 통째로 엎어져 깨지는 소리와 함께 온갖 요란한 소리가 나더니 저택 안에 있던 사람들이 지진이 난 줄 알고 밖으로 뛰쳐나왔다.

벨라와 이안은 얼빠진 표정으로 그 소동을 쳐다보았다.

"후…… 후작님, 지금 그것은……?"

이안은 너무 놀란 나머지 입가에 경련을 일으켰다.

"벨라!"

그 목소리에 벨라는 뒤를 돌아보았다. 언제 왔는지 칼리아스가 눈을 등잔만 하게 뜨고 입을 벌린 채 얼빠진 표정으로 쳐다보고 있었다.

인근이 술렁거렸고 사람들이 하나둘 밖으로 나와 구름 떼를 이뤘다. 심지어는 몇 블록 떨어진 저택에서도 벨라시아저택이 뿌리째 뽑혀 공중에 떴다가 대지에 다시 박히는 것을 목격한 상황이었다.

"아르티드 후작, 이런 엄청난 사람이었나?"

칼리아스는 반쯤 넋이 나간 표정으로 벨라를 위아래로 훑어보았다.

모든 사람의 시선이 자신에게 쏠리자 벨라는 부담스러웠다.

"나는 그대와 화해를 하고자 온 것이었는데 아무래도 황제폐하께 이 굉장한 능력을 보고하는 것이 먼저일 것 같군."

졸지에 유리 상자 안에 갇힌 원숭이 같은 꼴이 되어 버리고 말았다.

페로하트에서 이름난 학자라는 학자는 총동원되어 벨라의능력이 속임수인지 진짜로 가진 신비한 힘인지 연구했다.

"전하, 꼭 이렇게까지 하셔야겠습니까?"

벨라는 인상을 구긴 채 원망스러운 눈빛으로 칼리아스를쳐다보았다.

"나 역시 내 성스러운 불의 검을 학자들 앞에서 인증받아야만 했다. 모두 페로하트의 발전을 위한 일이니 조금만 참아라."

벨라는 칼리아스에게 억지로 팔이 붙들린 채 황제를 기다려야만 했다.

"아예 모두 벗고 신체적으로 다른 점이 있나 없나 확인까지 하라고 그러시죠?"

벨라는 비꼬듯 말했다. 순간 칼리아스의 손에서 불길이 확 일었다. 찰나의 순발력으로 팔에 화상을 입는 것을 모면한 그녀는 칼리아스에게 대놓고 투덜거렸다.

"그 과정도 거칠 것이다. 그래서 여성 학자들을 들여보내어 아르티드 후작을 조사하게 할……."

칼리아스는 뭐가 그리 부끄러운지 목덜미까지 빨개져서는 고개를 숙이고 벨라를 똑바로 보지 못했다. 그러면서도 위엄 있어 보이려고 목소리를 착 깔고 침착하게 말했다.

"아니다. 그것도 기분 나쁘군. 그것은 내가 책임지고 생략하게 만들겠다."

학자들은 쉴 새 없이 자신이 가져온 노트에 벨라를 보고 관찰한 내용을 적어 댔다. 어느 방향으로 고개를 돌려도 학자들이 벨라에게 질문하고 싶어 안달 난 눈빛으로 손을 번쩍 들고 있었다. 그들의 시선을 외면하며 벨라는 발끝만 쳐다보았다.

"이런 분위기 정말 싫어요."

울분을 삭이지 못하고 힘겨워하는 벨라와는 달리 학자들

은 열띤 토론을 벌이고 있었다.

"아무리 자료를 찾아봐도 아르티드가가 마력의 운용과 관계가 깊다는 기록은 있어도 초능력자라는 말은 없었네."

빅터가 두꺼운 책들을 마구 넘기며 이안에게 작은 목소리로 말했다.

"고대에는 마법과 염동력을 혼동하기는 했지만 그래도 아르티드가의 가주 리 엘 아르티드가 인간을 비롯한 사물을 마음대로 들었다 놨다 했다는 기록은 없어. 군대를 통째로 다른 장소로 이동시켰다는 것만 남아 있지."

"그럼 대체 이 해괴한 능력은 뭐랍니까?"

이안은 구경거리가 된 벨라를 먼발치에서 바라보다가 못마땅한지 벽을 주먹으로 한 대 치며 중얼거렸다.

"우리 후작님에게 대체 무슨 짓들이야……."

빅터는 별 도움이 안 되는 책들을 탁 덮어 버리며 벨라를 쳐다보았다.

"후작님께서는 정신계 마법까지 쓰시는 걸까?"

"뭐…… 뭐요? 정신계 마법……?"

이안이 빅터를 당혹스러운 표정으로 바라보았다.

"고대에 쓰였다는 마법의 종류 중 하나일세. 화염계, 빙계, 암흑계 이런 분류 중 하나로 정신계 마법이 있었다는 기록이 조금 남아 있지. 하지만 현대의 학자들은 그것을 초능력 내지는 염동력이라는 것으로 분류한다네."

"아, 뭐라 잡소리를 갖다 붙이든 저는 그런 것에 관심 없습니다. 그저 해괴한 현상이 발생했고 우리 후작님이 웃음거리가 되었다는 게 열 받습니다."

빅터의 말에 이안은 분하다는 듯 대답했다.

"물건 들었다 놨다 하는 게 뭐라고 이렇게 궁에 끌려와 억류되는 것이 싫을 뿐입니다. 왜 우리 후작님을 돌려보내 주지 않는 건데요!"

그때, 저 멀리서 한 학자가 손을 들고 벨라에게 질문했다.

"저희 앞에서 한 번 만 더 그 능력을 보여 주시겠습니까? 그 마법 지팡이란 것을 가지고 있을 때와 가지고 있지 않을 때의 차이점을 알고 싶습니다."

고개를 숙이고 대답하지 않는 벨라에게 칼리아스는 조용히 속삭였다.

"차라리 빨리 보여 주고 이곳에서 나가는 것이 어떻겠는가? 결론은 저들끼리 내라 하지."

지칠 대로 지친 벨라는 끈질긴 질문에 입술을 깨물고 지팡이가 없는 상태로 조용히 눈을 감았다.

우르릉.

굉음과 함께 페테르니타스 궁전이 지진이 난 듯 흔들렸다. 하지만 벨라가 눈을 뜨자 그 진동은 언제 그랬냐는 듯 사라졌다.

학자들은 이 놀라운 결과에 열광하기 시작했다.

"고대에 문헌만으로 존재하던 정신계 마법이 재현되다니!"

"아르티드가에서 이동 마법을 썼다고 하더니 후대에선 정신계 마법으로 바뀌어 발현되는 것인가? 분명 옛 서적에는 마법사의 후손은 조상의 속성을 그대로 타고난다고 하였는데!"

"한 번만 더 보여 주십시오! 아르티드 후작님!"

"이제 우리 페로하트에 사라졌던 옛 마법이 되살아나는 것인가?"

"이렇게 된다면 각각 슈르츠가, 알데바인가, 티프리스가에서도 조상의 능력을 발휘하는지 검증해 봐야 합니다!"

그 모습을 보며 빅터는 이안에게 조용히 말했다.

"아무래도, 후작님께 별로 좋은 상황이 아닌 듯하군. 이렇게 되어서는 집으로 고이 모시고 가긴 힘들 것 같아. 아까 황제 폐하의 표정 보았나? 일확천금이라도 얻은 모습 같았어."

"제가 봐도 쉽사리 놔줄 것 같지가 않습니다."

이안이 이를 으득 갈며 말했다.

사람들이 마치 서커스단의 묘기라도 구경하는 것처럼 환호했다. 그 모습에 벨라는 이제 더 이상 쥐어짤 힘도 없이 지치고 말았다.

"이제 지팡이를 손에 쥔 상태에서 능력을 발휘해 주십시오!"

몇 번이나 같은 말을 듣고도 묵묵부답인 채로 서 있던 벨라는 거듭된 재촉에 지금까지 참아 온 짜증을 왈칵 쏟아 냈다.

"이걸 보고 싶으신가요?"

벨라가 버럭 소리 지르자 순간 강렬한 힘에 의해 그 안에 있던 모든 물건이 공중으로 붕 떠서 천장에 부딪히고는 단숨에 박살이 났다. 책상이고 화병이고 가방과 만년필 모두가 흉기처럼 날카롭게 부서졌다.

사람들은 전혀 들어 올려지지 않은 채 오로지 사물만이 요란하게 부서졌을 뿐이었다.

일순간 모두 조용해졌다.

시대착오적인 갑옷을 입은 벨라는 멍한 눈으로 눈앞에 펼쳐진 평원을 바라보고 있었다. 학자들 앞에서 그녀의 능력을 시험당했던 것이 바로 얼마 전 같은데 그녀의 능력이 이따위 결과를 가져올지 꿈에도 상상하지 못했다.

그녀가 바라보고 있는 평원에 방독면을 쓴 병사들이 총을 들고 여유롭게 걸으며 널려 있는 적의 시체를 뒤집어 보며 확인 사살하고 있었다.

하늘엔 날아가는 새 한 마리 없었고, 페로하트군 이외에 살아 움직이는 것은 아무것도 없었다.

"난 협박에 못 이겨 마지못해 협조한 것뿐이야."

벨라는 변명하듯 중얼거렸다.

마치 누군가가 수면 마법을 걸어 놓은 것처럼 적진은 고요하다 못해 숨소리 하나 들려오지 않았다. 그리고 평화롭게 잠든 듯한 적들의 입가에는 부자연스러운 미소가 걸려 있어서 오히려 그 미소가 섬뜩해 보였다.

벨라는 두 손으로 머리를 감싸 쥐었다.

"이건 꿈이야……. 절대로 현실일 리가 없어……."

그녀의 능력에 가장 기뻐한 것은 황제였다.

'이 모든 것은 신께서 다시 우리 페로하트에 부흥을 안겨 주려 하심이다! 황태자와 황태자비는 모두 하늘이 우리를 위해 내려 준 존재로서 이들이 있는 한 우리는 전쟁에서 절대로 질 리가 없다!'

그가 그 말을 할 때 도망가든지 그랑블루 강에 뛰어들어 버리든지 해야 했다.

"내 의지가 아니었다고!"

벨라는 넋 나간 듯한 목소리로 말했다.

"내 화장품 공장은 칼리아스 전하의 미래를 위한 거였는데 그 미래가 이따위로 쓰일 줄은……."

페로하트 대 연합군의 전쟁이 이렇게 커질지 몰랐다. 국제 사회에서 고립된 페로하트는 조용히 쇠락한 게 아니라 설욕전에 사활을 걸어 버렸다.

그들은 그저 칼리아스가 전방에서 싸울 때 후방에서 땅을 뒤흔들어 적들이 도망가지 못하게 붙잡아 달라 했다.

전쟁에 자신이 사용되는 것이 내키지 않았으나 황제는 그녀의 고용인들을 인질로 삼고서 말했다.

'너는 칼리아스의 청혼을 받아들였을 때부터 황태자비가 된 것이나 다름없다. 주어진 운명을 거역하지 마라. 너의 사명은 페로하트의 부흥이다. 거부하면 반역이다.'

또 이렇게도 꼬드겼다.

'이 모든 전쟁의 결과물은 결국 너와 칼리아스가 가질 위대한 페로하트를 위한 것이다. 그러니 무의미한 저항은 하지 마라.'

제국을 위해 그녀의 힘을 사용할 것을 강요하던 황제가

덧붙였다.

'유모 이름이 낸시라고 했나? 당장 심장약을 며칠만 안 먹어도 큰일이 날 듯하던데 그런 사람들을 챙겨야 하지 않겠나? 아르티드가의 가주는 고용인들을 각별하게 아낀다던데 말이지.'

차라리, 황제가 그의 뜻을 거역하는 대가로 고용인들의 목을 하나씩 치는 꼴을 보더라도 끝까지 저항해야 했을까?

벨라의 눈에서 툭툭 눈물이 흘러내렸다.

기어코, 수도 브릭이 공습당한 것을 빌미로 페로하트 측이 반격을 시도했다. 그리고 벨라는 황제의 명령대로 후방에서 적진을 생각하며 땅이 흔들리고 건물이 공중에 솟게 했다. 그냥 그뿐인 줄 알았다.

페로하트군은 적진에 독가스를 투하했다. 그리고 그 독가스에 놀란 군인과 민간인이 대피하려던 사이 땅과 건물이 흔들려 아무도 도망치지 못했다. 그리고 그곳에 있던 모두는 독가스에 질식해 죽었다.

그 기묘한 미소를 띤 채 죽게 만든 독가스는 황제가 벨라로부터 빼앗은 화장품 공장에서 만든 거였다.

'웃으면서 잠자듯 죽었다. 그러니 고통은 그리 크지 않았을 것이다. 찌르고 베고 쏘는 것보다 얼마나 우아한 살육 방식인가?'

황제가 그리 대답했다.

벨라는 지옥의 현장을 보며 그저 멍하니 눈을 깜빡일 뿐이었다. 독가스는 군인만 골라 죽이지 않았다. 아이를 끌어안은 아버지의 시체가 벨라의 뇌리를 뒤흔들었다. 도망칠 수도 없었다. 인정사정없이 땅이 흔들리는데 누가 일어나서 도망칠 수 있었겠는가.

'대체 이 모든 것이 어디서부터 잘못된 걸까?'

눈을 떴다가 감았더니 난데없이 지옥에 떨어져 버린 것 같은 느낌에 벨라는 덜덜 떨었다.

격렬한 전투를 마치고 돌아온 칼리아스는 방독면을 벗어 던지며 벨라의 어깨를 툭툭 두들겼다.

"오늘도 수고했어."

벨라는 그의 손을 야멸차게 뿌리쳤다.

"내 몸에 손대지 말아요."

싸늘한 벨라의 반응에 칼리아스는 한숨을 쉬었다.

"거부할 수 없다면 이제 그만 받아들여."

벨라는 회한과 분노가 뒤섞인 싸늘한 눈빛으로 칼리아스를 쏘아보았다.

"절대로 그럴 일 없어요. 살인마."

벨라의 말에 칼리아스는 불쾌한 표정을 지었다.

"이 살육의 반절은 당신의 공로다. 잊지 말길 바란다."

애써 참았던 눈물이 터져 나와 벨라는 떨리는 손으로 얼굴을 감쌌다.

"제발 그만 저를 놔줘요. 더 이상 살육에 관여하고 싶지 않아."

벨라의 말에 칼리아스는 화가 치밀었으나 애써 참을성을 발휘했다.

"탓하려면 폐하를 탓해. 나를 탓하지 말고. 나도 좋아서 이러는 것은 아니니까. 차라리 그 능력을 물려준 조상을 탓해야 할 거다. 조상에게 따져라."

황태자의 말에 벨라는 대답하지 않고 흐느낄 뿐이었다.

"이 모든 것은 그대와 나의 미래에 있을 평화와 번영을 위한 것이다. 모르겠나?"

평화라는 단어에서 칼리아스는 어쩐지 모순된 감정을 느끼고는 하고 싶었던 말을 삼켰다. 그리고 서둘러 부관들과 함께 지나쳐 갔다.

벨라는 황제가 했던 말을 떠올렸다.

'그런 재능을 가지고 있으면서 썩힌다는 것은 말이 안 된다. 그리고 그 재능 또한 나, 왕 중의 왕 페로하트 제국의 황제 테오도르에게 주어진 자산 중 하나이다. 그러니 그 재능은 반드시 나와 페로하트를 위해 쓰여야만 한다.'

'제 재능이 어찌하여 폐하의 것입니까?'

벨라는 땅바닥에 마법 지팡이를 내던지며 화를 냈다.

테오도르 황제는 그럴 줄 알았다는 듯 벨라를 손가락으로 까딱거려 다가오라고 시켰다.

'자꾸 눈으로 보기 전까지는 확신할 수 없다 하여 고문서실에서 귀한 자료를 가지고 나왔다.'

황제의 눈짓에 따라 국립 페로하트 박물관 관장이 무언가를 소중히 받쳐 들고 다가왔다.

'이것이 저번에 말한 아르티드 초대 가주가 썼다는 친필 언약서이다.'

황제의 말에 허리를 숙이고 있던 박물관 관장이 벨라에게 건드리면 바스러질 듯한 오래된 문서를 조심히 보여 주며 입으로 읽어 내려갔다.

'나, 리 엘 아르티드는 페오스 황제께서 이루신 평화로운 세계에서 나고 자랄 아르티드의 후손들에게서 마력을 봉인하기로 맹세합니다.'

황제는 득의양양한 표정으로 말했다.

'마력을 봉인하기로 맹세했는데 아르티드 후작은 마력을 발휘하고 있다. 즉 맹세한 내용과 어긋난단 말이다.'

'그게 뭐 어떻다고요.'

벨라의 말에 황제는 웃으며 대답했다.

'이 땅에 왜 마법사가 사라진 줄 아는가?'

벨라는 어차피 그가 그녀의 대답을 들으려고 하는 것도 아니기에 침묵했다.

'마력을 쓰는 자를 하나둘 직접 없애 버리셨거든. 초대 황제께서.'

황제의 말에 벨라는 눈을 크게 떴다.

'뭐라고요?'

'말 그대로다. 초대 황제 페오스 님께서는 평화로운 세계에서 마력을 가진 존재는 잠재적인 모반의 가능성을 가졌다 하여 제거하셨다. 마법을 쓰던 자들은 알아서 인적 없는 숲에 들어가 저박히거나 후손에게 마법을 가르치지 않았다. 그러니 자연히 줄어들다가 아무도 마법을 쓸 수 없게 된 것이다.'

벨라는 황제만이 알던 내막을 듣고 충격받았다.

'마력을 가진 존재는 제거……?'

황제는 씩 웃어 보였다.

'그중에서도 리 엘 아르티드는 대마법사 또는 페로하트 역사상 전무후무한 마도사로 불리는 강한 자였다. 아무리 개국 공신이라 해도 언젠가는 숙청당할 것이 뻔한 자였지.'

황제는 고문서를 가리켰다.

'그는 대신 저 맹세의 글을 남기고 자신과 미래의 후손에게 더 이상 마법을 쓰지 못하게 하는 봉인 마법을 걸었다. 그리고 앞으로도 정치에는 참여하지 않겠다고 선언했지. 그래서 현명하게 숙청의 피바람을 피해 갔다.'

벨라는 놀란 눈을 그저 떴다가 감았다가 할 뿐이었다.

'그런데 아르티드 후작은 지금 마력을 발휘하고 있다. 즉 맹세가 깨어진 것이다. 본디 아르티드 가문이 살아남은 이유는 마력을 봉인해서인데 그 마력을 다시 쓰고 있으니 죽어 마땅하다. 하지만 지금은 평화로운 세계도 아니니 그대에게 마력의 사용을 허락하겠다. 하지만 그 마력은 오로지 이 나라를 지키는 데에만 쓰여야 한다.'

황제는 교활한 미소를 지었다.

기가 막혀서 웃음도 나오지 않았다. 초대 가주가 맹세했다는 언약서 그 어디에도 황제를 위해서 마법을 쓰란 구절은 없었다. 그런데 왜 그따위로 해석하는지 이해되지 않았다.

'반역자로 취급되어 죽을 텐가, 그 능력을 제국을 위해 영광스럽게 쓰는 길을 택할 것인가?'

컥!

흐느껴 울고 있던 벨라는 순간 강렬한 통증을 느끼며 가슴을 부여잡았다.

그녀의 입에서 피가 한 모금 토해져 나왔다.

뒤에서 지켜보고 있던 이안이 화들짝 놀라 달려왔다.

"군의관! 군의관을 불러 주십시오!"

이안의 외침에 사람들이 달려와 벨라를 부축해 막사로 데려갔다. 그러자 황실 기사단이 몰려와 벨라와 이안을 갈라 놓았다. 느긋하게 차나 한잔하며 전쟁을 관람하고 있던 황제가 그 모습을 보고 다가왔다.

"우리 후작님에게 무슨 이상이라도 생기기만 해 봐! 모조리 다 가만두지 않을 거다!"

이안은 벨라에게 달려가고 싶어서 몸부림을 쳤지만 겹겹이 가로막은 황실 기사단을 헤치고 지나갈 수가 없었다.

"피가 역류했습니다!"

벨라의 상태를 살펴보던 군의관 하나가 황제에게 말했다.

"이렇게 전쟁이 한창인데 툭하면 각혈이라니. 혹시 후작에게 결핵이라도 있는 건가?"

황제의 말에 군의관은 아니라는 대답을 했다.

"그럼 이유가 뭔가? 언제까지 불명인가? 연구를 해 봐야 할 것 아닌가? 우리 제국의 귀한 인재인데 소중히 모셔야 하지 않겠나?"

황제를 따라온 박물관 관장은 가져온 고문서를 정신없이 훑어보다가 황제에게 그 내용을 알렸다.

"아! 여기 관련 구절이 있습니다. 대서사시에 초심자가 마법을 쓰다 말고 피를 토하는 묘사가 있는데 대마법사의 경우는 그런 묘사가 없습니다. 아마도 마나 운용의 미숙으로 피를 토하는 것이 아닌가 합니다."

"그런 경우 어찌 치료하는가?"

"자세히는 알 수 없으나 이 서사시에 따르면 엘릭실을 마시고 그늘진 곳에서 이틀간 쉬었다고 되어 있습니다. 제대로 쉬지 않고 전장에 나간 자가 마력이 거꾸로 돌아 피를 대량으로 토하고 죽었다는 묘사 이후로는 문서가 소실되어 알 수 없습니다."

박물관 관장의 말에 황제는 눈썹을 찌푸렸다.

"그 엘릭실을 처방해 주어라. 그러면 되지 않느냐?"

"엘릭실의 조제법은 현세에 전해지지 않습니다. 워낙 고대의 자료라 현존하는 것이 드뭅니다."

박물관 관장의 말에 황제는 답답하다는 듯 그를 나무랐다.

"그럼 유적지라도 파서 새로운 자료를 찾아내라. 그것이 역사 학자라는 자네의 소임이다. 이 일대도 옛 페로하트의 영토 아니던가? 전쟁이 이렇게 쉬워진 판에 후작에게 조금이라도 이상이 생겨서는 안 된다. 고대 유적이 있을 만한 데는 다 파 보아라. 혹시 아는가? 그로 인해 영웅의 후손 중에서 누군가가 고대의 또 다른 능력을 사용할 수 있게 될지."

"폐하께서 일전에 말씀하신 대로 제국의 세 기둥을 비롯한 여러 가문 중에서 숨겨진 능력이 없나 하여 학자들이 열심히 조사하고 있습니다. 조금만 더 기다려 주십시오."

그 대답에 황제는 혀를 찼다.

"하필이면 이렇게 다급할 때 역류라니. 쯧쯧……. 하루빨리 완전히 각성해서 황태자를 도와 전장에서 활약해 줘야 하는데 말이지. 저렇게 나약해서야 쓰나."

차마 막사 안에 들어가 보지도 못하고 서성이다가 황제의 말을 들은 이안은 열 받아서 발을 굴렀으나 빅터가 고개를 저었다.

"자네가 나서면 후작님께서 더 힘들어질 수도 있네. 참게."

막사에서 나오던 박물관 관장이 빅터를 보더니 손짓했다.

"브롬웰 교수, 유적지 탐색하다 말고 왜 여기 와 있나? 빨리 제자리로 가게. 폐하께서 보시면 불똥이 튈걸세."

빅터는 난감한 표정으로 이안을 쳐다보다가 할 수 없이 박물관 관장을 따라갔다.

"더는 못하겠습니다!"

벨라는 어느 정도 정신을 차린 후 손수건으로 입가에 묻은 피를 닦으며 황제에게 저항했다.

"제 초대 가주께서 제 능력을 이렇게 사용하시는 것을 보면 결코 용서치 않으실 겁니다!"

벨라는 그 어떤 핑계를 대서라도 황제로부터 벗어나고 싶었다. 그러나 무슨 논리를 가져다 대든 황제는 대답이 한결같았다.

"잘만 하면 황태자비가 되어 이 나라가 네 것이 될 수도 있다. 모든 것을 네 손에 쥐어 주겠다는데 왜 더 욕심을 내지 않느냐? 이 모든 것은 신의 계시다. 너는 시대적 사명을 짊어지고 태어난 것이란 말이다. 그러니 못한단 소리는 그만하고 훈련에 매진하라."

황제는 고압적인 태도로 벨라에게 말했다. 그때 급한 걸음으로 다가온 전령이 황제에게 한쪽 무릎을 꿇으며 소식을 전했다.

"드라흐마에서 교전이 벌어졌습니다."

그 말에 황제는 벨라를 쳐다보았다.

"그만큼 쉬었으니 이제 출전할 수 있겠는가?"

"아뇨! 못합니다! 무리입니다!"

벨라의 저항에 마치 개미가 깨무는 것 같은 표정으로 쳐다보던 황제가 대답했다.

"그대가 저항할수록 애꿎은 아군이 죽네. 어차피 전쟁을 할 거면 속전속결로 빨리 끝내는 것이 피를 덜 흘리는 길이야. 그대의 불복종은 수많은 아군의 사상으로 이어지니 생명에 대한 책임감을 느낀다면 한시바삐 회복하고 전장에 임하도록."

벽에 대고 저항하는 듯한 무기력한 느낌에 벨라는 대답하기도 포기했다.

"하루. 딱 하루의 여유를 주겠다. 더 이상은 곤란하다. 그 사이 후작은 몸을 회복하고 후방 지원에 나서도록."

황제는 인심 쓴다는 듯 말하고는 막사를 떠났다. 안으로 들어오지 못하고 밖에서 발만 구르고 있던 이안이 안으로 들어와 벨라에게 다가왔다.

벨라는 이안을 바라보자 문득 루카스가 생각나서 마음이 아려 왔다.

"후작님, 괜찮으십니까?"

걱정스레 자신을 바라보는 이안의 모습이 루카스와 자연스레 겹쳐졌다. 다시 또 울컥 눈물이 흐르려는 것을 애써 참았다.

"이안, 죽음이 두려워."

이안이 벨라의 말에 안타까운 한숨을 내쉬었다.

"죽음의 무게가 두려워."

벨라는 눈빛을 흐렸다.

"시간을 괜히 돌이켰어. 삶을 다시 고쳐 살아 보고자 했던 내 수고가 모두 헛된 거였어. 괜한 사람들이 나 때문에 죽는 것이 두려워. 이 죄 없는 희생들을 내가 어떻게 감당하지? 차라리 루카스 대신 내가 죽었다면 이런 죽음의 행진은 없었을 텐데."

덜덜 떠는 벨라를 말없이 지켜보던 이안이 한숨 끝에 무겁게 입을 열었다.

"저는 후작님의 능력을 믿지 않았습니다. 죄송했습니다."

피 묻은 손수건을 쥔 벨라의 손을 이안이 굳게 잡았다.

"하지만 이젠 믿습니다. 보지 않고도 믿었던 형도 이젠 이해가 됩니다."

이안의 푸른 눈동자를 바라보는 벨라의 멍한 시선에 초점이 돌아오기 시작했다.

"하지만 말은 바로 합시다. 이게 어찌 후작님 때문에 초래된 죽음의 행진입니까? 누군가의 탐욕이 불러온 전쟁이지."

주변을 감시하던 병사들이 이안을 힐끔 쳐다보았다. 그러나 이안은 아랑곳하지 않고 말했다.

"라울린도 형도 후작님을 믿었기에 목숨을 걸었고 저 역시 여전히 후작님을 믿습니다. 후작님은 모든 일을 바로잡으실 분이란 것을 말입니다."

과연 그럴까 하는 생각에 벨라는 씁쓸한 미소를 지었다.

"후작님께서 가진 능력으로 모든 것을 되돌릴 수 있을 겁니다. 안 되면 또다시, 그래도 안 되면 다시 한번 더. 제가 아는 후작님은 그렇게 끈질기게 노력하실 분임을 압니다."

이안의 눈빛이 반짝였다.

"빅터 브롬웰 교수님의 말에 의하면 드라흐마가 신화 속에 나오는 최후의 대격전지 둘락 평원이라 합니다. 신화에 따르면 리 엘 아르티드가 군대를 한꺼번에 이동시켰다는 그곳이요."

이안은 주변을 슬쩍 둘러보았다.

"그리젤리 뒷산에서 발견했던 텔레포트 포인트의 흔적이 드라흐마 근처 협곡에 있다더군요."

병사들의 눈치가 심상찮아 보이자 이안은 입을 다물었다.

"후작님, 잘 생각해 보십시오."

이안은 자리를 떠나며 말했다.

"후작님은 우리 모두의 올슨입니다."

"젠장, 왜 상황이 이따위로 돌아가는 거야?"

상사의 말에 하사가 대답했다.

"황태자 내외께서 발휘하는 능력과 공격 패턴을 읽고 저들도 전술 전략을 새로이 짠 듯합니다."

드라흐마 앞에 펼쳐진 협곡을 사이에 두고 사방에 지뢰가 매설되어 있었다.

"방대한 지역에 어찌나 지뢰를 촘촘히 심어 놨는지 우리 군이 한 발짝도 나아갈 수가 없습니다."

게다가 적군은 비행기 공습으로 치고 빠지는 식으로 제국군의 빈 하늘을 적극적으로 이용하였다.

제아무리 칼리아스가 성스러운 불의 검을 극대화하여 싸운다고 해도 적진을 밟을 수가 없으니 정복은 불가능했다.

반대로 적군 역시 페로하트군 쪽으로 감히 얼씬도 하지 못한 채 폭탄만 쏘아 대고 독가스나 투척하는 지지부진한 교착 상태가 이어졌다.

하늘은 포탄이 뿜는 포화와 양측에서 쏘아 댄 독가스로 혼탁해졌고, 적군이 먹으라고 물마다 독을 풀어놓아 애먼 짐승들이 목을 축이려다 죽어 쌓인 시체로 강가는 썩어 들어갔다. 양측 모두 하루가 다르게 사상자 숫자만 기하급수적으로 늘어나고 있었다.

말을 타고 직접 나가서 검으로 베고 찔러야 진정한 전투이자 무사의 낭만이라며 울분을 토하는 귀족 사병들의 원성을 뒤로하고 벨라는 칼리아스의 막사를 찾아갔다.

불시에 찾아온 벨라를 보며 칼리아스는 당황하여 손수건을 감추었다.

언뜻 보기에도 그것은 각혈한 흔적을 닦은 거였다.

하아……!

"걱정하지 말라. 이것은 별것 아니다."

칼리아스가 애써 괜찮은 척하는 말에 벨라는 눈시울이 뜨거워졌다. 그 모습을 보며 칼리아스는 씁쓸한 미소를 지었다.

"늘 나를 잡아먹을 듯 노려보기만 하더니 웬일로 나를 위해 눈물을 흘려 주는 것인가? 어쨌든 나를 생각해 주니 감격스럽군."

"이러다가 죽고 말 거예요. 우리 둘 다."

벨라의 말에 칼리아스의 입가에서 그나마의 미소가 사라졌다.

"그 전에 이기면 돼."

"폐하와 똑같은 말씀을 하시는군요."

칼리아스는 굳은 표정으로 말했다.

"그대와 나는 마법이 사라진 시대에 자력으로 각성한 자, 어떻게 마력을 운용해야 할지 이끌어 줄 조력자가 없어서 시행착오를 겪는 것이 당연하다. 하지만 점차 마력 운용에 익숙해질 것이다. 그러면 괜찮아질 거야."

벨라는 그의 모습을 물끄러미 바라보다가 천천히 입술을 뗐다.

"신화 속에 저의 조상께서 하셨던 활약상을 아시죠?"

공격이 최선의 방어라 믿고 플란네르를 아예 멸망시키려고 하는 황제나 칼리아스에게는 그 어떤 말을 해도 소용없었다.

'저들이 납득할 만한 핑계를 대야 해.'

벨라는 눈빛을 반짝였다.

"리 엘 아르티드가 군대를 한꺼번에 이동시켰다 뭐 이런 것을 말하는가?"

칼리아스의 말에 벨라는 고개를 끄덕였다.

"네. 잠시 생각을 해 봤는데 조상께서 가능하신 일이면 저도 가능하지 않을까 하여 연습을 해 보고 싶은데 도와주지 않으시겠습니까?"

벨라의 말에 칼리아스가 희색을 띠었다.

"오! 적진 한복판에 우리의 군대를 이동시킨다! 그것참 좋은 생각이다!"

벨라는 입술을 살짝 깨물며 각오를 다졌다.

"그게…… 난감한 것이…… 고대의 지형과 지금의 지형은 꽤 큰 차이가 있어서……."

박물관 관장이 머리를 긁적이며 말했다.

"그러니까 뜸 들이지 말고 말하라."

칼리아스의 말에 관장이 바로 대답하지 못하고 망설이자 뒤에 서 있던 빅터가 대신 대답했다.

"오랜 풍화 작용과 침식 작용으로 인해 텔레포트 포인트의 지표석 일부가 절벽 중간에 걸려 있습니다."

"그 말은……."

칼리아스의 말에 빅터가 어두운 눈빛으로 고개를 숙였다.

"텔레포트 포인트의 본체인 마법진 자체는 협곡 아래 흐르는 계곡 속에 잠겨 있을 겁니다."

"우리 그 근처로 가 보아요. 가까이서 사람을 이동시키는 마법을 한번 시도해 보죠. 연습하다 보면 무언가 방법을 깨닫지 않겠어요?"

벨라의 말에 칼리아스는 탐탁지 않은 표정으로 마지못해 고개를 끄덕였다. 마법진 안으로 들어가야 한다는 사실을 칼리아스가 알 리 없었다.

협곡 아래로 내려가기 위해 일행이 절벽 위에서 아래로 가는 길로 접어들려는 순간이었다.

벨라는 온 힘을 다해 절벽 끝으로 달렸다. 주변에서 호위하던 기사들이 벨라의 돌발 행동에 놀라 그녀를 붙잡으려 하자 이안과 빅터가 그들을 필사적으로 막았다.

"뭐 하는 짓이냐!"

칼리아스가 버럭 소리 지르는 찰나 벨라는 이미 절벽에서 뛰어내렸다.

"벨라!"

칼리아스는 벨라가 떨어진 절벽 아래로 한발 늦게 손을 뻗었다.

벨라는 그랑블루 다리와는 차원이 다른 높이의 아찔한 절벽에서 떨어져 내리면서도 눈을 감지 않았다.

실패해서 죽어도 괜찮았다. 그래도 루카스를 만날 수 있을 테니까.

하지만, 신께서 한 번만 더 자비를 베풀어 주신다면, 살아 있는 루카스를 다시 만나고 싶었다.

몇 번이고 그녀를 위해 목숨을 바친 단 한 사람의 곁으로 돌아가기 위하여…….

텔레포트 할 때 필요하다는 좌표 따윈 몰랐다. 배운 적도 없고 알지도 못했다.

다만 가슴속에 아프게 맺혀 있는 그때의 기억, 마지막으로 루카스에게 고백했다가 대차게 거절당한 그날, 루카스가 거절의 뜻을 분명하게 밝힌다고 하여도 이번엔 상처받지 않을 자신이 있었다.

그냥…… 나는……

당신의 곁에 있고 싶어.

평생을 바라만 보게 되더라도 함께 있을 수는 있잖아.

나의 고백을 거절한 것은 당신의 의지일지라도, 당신의 곁에 있겠다고 결심하는 것은 나의 의지로 가능한 일이니까.

무서운 속도로 허공에서 떨어져 내렸다. 거칠게 휘몰아치는 협곡의 급류는 밑바닥이 보이지 않는 까만 어둠 속의 바다와는 또 다른 공포로 그녀의 심장을 조여 왔다.

풍덩.

상상할 수도 없을 만큼 높은 곳에서 떨어지며 수면에 부딪히는 충격은 이루 말할 수 없는 고통이었다.

루카,

다시 한 번만 더.

당신의 목소리를 듣고 싶어.

눈을 떴을 때 제일 먼저 보이는 것이 당신이었으면 좋겠어.

루카…….

당신이 그리워.

의식의 흐름이 누가 끊어 버린 것처럼 뚝 잘려 나갔다.

눈앞이 하얗다.

아찔했다.

몸을 가눌 수 없었다. 자신의 의지로 가능한 일이 아니었다.

귀가 먹먹하고 가슴이 묵직했다.

"커허억!"

호흡기가 물로 꽉 찬 모양이었다. 벨라는 그 숨 막히게 하는 액체를 고통스럽게 뱉어 냈다. 뜨겁고 녹슨 쇠 맛이 났다. 엄청난 양의 피가 입에서 쏟아졌다.

벨라는 거센 물살에 휘말린 나뭇잎 한 장처럼 요동치며 땅바닥에 머리를 부딪쳤다. 입에서는 쉴 새 없이 피가 흘러 내렸다.

타는 듯한 쓰라림이 식도를 경련하게 했다. 가슴을 움켜 쥐며 몸을 가누려고 애썼지만 가눌 수 없었다.

죽음의 고통은 왜 이렇게 끔찍한 것일까?

처음 그랑블루 다리에서 회귀했던 순간에도, 바닷물 속에 빠졌을 때도, 라울린을 살리겠다고 또 그랑블루 다리에 뛰어들었던 경우에도…….

고통은 빠짐없이 찾아와 그녀를 삶과 죽음의 경계에서 번쩍 들었다 났다 하였다.

"후작님!"

귀에 익은 목소리에 벨라는 저절로 눈이 번쩍 떠졌다.

틀림없이 루카스였다.

"피터 브라운 박사님을 모셔 와!"

루카스가 그녀에게 다가오고 있었다.

벨라는 온 힘을 다하여 벌떡 일어나 루카스를 향해 뛰었다. 힘이 풀린 다리에 갑자기 힘을 주자 발목이 균형을 잃었다. 당황한 루카스가 두 팔을 벌리기도 전에 벨라는 그의 품에 가서 안겼다.

"루카!"

루카스는 난데없는 그녀의 돌진에 뒤로 휘청하며 밀렸다.

"벨라 아가씨, 괜찮으십니까?"

놀란 그는 눈을 크게 뜨고 벨라를 쳐다보았다. 그의 허리를 단단히 끌어안은 벨라는 두 눈에 눈물이 가득 고인 채 환하게 활짝 웃었다. 이전에 이렇게 환하게 웃는 것을 본 적이 없을 정도로 그녀의 얼굴에서 반짝반짝 빛이 났다.

그와 눈이 마주친 벨라는 꿈이 아님을 확인하듯 그의 품에 얼굴을 비볐다.

"아가씨!"

그가 벨라를 밀어내려 하자 벨라는 더더욱 두 팔에 힘을 주어 그를 끌어안았다. 익숙한 그의 체취가 밀려왔다. 그녀의 눈시울이 서설로 뜨거워졌다. 그의 숨결이 가깝게 느껴져서 목이 메어 왔다.

"루카……."

벨라의 목소리가 울음에 섞여 떨렸다.

루카의 빳빳하게 다려진 와이셔츠에 벨라의 눈물이 배어 들었다.

"보고 싶었어……."

벨라는 더 이상 말을 잇지 못했다. 그저 그를 끌어안은 채 격렬하게 흐느낄 뿐이었다. 루카스는 그녀를 떼어 내려고 애쓰다가 그만 포기하고 한숨을 내쉬었다.

"전하께서 며칠 내로 청혼하러 오신다고 했습니다. 이런 모습을 보일 수는 없으니 안정이 최선입니다. 말씀은 나중에 하십시오."

벨라는 흐느껴 울면서도 믿을 수가 없었다.

"입가에 묻은 것은 혈흔입니까?"

벨라의 피를 보고 루카스는 당황한 표정을 지었다.

그의 심장 고동이 전해져 오는 걸 보니 분명 그는 살아 있었다. 따뜻한 온기를 지닌 채로 그녀에게 품을 내어 주는 것이 죽어서 만난 것은 아닐 거였다.

벨라는 울다 발개진 코끝을 들어 주변을 두리번거렸다.

자신이 입은 옷과 정원에 흐드러지게 핀 꽃과 루카스의 옷차림을 보니 분명 고백하고 차인 후 그로부터 멀리 뒤돌아 가고 있었던 순간이었다. 그 와중에 회귀하여 쓰러진 셈이었다.

울컥.

벨라는 그만 또 한 움큼의 피를 토해 내고 말았다.

"박사님! 빨리 오십시오!"

루카스가 손수건을 꺼내 벨라의 입을 닦아 주며 주치의

피터 브라운 박사를 서둘러 오게 하였다.

"원인 불명의 각혈이니 일단은 누워서 휴식을 취하면서 경과를 보시는 것이 좋겠습니다."

피터 브라운 박사의 말에 루카스는 고개를 돌려 벨라를 쳐다보았다.

벨라는 얌전히 침대에 누워 천장만 바라보고 있었다. 그에게 회귀의 기쁨을 온몸으로 표현하고 싶었으나 조금만 움직여도 다시 피를 울컥 토해 내 말도 할 수 없었다.

루카스는 내내 벨라의 곁에 머물며 눈빛만 보고도 그녀가 물을 원하는지, 베개를 세워 머리를 높이길 원하는지 알고 바로 그녀의 원하는 바를 들어주었다.

그런 그를 바라보는 벨라의 눈에서는 자꾸만 눈물이 흘러내렸다.

"울지 마십시오, 아가씨."

자신이 고백을 거절한 충격으로 벨라가 각혈하고 쓰러졌다고 생각했는지 그는 그간 거리감을 두던 것도 잊고 가까이서 그녀의 안정을 위해 최선을 다했다.

마치 꿈만 같았다.

루카스가 살아 있는 모습을 보는 것도, 그가 이불을 목 밑까지 끌어 올려 따뜻하게 배려해 주는 것도 그저 신기하기만 하고 감격스러웠다.

말을 하고 싶었다.

당신을 얼마나 그리워했는지, 다시 보기를 절실히 기대했다고 말하고 싶은데 할 수 없었다. 벨라가 말을 하려고 하면 그는 조용히 인상을 썼다.

그 모습을 보는 것조차 기뻐서 말할 듯 입을 벙긋거리기를 반복하였다. 루카스는 그마저도 벨라의 장난기가 발동한 것으로 알고 고개를 절레절레 저었으나 벨라는 그저 웃으면서 눈물 흘릴 뿐이었다.

"피터 브라운 박사님, 아가씨께서 자꾸 웃으면서 눈물 흘리십니다. 어디에 이상이 생긴 것은 아닙니까?"

루카스는 벨라의 반응이 이상하여 주치의에게 물었다.

"글쎄……. 나로서도 이해하기 힘든 현상이라서. 후작님께 무언가 심경의 변화라도 생긴 모양일세. 진정되고 나서 판단해 봅시다."

피터의 말을 들으며 벨라는 그저 속으로 혼자 웃을 뿐이었다.

* * *

"오늘은 이만 돌아가 보시는 것이 좋겠습니다. 아가씨께서 쾌차하시면 그때 다시 말씀드리겠습니다."

그의 만류에도 불구하고 칼리아스가 방 안으로 들어와 침대 곁에 놓인 의자에 걸터앉았다.

"아르티드 후작, 그렇게 아팠던 것이오?"

칼리아스의 손에는 버베나 꽃다발이 들려 있었다. 그는 그 꽃다발을 탁자 위에 올려놓았다.

"그대의 소원대로 버베나 꽃다발을 들고 청혼하러 왔는데 이렇게 되었을 줄이야……."

칼리아스는 벨라의 손을 잡았다. 벨라는 문득 그의 손길이 섬뜩하였다.

'이 청혼을 받아들여서는 안 돼.'

"오늘은 이만 쉬고 좋은 날 다시 와서 청혼하도록 하지. 그때까지 몸 잘 추스르기를."

칼리아스의 말에 벨라는 반사적으로 입을 열었다.

"아무리 생각해 봐도 저는 아닙니다."

칼리아스는 벨라의 말이 무슨 뜻인지 알아듣지 못했다.

"저보다 더 나은 여성을 황태자비로 삼으십시오. 저는 전하와 인연이 아닙니다."

비로소 칼리아스는 벨라가 하려는 말을 이해했다.

"그게 무슨 말인가?"

그의 눈빛이 날카로워졌다.

여기서 뭐라고 말해야 하는가? 말 한마디가 운명을 가를 텐데.

벨라는 자신에게 되물었다.

이제까지 좋은 연인인 척 굴다가 하루아침에 이별을 말하는 것도 어색했지만, 회귀 전에 몇 번이고 헤어지자 말해도 칼리아스가 놓아주지 않았던 것을 떠올렸다.

한 방에 떨어질 강력한 것이 필요했다.

병만큼 확실한 게 또 있을까?

"실은 저희 집안 내력에 치명적인 유전 결함이 있습니다."

벨라는 은밀하게 칼리아스의 귀에 속삭였다.

"저희 집안에 고자가 나올 확률이 높습니다."

죄송해요. 아버지. 선조님들.

그 말을 들은 칼리아스는 불쾌한 듯 인상을 팍 구겼다.

"고자? 그래도 완전 고자는 아닐 것이다. 자식이 한둘씩은 나오지 않던가? 엘프 혈통이 섞여서 그런 것이라 들었다. 알고 있던 바이니 괜찮다. 적게 낳아도 개의치 않겠다."

크흑. 딴엔 가장 강력한 한 방으로 준비한 것인데 뻔한 거짓말이라 소용이 없는 모양이었다. 벨라는 정신을 가다듬었다.

"게다가 원인 불명으로 각혈도 합니다. 건강해도 후사를 보기 힘든 마당에 이렇게 각혈까지 하다니 이제 저의 대에서 아르티드가는 끝날 모양입니다."

칼리아스는 벨라의 말에 당황했다. 뒤에서 보고 있던 부관 에클레르의 눈이 치켜 올라갔다.

"원인 불명의 각혈? 괜찮다. 유능한 어의의 치료를 받으면 괜찮아질지도 모른다."

칼리아스는 벨라를 다독였다. 아무래도 좀 더 강조해야 할 필요가 있었다.

"귀족 집안마다 특유의 유전병이 있다고는 합니다만 저희 집안 유전병은 특히나 특이합니다."

벨라는 순간 가주의 방에서 읽었던 한 구절이 떠올랐다. 알레바인 공작가가 제국의 세 기둥이라고 불리면서도 베일에 싸여 외부에 알려진 바가 많지 않다는 것은 유명했다.

특이하게도 스무 살이면 가주 직위를 물려받고 마흔 살이면 가주 자리에서 물러났다. 그리고 외부와의 모든 연락을 끊고 잠적해 버렸다.

벨라는 회심의 미소를 지었다.

"전하, 알레바인 공작가의 유전병을 아시죠?"

보아하니 황태자도 금시초문이라는 표정이었다.

"피를 탐닉하는 버릇요."

"뭐?"

벨라의 말에 칼리아스의 눈이 커졌다.

"피를 탐닉하다니, 그게 무슨 말인가?"

벨라는 회심의 미소를 지었다.

"이런, 전하께서 모르시다니. 알레바인 공작가에서 저를 가만히 두지 않을 겁니다. 비밀을 지켜 주실 수 있으신지요?"

칼리아스는 고개를 끄덕였다. 벨라는 일껏 뜸 들이며 말했다.

"알레바인 공작가의 초대 가주는 흡혈귀와의 혼혈이라서 네크로맨서 계열의 마법을 검과 함께 섞어 쓸 수 있었다죠. 그러다 보니 그의 후손들은 그 피의 저주를 받아 피에 끌린다고 합니다."

칼리아스는 눈을 크게 떴다.

"신화에 그렇게 적혀 있었던가? 알레바인 공작가에 흡혈귀의 피가 섞여 있었다고? 금시초문인데?"

벨라는 웃으며 대답했다.

"알레바인 공작가의 순혈 가주는 나이 마흔을 기점으로 흡혈귀의 본능이 되살아나는데 그때쯤이면 은퇴라는 핑계로 스스로 탑에 갇혀 외부와의 접촉을 차단하고 숨는다고 해요."

칼리아스는 벨라의 말에 별 농담을 다 듣겠다는 듯한 표정을 지었다.

"아르티드 후작, 아무리 우리가 괴상한 신화 속의 능력을 지녔다 해도 그 집안의 황당한 출신 성분까지 믿을 수는 없다. 농담도 이런 농담은 재미없다."

벨라는 고개를 저어 보였다.

"전하께서도 성스러운 불의 검을 뽑아 쓰신다는 것이 남들 보기에 황당무계한 속임수로 여겨지지 않습니까? 다른 사람은 몰라도 전하께서 믿지 못하면 안 되죠."

벨라의 말에 칼리아스는 머쓱한 표정을 지었다.

"알레바인 공작가는 공식 행사에도 참석하는 경우가 드뭅니다. 아시잖습니까?"

칼리아스는 따져 묻는 듯한 벨라에게 쩔쩔매어 대답해 주었다.

"그야…… 그건 성격이 특이한 것이지 유전병이라고 할 수는……."

"피를 못 마시면 죽는데도요?"

벨라의 말에 칼리아스의 미간이 일그러졌다.

"피를 마시지 못하면 죽는다고?"

"네. 양의 피든 말의 피든 어쨌거나 피를 마셔서 목숨을 연명해요. 그러니 마흔 살 이후로 피 마시는 광경을 보이지 않기 위해 은퇴하는 거죠."

"말도 안 돼, 어떻게 피를 마시면서 목숨을 연장한다는 것이냐? 제국의 사서에도 기록된 적이 없는 내용이다. 그럴 리가 없다."

칼리아스의 말에 벨라는 미소 지었다.

"믿고 안 믿고는 전하의 마음입니다. 다만 저는 공작가에 빗대 저희 집안의 유전병에 대해 말씀드리고자 합니다."

칼리아스는 연회 때 드물게 본 알레바인 공작을 떠올렸다. 그러고 보니 늙은 가주를 본 적이 없었다. 항상 알레바인 공작가의 가주는 젊었다.

혼란스러워하는 그의 표정을 보며 벨라는 운을 띄웠다.

"저희 집안엔 엘프의 피가 흘러서 늘 공기 좋은 시골에 틀어박혀 살지 않으면 수명이 확 줄어듭니다. 그 증거로 이렇게 각혈을 합니다."

벨라의 말에 칼리아스는 혼잣말처럼 중얼거렸다.

"이상하군. 나도 가끔 기침하다가 피가 묻어 나오는데 어의 말로는 이상이 없다고 하고……."

"큰일 났네요. 전하께서도 각혈을 하시다니 우리 둘 사이에서 나는 자손은 보나 마나 산꼭대기에서 살아야 할 만큼 체력이 저질이겠네요."

벨라는 울먹이는 연기를 펼쳤다.

"황태자 전하. 저는 황실의 대를 끊고 싶지 않습니다. 부디 황태자비만큼은 애를 풍풍 잘 낳을 수 있는 여인으로 고르소서."

벨라의 말에 칼리아스는 짜증을 벌컥 냈다.

"우리가 서로 사랑하는데 그깟 후손쯤이야 무슨 상관인가? 정 안되면 양자라도 들이면 되는 것을."

그러나 뒤에서 듣고 있던 부관 에클레르의 눈은 종지만큼 커다랗게 되었다.

황실에서 후사란 무척이나 중요한 일이었다. 여기서 양자를 들이느니 마느니 하는 것도 웃긴 일이었다.

벨라는 슬그머니 한 손으로 베개 밑에 숨겨 두었던 토마토 주스에 시뻘건 핫 소스를 더한 액체를 입에 한가득 머금었다.

자신이 생각하기에도 유치한 짓이었지만 그를 확실하게 방 밖으로 쫓아낼 수만 있다면 이보다 더 유치한 짓도 얼마든지 할 수 있었다.

"커헉!"

핫 소스 때문에 사레가 들려 더욱 실감 나게 헐떡거리며 붉은 액체를 입에서 발사할 수가 있었다.

"벨라! 괜찮나?"

당황한 칼리아스가 그 액체의 정체를 알아챌세라 벨라는 이불을 마구 구겨 숨기는 시늉을 했다.

"나가요!"

벨라는 그의 등을 마구 떠밀었다.

"이만 가 주세요! 콜록콜록! 이 비참한 모습을 그만 잊어 주세요! 저는 칼리아스 님께 걸맞은 황태자비가 될 수 없어요."

칼리아스는 나가지 않으려 했으나 아프다는 벨라의 괴력에 떠밀려 마지못해 밖으로 나가야 했다.

"아아! 내 남은 삶은 요양원에서 마칠 거야!"

칼리아스를 내보내자마자 벨라는 방문을 쾅 하고 닫았다. 그러고는 허리가 꼬부라지도록 억지 기침을 해 댔다.

"벨라!"

안타까운 칼리아스의 목소리가 들렸으나 벨라는 온 힘을 다해 문에 대고 기침 소리를 냈다.

"우리 다시는 만나지 말아요! 제발!"

황태자를 배웅하고 돌아온 루카스가 벨라에게 말했다.

"무슨 꿍꿍이가 있으신 겁니까?"

그의 눈썹이 굳게 치켜 올라간 것을 보니 꽤 화가 난 모양이었다.

"공들여 진행한 황태자 전하와의 만남이었습니다."

벨라의 부탁으로 토마토 주스를 가져온 장본인이었으니 중간에 나서서 토마토 주스의 정체를 탄로 나게 할 수도 있었다. 그러나 루카스는 일단 참고 기다렸다가 단둘이 남자 조용히 이야기를 꺼냈다.

벨라는 눈물을 글썽이며 루카스를 바라보았다. 루카스는 그녀가 상황을 모면하려고 또 장난을 친다고 생각했다. 그러나 그 눈물은 기쁨의 눈물이었다.

칼리아스의 청혼을 아예 막았어. 이제야 방해꾼은 사라졌다고. 두 번 다시 그의 청혼은 받지 않을 테야.

"지금 후작님께서는 황태자 전하께 커다란 실례를 하신 겁니다."

화를 내려던 루카스는 그녀의 눈빛을 보고는 할 말을 잊고 말았다. 벨라의 눈은 슬픔과 기쁨으로 복잡 미묘하게 얼룩져 빛나고 있었다.

각혈하며 쓰러지던 날처럼 그녀의 표정이 생생했다.

어느 누가 나를 저리 소중하게 쳐다봐 줄 수 있을까. 세상 어느 보석이 그렇게 빛날 수 있을까.

자신을 바라보는 그 진한 시선에 루카스는 당황하고 말았다.

"왜 그러십니까? 벨라 아가씨, 혹시 제가 무슨 실수라도?"

벨라는 고개를 저었다.

"아니에요. 루카. 그냥…… 너무 좋아서 그래요."

잠시 할 말을 잊은 루카스는 애써 시선을 피하며 창밖을 바라보는 척했다.

"아마도, 그때 제가 거절의 뜻을 내비쳐서 그러시는 것 같습니다만……."

무언가 망설이는 듯 숨을 길게 내쉰 그는 고개를 벨라에게 돌렸다.

"아가씨, 냉정하게 생각하십시오. 연인과 반려는 다릅니다. 기대하는 항목이 다르므로……."

루카스가 어렵게 운을 떼자마자 벨라는 그의 말허리를 자르며 입을 열었다.

"알아요. 루카스가 하려는 말이 무슨 뜻인지. 그리고 나 역시 억지로 나를 좋아해 달라고 말하려는 게 아니에요."

벨라의 눈에 눈물이 보석처럼 글썽거리며 빛났다.

"그냥 그 자리에 있어 줘요. 나도 이 자리에서 바라보고 있을 테니."

벨라의 입술이 떨렸다.

"당신에게 고백받지 않아도 좋아요. 당신과 함께 존재하는 이 시간, 이 공간이면 나는 더 바랄 것이 없어요."

"아가씨……."

루카스의 말에 벨라는 눈물 흘리면서도 미소를 잃지 않으려고 애썼다.

"그냥 이대로도 좋아요. 나는 나 자신을 스스로 지킬 것이고 늘 여기 있을 거예요. 당신의 희생을 당연하듯 받아들이지 않을 거니까요."

루카스는 갈색과 푸른색의 눈동자로 벨라를 멍하니 바라보았다.

"그러니 언젠가 내게 스스로 다가오고 싶어질 때까지 기다릴게요."

루카스는 정색하며 말했다.

"아가씨, 저의 뜻을 분명하게 말씀드렸습니다. 자꾸 이러시면 저는 집사를 그만둘 수밖에 없습니다."

벨라는 희미하게 웃으며 대답했다.

"집사 그만둬도 돼요. 그래도 나는 당신 곁에 있을 수 있어요. 같은 공간에 있을 수 없다면 그 옆에 가서 바라보면 돼요. 내가 당신의 의지를 존중하는 것처럼, 당신도 나의 의지를 꺾을 수는 없어요."

루카스는 긴 숨을 내쉬었다.

"아가씨, 쓸데없는 언쟁을 반복하고 싶지 않습니다. 저는 돌아가신 다비드 님을 대신하여……."

"아뇨, 당신은 그 무엇도 대신할 수 없어요."

벨라의 말에 루카스는 입을 다물고 그녀를 바라보았다.

"루카, 혼처를 알아봐 주는 것은 고맙지만, 나의 마음속은 단 한 사람으로 가득 차서 더는 들어올 공간이 없네요. 더 이상의 혼담은 진행하지 말아 줘요. 나는 이대로 아르티드 후작으로 남을 거예요."

루카스는 뭐라 벨라를 설득해야 할지 알 수 없어 시선을 다시 창밖으로 돌렸다. 차분히 생각하며 그녀에게 대답할 말을 찾는 듯했다.

벨라는 여전히 눈물 흘리며 웃었다.

"무언가를 주고받아야 한다고 생각하지 마요. 당신이 뭐라 하든 나는 당신과 즐거웠던 추억을 생각하며 살아갈 수 있어요. 당신이 그간 보여 준 사랑을 곱씹는 것만으로도 나는 행복해요."

"아가씨, 황태자 전하만큼은……."

루카스가 답답하다는 듯 말을 꺼내자 벨라가 바로 대답했다.

"바보."

당황한 그가 미간을 찡그린 채 굳은 표정으로 벨라를 바라보았다.

"루.카.바.보."

벨라는 그가 못 알아들었을세라 힘주어 말했다.

"당신의 소원이 내가 행복하게 살아가는 것이라면, 이미 그 소원은 이뤘어요. 당신과 함께하는 시간 동안 나는 행복하지 않았던 적이 없었어요. 아마 절대로 모를 거야. 다시 만나러 오기 위해 내가 무슨 각오를 했는지."

루카스는 혼란스러운 표정을 지으며 벨라의 입에서 나오는 말을 들었다.

"회귀……?"

벨라의 눈에서 참을 수 없는 눈물이 다시 흘러내렸다.

"루카, 당신이 나를 위해 폭탄을 감싸 안고 죽었다고요. 그리고 나는 당신을 다시 만나러 목숨 걸고 절벽에서 뛰어내렸고."

"절벽에서…… 뛰어…… 내렸다는 겁니까?"

이해하기 힘들다는 듯한 표정의 그에게 벨라는 떨리는 입술로 말했다.

"네. 당신을 만나겠다는 일념으로 다시 회귀했어요."

눈을 크게 뜨고 혼란스러워하는 그에게 벨라는 계속해 말했다.

"당신이 나를 위해 몇 번이고 다시 죽어도, 나는 목숨을 걸고 당신이 죽기 전으로 되돌아와 기어이 당신을 만날 거라고요. 그것이 질문에 대한 나의 진정한 대답이에요."

무슨 말을 해야 할지 모르는 루카스에게 벨라는 한 걸음

다가왔다.

"더 이상 나를 위해 죽지 말아요. 루카. 당신이 죽으면 나는 무슨 수를 써서라도 만나러 되돌아올 테니 어렵고 힘든 길은 이제 그만 걸어요. 그냥, 내 곁에 있기만 해도 행복한 존재라는 것만 알아줘요."

벨라의 보라색 눈동자가 찬란하게 빛났다.

"항상, 내 곁에 있어요."

시선이 흔들리는 루카스에게 벨라는 조용히 말했다.

"차라리 죽을 각오로 내게 와요, 루카."

벨라는 떨리는 입술로 말했다.

"사랑해요."

루카스는 혼란스러운 표정으로 우두커니 서 있었다. 그는 그녀의 고백에 대답을 하지 않았다. 아니, 하지 못했다. 이런 상황에서 뭐라고 말해야 할지 그의 사고회로가 멈춰 버린 듯했다.

한참 만에 그가 궁색한 대답처럼 한마디 했다.

"그…… 죽었다는 저는 지금의 제가 아니고 저는 그저……, 그러니까……."

"그러니까 바보라고요."

벨라의 눈이 흐드러진 봄의 꽃처럼 아련하게 빛났다. 그 눈이 너무나 아름다워서 루카스는 순간적으로 할 말도 잊고 마른침만 삼켰다.

츄읍.

재빨리 벨라는 그의 목을 끌어당겨 도둑 키스를 했다. 화들짝 놀란 그가 뒤로 물러서려 했으나 작정하고 한 키스에는 이미 한발 늦은 후였다.

벨라는 촉촉하게 빛나는 눈빛으로 말했다.

"변명하지 말아요. 루카가 늘 한결같은 사람인 것은 내가 이미 확인하고 돌아왔으니까 적당히 둘러대서 날 피하려고 하지 말아요. 어차피 나를 위해 바칠 목숨이면 지금 내게 줘요."

루카스의 두 뺨이 달아오른 것은 살아오며 처음 본 일이었다.

"저는 다비드 님과 약속을……."

"제 아버지께서 당신에게 제안한 것은 양자 자리였어요. 당신은 거절하고 대신 후견인을 택했죠. 실제 아빠가 원하셨던 것은 저와 약혼시키시는 거였죠. 만일 아버지께 무슨 일이 생기더라도 당신이라면 가문도 지키고 나를 아껴 줄 거란 것을 알고 계셨어요."

루카스의 눈이 커졌다.

"양자 자리를 제안하셨던 것은 맞지만 제게는 과분한 것이어서 감히 탐해서는 안 될 것이었습니다."

벨라는 고개를 저었다.

"아빠는 당신이 나를 바라보는 눈빛이 각별하다는 것을 이미 오래전부터 아셨어요. 그냥 해 본 말이 아니셨어요."

"아가씨, 제게 마음을 주신 것은 감사하지만 저는 역시나……."

벨라의 손가락이 그의 입술에 와닿았다.

"쉿."

벨라는 웃으며 말했다.

"이안에게 다 들었어요. 실은 루카도 나를 좋아했지만 자격이 없어서 받아들일 수 없다면서요? 그래도 감사했다고 말이죠?"

루카스가 이렇게 당황하는 것은 처음이었다. 벨라는 눈이 휘어지도록 미소를 지었다.

"루카, 당신은 시간을 몇 번이나 되돌린다 해도 한결같은 사람이에요. 그러니 이제 그만 내 사랑을 받아들여요."

"저는 이안에게 그런 말을 한 적이……."

벨라는 루카스를 흘겨보며 그의 와이셔츠를 잡아당겼다.

"증거 확인하러 가요. 내가 보여 줄 테니."

마침 황태자 일행을 배웅하고 돌아오는 이안과 빅터, 네페라가 눈에 띄었다.

"마침 잘 되었네! 여기 좀 봐요! 다들!"

벨라는 큰 소리로 고용인들을 불렀다. 그들의 시선이 모두 쏠렸을 때 벨라는 재빨리 루카스의 목덜미를 낚아채 불시에 키스했다.

"헉!"

특히나 이안의 눈이 튀어나올 듯 커졌다. 말 그대로 해명을 하려던 루카스는 벨라의 도둑 키스를 두 번째로 당하고 나자 머릿속이 하얗게 마비되었다.

다들 초유의 사태에 뭐라고 말을 하지 못하고 붕어처럼 입만 벙긋벙긋하는 가운데 벨라가 우렁찬 목소리로 외쳤다.

"저랑 루카스 사귑니다! 오늘부터 1일!"

"어헉!"

"맙소사!"

"저런 도둑놈을 봤나!"

사람들의 말에 미간을 팍 찡그린 루카스는 홍당무보다 더 붉은 얼굴로 귀까지 빨개진 채 한 손으로 얼굴을 가리고 고개를 숙였다.

이것은 루카스가 분노하여 뚜껑이 열리기 직전의 신호였다.

벨라는 그가 폭발하기 전에 큰 소리로 외치며 줄행랑을 쳤다.

"이러고도 책임 안 지면 루카는 짐승!"

"후작님!"

드디어 폭발한 루카스가 그녀를 붙잡으려 했으나 언제나 도망에는 도가 튼 그녀였다.

"깔깔깔!"

벨라는 마음껏 소리 내 웃으며 계단 난간을 짚고 미끄러지며 한 바퀴 뱅 돌아 도망쳤다.

"후작님! 뒷수습을 어찌하려고 이러십니까? 거기 서 보십시오!"

"루카는 서란다면 서겠어요?"

난데없는 소란에 벨라시아에 있던 고용인들 모두 고개를 내밀어 그 광경을 내다보았다. 심지어 카라까지 손뼉을 치며 둘의 추격전에 웃음을 터뜨렸다.

뛰다가 이안을 순간적으로 마주친 루카스는 이를 갈며 동생에게 속삭였다.

"이따가 보자. 각오해."

대답할 틈도 주지 않고 벨라를 쫓아가는 루카스의 뒷모습을 보며 이안은 영문을 모르겠다는 표정으로 어깨를 으쓱해 보였다.

　"내가 뭘?"

　분명 저택 밖으로 나간 흔적은 없는데 벨라의 흔적은 오리무중이었다.

　빨갛고 노란 꽃이 흐드러지게 핀 정원 근처를 배회하며 루카스는 어금니를 깨물었다. 숨이 턱 밑까지 찼다.

　벨라 역시 이 정도 도망 다녔으면 지칠 법도 한데 잡을 만하면 용케도 잘도 피해 숨었다. 두더지가 여러 군데의 땅굴에서 고개를 내밀듯 잡힐 듯 잡히지 않는 벨라 때문에 약이 올라 무릎에 손을 짚고 헉헉거렸다. 그런 루카스를 누군가가 뒤에서 와락 끌어안았다.

　"후작님!"

　분노에 가득 차 으르렁거리듯 뒤돌아보려는 루카스의 등을 벨라는 꼭 끌어안았다.

　"이대로 있어요. 루카."

　"제가 지금 가만히 있게 생겼습니……."

　"우리가 함께할 수 있는 시간은 짧아요."

　"아가씨께서 잘 모르셔서 하시는 말씀입니다. 사람들이 욕할 겁니다. 저는 비천한 출신에 고용인일 뿐입니다. 주인을 감히……."

　"심지어 당신이 짓지도 않은 아버지의 죄에 대한 책임까지 묻죠……."

"하아…… 잘 아시는 분께서……."

"날 믿어요, 루카. 나는 더 이상 그 모든 것들이 당신을 옭아매지 않게 해 주겠어요. 언제나 당신의 선택은 나였어요. 그래서 나의 선택도 오로지 당신이에요."

벨라는 그가 뒤돌아 뿌리칠까 봐 있는 힘껏 붙들었다.

"지금까지 당신이 있어서 행복했고 앞으로도 당신이 내 곁에 있어서 행복할 거예요. 루카, 우리 조금만 더 행복해지기로 해요."

루카스는 거칠어진 호흡을 진정시키느라 애썼다.

"우리가 함께할 수 있는 시간은 그리 길지 않아요. 루카, 사랑해요."

벨라는 다시 한번 그에게 고백했다. 허리를 감은 벨라의 손을 떼려던 루카스의 손이 어쩐지 떨리는 것 같았다.

"나의 사랑이 얼어붙은 당신의 가슴속에 박힌 거울 조각을 녹여 낼 수 있다면 나는 기꺼이 울겠어요."

벨라는 자신의 마음이 그에게 와닿기를 간절히 바랐다.

그때였다.

루카스의 허리를 끌어안은 벨라의 손등 위로 뜨거운 눈물이 한 방울 툭 하고 떨어져 내렸다.

"루카?"

착각이 아니라는 것을 증명하듯 벨라의 손등 위로 다시 눈물이 툭툭 떨어져 내렸다.

"감히…… 제가……."

그의 목소리는 어딘지 모르게 젖어 있었다. 벨라는 그의 허리를 더욱 꼬옥 끌어안았다.

"감히 제가 아가씨를 사랑해도 괜찮겠습니까?"

그가 깊은숨을 들이켜며 힘겹게 말했다.

"기꺼이. 나의 모든 사랑을 당신에게 주겠어요. 루카."

벨라의 말에 루카스는 천천히 뒤돌아보았다. 아직도 그의 눈가에는 눈물이 한 방울 맺혀 있었다.

"정말 후회하지 않으시겠습니까?"

벨라는 저도 모르게 눈물을 따라 흘리고 말았다. 하지만 환하게 미소 지었다.

"나는요, 당신을 붙잡지 못했던 것을 가장 후회해요. 몇 번이고 생을 돌이켜서라도 당신을 붙잡고 싶었어요."

벨라의 눈에서 자꾸만 눈물이 줄줄 흘러내렸다.

"고마워요. 나의 사랑을 받아 줘서."

그는 조용히 눈을 감았다. 그의 뺨을 따라 눈물이 또 한 방울 흘러내렸다.

"저야말로 감사합니다. 저를 사랑해 주셔서……."

루카스는 한쪽 무릎을 꿇으며 청혼하듯 벨라를 올려다보았다.

"영원히 당신을 사랑해도 되겠습니까?"

벨라는 웃으며 그의 손을 잡았다.

"그럼요. 그 영원을 반복한다 해도 나는 다시 당신을 사랑할 거예요."

18. 벌꿀과 독사과

18. 벌꿀과 독사과

"먼저 나와서 기다리고 있었군!"

경쾌한 목소리에 페오스는 뒤돌아보았다. 양 떼라도 몰다 온 듯한 차림새의 동료를 보고 그는 푸른 눈썹을 살짝 찌푸렸다.

"오늘은 늦지 않으려고 일찌감치 출발했는데도 먼저 도착하다니……."

해맑게 웃는 그 남자에게 페오스는 말했다.

"엄밀하게 말하자면 약속한 날짜는 어제였네. 리."

여전히 해맑기만 한 리는 그를 쳐다보며 말했다.

"응? 그럴 리가 없는데?"

페오스는 한숨을 푹 쉬었다. 그러고는 손에 들고 있던 책을 탁 소리 나게 덮었다.

"어제 종일 기다려도 오지 않길래 혹시 착각했나 싶어서 나와 있었지."

리는 검지로 턱 끝을 긁으며 눈을 데룩데룩 굴렸다.

"검은 황금의 날로부터 일주일 후라고 했는데 왜 어제라는 거지?"

짧게 깎은 푸른 머리를 말없이 문지르고 있던 페오스는 참다못해 말했다.

"이 친구야! 네가 온 방향을 생각해 봐! 이 땅 반대편에서 올 때 회귀선을 중심으로 하루가 달라지지 않나!"

"아!"

그제야 깨달았다는 듯 리가 말했다.

"그렇구나. 내가 온 방향에 해가 계속 떠 있었으니 하루가 그렇게 해서 날아갔겠구나! 역시 넌 참 꼼꼼해!"

여전히 그의 표정은 천진난만했다.

"후아. 미치겠다. 누가 널 대마법사라고 생각하겠나. 이렇게 날짜도 제대로 못 세면서 잘도 큰일을 벌여 대니……."

"데헷. 아직 사고는 나지 않았잖아. 운도 능력이라고."

"그러다 만에 하나 너의 사소한 착각으로 큰 문제가 터지면 어쩌려고 그러나? 걱정도 안 돼?"

리는 천진난만한 목소리로 말했다.

"네가 있잖아. 네가 잘 챙겨 주면 되지. 지금까지 그래 왔고."

"리!"

페오스는 골치 아프다는 듯 손으로 얼굴을 거푸 쓸어내리고는 금빛 눈동자를 번쩍이며 말했다.

"이제 나는 정식으로 황제에 추대될 것이다. 그렇게 되면 신경 써야 할 것도 많고 시시콜콜한 것까지 챙겨 줄 수 없다."

"그럼 큰일이네."

심각하다고 짓는 표정이 여전히 장난치는 것만 같은 리를 보며 페오스는 다시 한숨을 내쉬었다.

"물가에 애를 내놓은 것도 아니고. 어쩌자고 신께서는 이렇게 무책임한 놈에게 이런 커다란 능력을 주신 걸까?"

"헤헷. 너무 걱정하지 마. 항상 그래 왔듯이 결국엔 잘 풀릴 거야. 널 만나기 전에도 잘 살아왔는걸. 걱정하지 않아도 난 잘 지낼 테니까 나한테까지 신경 쓸 필요 없어."

리의 말에 페오스는 심각한 얼굴이 되었다.

"리, 좋은 뜻으로만 해석하지 말라고. 내가 황제가 되면 물의를 빚은 신하는 직접 내 손으로 처단해야 할지 모른다. 너라고 해서 예외는 아니다."

"하하하. 물의를 일으키지 않으면 되잖아. 무슨 걱정을 벌써……."

여전히 진지함이라곤 전혀 없는 리에게 페오스는 차가운 시선을 보냈다.

"어설프게 돌려 말해 봤자 네가 시간을 돌려 가며 파악하면 결국 알게 될 테니 솔직하게 말하지. 이제 앞으로 다가올 세상은 평화로울 것이다."

"그게 우리 모두의 염원이었잖아?"

리를 바라보는 페오스의 눈빛이 번쩍였다.

"난세에는 난세의 도가, 태평성대에는 태평성대의 도가 있다. 세상이 평화로워지면 더 이상 난세처럼 살아갈 수 없게 된다. 내 말뜻 이해하겠나?"

"평화로운 시대를 만들자고 같이 싸운 거잖아. 그리고 드디어 그 시대를 맞이하게 되었고. 그런데 뭐가 문제인데?"

리는 의아한 표정으로 페오스의 눈을 바라보았다.

"함께 싸웠던 너와 동료들의 공로는 그 무엇과도 견줄 수 없는 고귀한 것이었다. 너희에게 진 빚은 그 무엇으로도 갚을 수 없다는 것을 잘 안다."

뜸을 들이며 딴소리를 하는 페오스를 리는 멍하니 쳐다보았다.

"그런데 내가 황제가 되어 너희에게 그 공로에 따른 부귀영화를 주려 해도 가진 재화는 한정되어 있고 나눠진 양은 초라할 정도로 적을지도 모른다."

"언제는 대가를 바라고 싸웠나? 다들 그쯤은 이해해 줄 거야. 우린 콩 한 쪽도 감사하며 나눠 먹었던 사이 아니던가."

리의 말에 페오스의 눈썹이 짙은 그늘을 드리웠다.

"그야 네 생각일 뿐이고."

"내 생각일 뿐이라고?"

"그래. 너야 원체 욕심이 없는 인간이니 그렇다 쳐도 다른 녀석들은 그렇지 않을 거다. 전쟁도 끝났으니 슬슬 욕심이 생겨나고 권력 투쟁이 생길 것이고 적게 받았다고 생각한 자들은 내게 반기를 들 수도 있다."

그제야 리의 표정도 딱딱하게 굳어 갔다.

"그런 이야기를 내게 하는 이유가 뭔데?"

"네가 희생해 줘야겠다."

페오스의 말에 리의 눈이 커다래졌다.

"희생? 날 희생시켜서 뭘 하게?"

"너야말로 가장 위험한 존재라고."

페오스의 차가운 눈빛이 번쩍였다. 더 이상 장난만으로 넘길 수 없게 되자 리는 잠시 말이 없어졌다.

"너는 시간을 돌릴 수 있잖나."

"그래서 가장 큰 도움을 받은 것은 바로 너잖아. 페오스."

"만약 네가 딴 뜻을 품고 내가 황제가 되기 이전 순간으로 시간을 되돌리고 세상이 어떻게 돌아갈지 미리 알고서 대비책을 세워 버린다면?"

리의 시선이 그의 손 근처에 머물렀다.

"페오스, 내가 그럴 리 없다는 것은 네가 가장 잘 알지 않나. 나는 세상 따위 줘 봤자 아무 쓸모도 없어. 알다시피 난 복잡한 머리는 돌아가지도 않고 언제든 다 내버려 두고 홀쩍 떠나는 게 취미잖아?"

리의 변명에도 페오스의 표정은 변하지 않았다.

"사람 일이란 혹시 모르지."

"페오스, 내가 훗날을 미리 알고 조언해 주는 것이 신경 쓰였던 모양인데 네가 다스릴 미래에 대해 내다본 적 없어. 그러니 오늘 이런 이야기가 있으리란 것도 처음 겪어 보는 거고. 그건 내가……."

페오스는 오히려 더욱 눈썹을 찡그렸다.

"수많은 사람이 배신했다. 같이 겪어 보고도 널 온전히 믿으라는 것이냐?"

"아냐! 반드시 그렇지는 않았어. 상황에 따라 배신할 수밖에 없었던 사람도 있었고 그 상황을 변화시키면 다시 충직한 동료로 돌아왔잖아!"

"말 잘했군. 상황에 따라 배신할 수밖에 없는 경우도 있다고 말야. 다음번엔 네 차례가 아니리란 보장은 무엇으로 하지?"

그 말을 듣는 리의 눈이 커졌다.

"그러니 내 손에 순순히 죽어 줘."

페오스는 자신의 손으로부터 불의 검을 뽑으려고 했다.

"크악!"

순간 지상에 있던 바위들이 공중으로 솟아올랐다. 허공에 떠오른 페오스도 무언가의 강력한 힘으로 손목이 비틀려져 고통스러워했다.

"이렇게까진 하지 않으려고 했는데."

"이거 놔! 이 상태로 불의 검을 뽑다 말면 내 손이 타들어 간다. 제발!"

자신을 움켜쥐는 무언의 힘을 벗어나 보려고 페오스는 안간힘을 썼으나 꼼짝도 하지 못한 채 신의 권능으로 주어진 푸른 불꽃에 의해 손바닥이 타기 시작했다.

"페오스, 나를 그냥 내버려 둬. 결코 네게 위협이 되지 않을 테니."

"으으윽, 지금 이 자체가 위협이란 걸 모르나? 네가 얼마나 위험한 존재인지……!"

페오스는 고통스러워하면서도 힘겹게 말을 이어 갔다.

공중에 떠 있던 바위들이 바닥으로 우르르 떨어져 내렸

다. 그리고 페오스의 몸도 땅바닥에 풀썩 쓰러졌다.

리는 착잡한 표정으로 페오스를 바라보았다. 여전히 살의를 감추지 않은 그의 모습에 미간을 찌푸렸다.

"정말 나를 위한다면 이쯤에서 모든 것을 포기하고 순순히 죽어 달라고! 다시 난세가 돌아오길 바라나?"

페오스의 말에 리는 씁쓸한 미소를 지었다.

"꼭 그렇게 해야겠나? 나는 그저 물건을 공중에 붕 띄우거나 텔레포트 하는 보조 마법밖에 쓰지 못해. 공격술사도 아닌 내 존재가 왜 그리 위험하게 느껴지는 건데?"

"시간을 되돌리는 게 보통 일이냐고!"

페오스는 심하게 그을린 자신의 손바닥을 보며 고통스럽게 말했다.

"페오스, 텔레포트는 내 마나만 소모하지만 시간을 되돌리는 것은 나의 수명도 깎는다. 내가 무한으로 시간을 되돌릴 수 있었다면 모든 일을 손쉽게 겪어 보고 널 처음 만났던 순간으로 되돌아가 미래를 모조리 알려 주겠지. 하지만 난 그렇게 할 수도 없었고 그럴 생각도 없어."

리는 모든 것을 초월한 듯한 표정으로 담담하게 말했다.

"그저, 꼭 필요한 순간만 시간을 되돌렸을 뿐이야. 모두 널 위해서였어. 나 자신을 위해 시간을 돌린 적은 단 한 번도 없어."

리의 눈동자가 슬프게 보였다.

"지금은 후회가 돼. 나 자신을 위해 시간을 돌린다면 나는 널 만나기 이전으로 돌아가 널 만나지 않았을 거야. 그랬다면 이 모험을 함께할 이유도, 고생했을 필요도 없었겠지."

페오스의 눈썹이 일그러졌다.

"페오스. 실망이야. 보조술사인 내가 제거할 첫 번째 목표였다면 공격술사인 친구들은 두말할 나위가 없겠군. 시간을 되돌리지 못하게 나부터 죽이시겠다?"

리는 연민의 표정으로 페오스를 바라보았다.

"언제부터냐. 네가 이렇게 비뚤어져 버린 것이."

페오스는 강하게 부정하듯 몸을 일으켰다.

"내가 내 욕심만으로 황제가 되겠다는 것이냐? 너도 알다시피 나도 황제가 되기 위해 이 길에 나선 것이 아니야. 그저 환란이 지난 후에 이 평화를 지속하기 위해 악역을 자처하겠다는 것뿐이야. 나에게 모든 것을 걸겠다고 맹세하지 않았나! 그러니 이젠 그 목숨까지 내게 달라고!"

리는 헛헛한 웃음을 지었다.

"우리가 새로운 시대의 장애물이다?"

"너도 잘 알잖아! 과거의 무수한 영웅들은 평화를 얻자마자 변절했다. 나는 그 수순을 밟지 않겠다는 것이야! 지옥에 떨어져도 감당할 테니 이 모든 것을 정리하게 해 줘! 다시는 반복되게 하지 않을 테다!"

"숨죽이고 조용히 살면 안 되겠나? 공로 같은 거 전혀 인정받지 않아도 좋으니 그대로 내버려 두면 안 되겠어?"

리의 말에 페오스는 고개를 저었다.

"리, 네가 시간을 되돌릴 때마다 무슨 반동이 일어났는지를 기억해 봐! 너의 강한 염원이 파장을 일으켜 가장 그 사실을 몰라야 할 자가 각성해서 과거를 함께 기억해 버리지 않았나? 네가 우리를 위해 시간을 되돌린답시고 쓸데없이 각성해 버렸던 적들을 생각해 봐! 그래도 네가 위험한 존재가 아니라고?"

흥분한 그의 말에 리는 차분하게 대답했다.

"그야, 우주의 섭리가 시간의 오류를 바로잡는 방향으로 흘러가니까 그렇지. 나의 되돌린 시간으로 인해 가장 피해 볼 자에게 기억이 공유되는 것은 당연한 일이다. 그렇다고 해서 결과가 바로잡아지지 않았던 때는 없지 않나?"

리는 슬픈 눈빛으로 그를 바라보았다.

"기회는 상대에게도 주어지는 거야. 그렇게 주어진 기회를 항상 상대는 자신의 탐욕으로 인해 놓치지 않던가? 그래서 나를 위해 시간을 되돌린 적이 없어. 제발 날 믿어, 페오스."

리가 페오스를 향해 다가왔다. 페오스는 순간 불의 검을 꺼내 리를 베려 하였다.

"페오스, 지금이라도 시간을 되돌려 널 미리 없애 버릴까?"

"누가 그렇게 하도록 둘 줄 알고?"

"왜 내가 그렇게 못할 것 같아?"

"에잇!"

페오스의 공격 패턴은 누구보다도 더 잘 아는 리였다. 간발의 차로 그의 공격을 피했다. 일단 몸 밖으로 끄집어낸 불의 검을 막을 방법은 없었다.

"페오스, 모든 권리를 포기하고 떠나겠다."

"그 말을 믿을 줄 알고?"

페오스의 불의 검이 그의 손바닥을 벗어나 화살처럼 리를 겨누었다. 그것은 불화살처럼 리를 향해 맹렬히 날아왔다.

"내 마력, 봉인하면 되겠나?"

리의 말에도 여전히 페오스는 그를 죽이려 하였다.

"널 도와 공격술사들의 마력도 봉인시켜 주겠다."

그제야 페오스의 공격이 멈췄다. 쏘아진 성스러운 불의 검이 페오스의 의지에 따라 리의 몸을 관통하려던 순간 머리카락 한끝의 차이로 비껴 나갔다. 그를 스쳐 간 불의 검은 아스라한 아지랑이처럼 사라졌다.

"그러니까 죽이지는 마. 나든 공격술사든. 부탁이다."

한 남자가 분주한 사령관실에서 부하들에게 소리치고 있었다.

"독가스가 흘러나오는데 다들 그 자리에 가만히 있다가 죽었다고? 그게 말이 된다고 생각하나? 살고자 하는 본능도 없는 사람들이었나?"

티베리는 격하게 화를 냈다.

"네. 정말로 모두 그 자리에서 한 발짝도 움직이지 못하고 중독되어 죽었습니다."

부하는 긴장한 채 대답했다.

"그럼 냄새를 맡자마자 다 죽었다는 이야기인데 희석되어도 살상력이 지독한 화학 물질을 페로하트 측이 생산해 냈단 말인가? 비밀 공장이라도 만든 거였나?"

"아닙니다. 독가스 자체는 이미 우리도 알고 있던 물질이었습니다."

부하의 말에 티베리는 더욱더 화를 냈다.

"그런데 어떻게 소량만으로도 사람을 곧바로 죽인단 말인가?"

"사람들이 대피할 수 없게 묶어 두는 무언가가 있었다고 합니다."

그 말에 티베리의 눈썹이 치켜 올라갔다.

"자세히 말해 봐."

티베리의 재촉에 부하가 말했다.

"각하. 페로하트의 황태자에게 황당한 능력이 있다는 것을 잘 알고 계시지 않습니까?"

"놈이 불의 검인지 뭔지를 쓰는 것은 안다. 하지만 그놈에 대한 대책은 이미 세우지 않았나? 이제 실전에 투입할 차례 잖아? 인화성 기체를 놈이 투입된 곳에 방출하기로 말이야. 그건 왜?"

티베리의 눈빛이 날카롭게 빛났다.

"그에 못지않게 황태자비로 내정된 여자 또한 황당무계한 능력을 각성했다고 합니다."

"황태자비? 아르티드 후작 말하는 것인가? 그 여자가 무슨 능력을 각성했다는 건가?"

"땅을 흔들리게 하고 무거운 물체를 무중력 상태처럼 공중에 띄울 수 있다고 페로하트 출신 과학자가 말했습니다.

아마도 그 여자의 합동 공격일 거랍니다."

"미쳤군! 사람이 무슨 수로 땅을 흔들어? 지금 말이 되는 소리를 한다고 생각하나?"

"하지만 틀림없는 사실입니다. 페로하트 과학계의 핫이슈로, 그쪽에서는 모르는 이가 없다고 합니다. 포로로 잡은 병사의 증언도 일관되고요."

부하의 말에 티베리의 낯빛이 썩 좋지 못했다.

"벨라……. 끝까지 내 앞길에 걸림돌이 되는군. 이렇게 되면 페로하트 군대의 전진을 막을 방법을 따로 알아봐야 한다. 그 여자를 암살할 방법은 없나?"

"그게……. 아시다시피 아르티드가의 가신들이 제 주인을 위해서는 목숨도 휴짓조각처럼 내던지는 통에 근접할 수가 없습니다. 황태자조차 그들을 막지 못한다고 들었습니다."

"저격이라도 하면 되잖나? 꼭 근접해야만 죽일 수 있는 것은 아니다. 아니면 성능 좋은 폭탄으로 날려 버리면 된다. 우리 폭탄의 폭발력은 어느 정도까지 가능한가? 지뢰로 전차 따위는 우습게 날려 버릴 기술을 갖추지 않았나?"

"그래도 성능 좋은 비행기에서 조준해서 투하하는 것만으로는 모자랍니다. 폭탄이 적진을 향해 날아가며 방해물을 피할 수 있을 정도로 조종이 가능해야 합니다."

티베리는 굳은 표정으로 말했다.

"돈이 얼마가 들든 간에 그런 폭탄을 반드시 만들어라. 아무리 독가스를 써도 인도적인 도리란 것이 있다. 우리가 먼저 썼다고는 하나 페로하트 놈들처럼 민간인까지 무차별적으로 죽여 없앨 정도는 아니었다.”

부하들의 표정이 결연했다.

“자기 나라 국민 아니면 인간이 아니라 버러지쯤으로 취급하는 그놈들을 이대로 둘 수 없다. 어서 나의 지시를 전달하라!”

삐그덕.

티베리는 순간 고개를 앞으로 떨구다가 고개를 번쩍 들었다.

“호호홋.”

그 모습을 보며 릴리스 대공녀가 깔깔거리고 웃었다.

티베리는 주변을 두리번거렸다. 낮잠이라도 든 모양이었다. 그런데 머리가 멍하니 뭔가 이상한 기분이 들었다. 낮잠이라 하기엔 몇 년 정도 푹 자 버린 느낌이었다.

“많이 피곤했나 봐.”

릴리스 대공녀의 말에 티베리는 달력을 찾아보려고 고개를 돌렸다.

“제가 낮잠을 오랫동안 잤습니까?”

“아니, 한 5분쯤 잤을까?”

릴리스 대공녀는 장난 어린 눈빛으로 그를 바라보았다. 티베리는 입가를 쓰윽 손으로 문질러 보았다.

“후후. 침 흘리고 코도 골던걸?”

“죄송합니다. 릴리스 님. 추한 꼴을 보여서.”

그의 말에 릴리스는 고개를 저었다.

“장난이야 장난. 그대가 요즘 바쁘다는 것은 잘 알고 있어서 용서해 주겠어요. 다음번에 또 졸면 그땐 코를 꼬집어 줄 테니 각오해."

"실례지만 오늘이 며칠인지 알 수 있겠습니까?"

그의 말에 시중들던 시녀 하나가 재빨리 달력을 가리키며 말했다.

"오늘은 추수 감사제의 전야입니다."

티베리는 미간을 살짝 찌푸리며 입을 열었다.

"몇 년이지? 아무래도 올해 달력은 아닌 것 같은데."

릴리스가 그 말을 듣고는 깔깔거렸다.

"티베리. 잠이 덜 깬 거야? 저 달력은 당신이 내게 선물해 준 거잖아. 본인이 선물해 놓고도 잘 몰라?"

티베리는 고개를 갸웃거렸다. 아무래도 이질적이면서도 현실감이 느껴지지 않는 날이었다.

순간 시녀 하나가 릴리스가 즐겨 마시는 다과를 들고 오다가 카펫에 걸려 넘어지고 말았다.

"어머! 이걸 어째!"

시녀가 비명을 채 지르기도 전에 다과상은 릴리스에게 확 뿌려졌다. 릴리스의 눈빛이 이상하도록 번뜩거렸다.

시녀장과 시녀는 곧바로 함께 무릎을 꿇으며 외쳤다.

"오늘 처음 일을 시작한 신입이어서 그렇습니다. 용서해 주십시오! 대공녀님!"

대답 대신 릴리스는 탁자에서 무언가를 꺼내려 했다.

탁.

티베리는 재빨리 릴리스의 손목을 잡았다.

"이 손 놔! 어서!"

릴리스 대공녀가 눈에서 불꽃을 내뿜듯 눈을 번쩍이며 뭐든 다 씹어 버릴 듯이 말했다.

"그 권총 내려놓으십시오. 어차피 그 안에 총알은 들어 있지 않습니다."

"내가 알아서 할 테니까 상관하지 마!"

릴리스 대공녀의 말에 티베리는 조용히 고개를 저었다.

"저 시녀는 고위 관료의 딸입니다. 좋은 신랑감을 구별해 내고자 이름과 성을 숨기고 들어온 것이니 권총 손잡이로도 때리지 마십시오. 선천적인 뇌혈관 기형이 있어서 릴리스 대공녀님께서 머리를 한 대만 잘못 때리셔도 저 여자는 죽습니다."

티베리의 말에 릴리스 대공녀의 눈이 휘둥그레졌다. 그것은 오늘 처음 일을 시작한 초보 시녀도 마찬가지였다.

"뭐라?"

"시녀 직위를 박탈하는 것만으로도 충분히 벌이 됩니다. 그만하십시오."

티베리의 말은 이상할 정도로 차분했다.

초보 시녀의 눈동자가 요동쳤다.

"주…… 죽을죄를 지었습니다!"

시녀는 무릎을 얼른 꿇고 말했다.

"대공녀님께 숨긴다고 숨긴 것을 어떻게 다 아셨습니까? 심지어 저희 집안 내력이라 다른 가문에서는 아무도 모르는 질병까지요."

그 말에 릴리스 대공녀의 눈빛이 날카롭게 빛났다.

"티베리. 바른대로 말해. 나도 몰랐던 사실을 티베리는 어떻게 알고 있는 거지?"

티베리는 눈을 갸름하게 떴다.

"저도 잘 모르겠습니다. 단지 낮잠을 조금 잤을 뿐인데 꿈에서 본 많은 일이 모두 기억납니다."

벨라는 화장품 공장을 폐쇄한다는 문서에 도장을 꾹 찍었다.

"황금 알을 낳는 산업이었는데 정말 후회하지 않겠습니까?"

벨라의 공장에 있던 기계 설비는 몽땅 고철 덩어리로 짓뭉개져 있었다. 그 기계 설비를 쇳덩어리 무게로 달아 사 가는 고철 업자가 웬 떡이냐 싶어 침을 질질 흘리면서도 궁금한지 벨라의 눈치를 보다가 조심히 물었다.

벨라는 싱긋 웃었다.

"맘 바뀌기 전에 얼른 가져가요. 이젠 다른 사업으로 업종 변경할 생각이니까요."

고철 업자는 벨라가 딴소리할까 봐 얼른 서류를 챙겨 들고 도망치듯 나갔다.

"아쉽군요. 나름 후작님께서 열심히 하시던 사업이었는데."

옆에서 보좌관 리체가 말했다.

"아냐. 이런 건 없어져야 해. 이 공장은 어차피 황제에게 빼앗기게 되어 있고 화학 기술로 세상을 더 이롭게 할 것이 아니라 사람을 손쉽게 죽이는 물질들이 생산될 거야. 그걸 알고도 이대로 놔둘 수는 없지."

리체는 조용히 미소 지었다.

"후작님께서 보셨다는 미래가 어떤 것인지 감히 저는 모르겠지만, 사람들을 위한 길이라니 저도 더 이상 거론하지 않겠습니다."

"전문 경영인 하던 사람이 화장품 판매 사업 쪽을 가져갔으니 알아서 하겠지. 그냥 순수하게 화장품만 하려면 이런 거대한 규모의 설비는 필요 없었어. 팔았으니 이후는 신경 써 줄 필요 없잖아?"

"네."

잠시 벨라는 눈을 감았다.

전체가 잠들어 버렸던 국경의 마을, 요동치는 땅 위에서 아무도 도망치지 못한 채 독가스 속에 남겨진 기묘한 미소를 띤 시체들.

살아 있는 것은 오로지 페로하트군뿐이었으며, 새 한 마리, 곤충 한 마리 날지 못했던 그 죽음의 공간.

다시 떠올려도 온몸이 오싹해지는 풍경이었다.

그저 적은 죽이면 될 뿐이라는 자세로 싸우던 페로하트군이 떠올랐다.

안 돼.

그 짓을 반복하게 해서는 안 돼.

나의 공장도 그런 일에 쓰여서는 안 되고, 내 능력도 그런 일에 사용되어서는 안 돼.

벨라는 입술을 질끈 깨물었다.

절대로, 내 능력을 드러내지 않을 테야.

리체의 대답을 들으며 벨라는 생각났다는 듯 말했다.

"아, 맞다. 리체, 외할아버지 쪽 일은 많이 알아봤어?"

리체는 고개를 저었다.

"전혀요. 워낙 언급하는 것조차 역모죄로 몰릴 만한 사안이라 조사가 쉽지 않더군요."

"그때 플란네르의 그 서점 주인을 만나서 자세히 물어봤어야 했는데 아쉽다."

"이제는 전쟁 중이니 더더욱 그 사람을 찾기란 무리지요."

"또 무턱대고 플란네르로 잠입하실 생각이시라면 그만두십시오."

뒤에서 루카스의 목소리가 들렸다. 벨라와 리체는 뒤를 돌아보았다.

"서명이 누락된 문서가 몇 개 있어서 추가 확인차 가져왔습니다. 먼저 살펴봐 주십시오."

연인이 된 이후에도 행동 변화가 전혀 없는 그였다. 먼저 손잡지 않는 것도 마찬가지였다.

루카스는 벨라에게 정중하게 만년필과 서류를 내밀었다. 그것을 받아 들어 만년필 뚜껑을 뽁 하고 열던 벨라의 손에서 뚜껑이 미끄러져 튕겨 나갔다.

루카스가 그것을 잡으려 하였으나 간발의 차로 바닥으로 튀었다. 루카스가 허리를 굽혀 그것을 주우려 하자 벨라는 고개를 저었다.

"루카, 놔둬요."

만년필 뚜껑이 공중으로 둥실 떠올랐다. 벨라는 그것을 간단히 손에 낚아챘다. 그 모습에 루카스는 미간을 찡그렸다.

"후작님, 그 능력이 타인의 눈에 띄면 안 된다고 신신당부하신 것은 후작님 본인이십니다."

"알아요. 근데 지금은 우리만 있으니까."

벨라의 말에 루카스는 쌀쌀하게 대답했다.

"언제나 조심, 또 조심입……."

"쪽."

루카스의 와이셔츠 깃을 잡아당긴 벨라는 그의 입술에 가볍게 입맞춤을 했다.

"이 손 놔주시겠습니까?"

루카스는 그녀의 입맞춤에도 무표정한 얼굴로 말했다.

"루카 너무해. 연인끼리 이 정도도 못해?"

"못합니다."

그가 정색하며 대답하자마자 그의 목덜미를 와락 끌어당긴 벨라는 확 그의 입술을 덮쳤다.

"읍!"

그녀의 입술에선 방금 전에 먹은 사과 향이 달달하게 남아 있었다. 루카스는 잠시 숨을 멈췄다. 모든 시간이 잠시 정지하는 느낌이었다. 벨라는 정성을 다해 그와 키스한 후 느리게 입술을 떼며 나른한 눈으로 올려다보았다.

"이래도요?"

여전히 그는 무표정했다. 차가운 대리석과 입술 박치기를 한 느낌이어서 벨라는 고개를 휙 돌리며 토라진 시늉을 했다.

"무슨 연인이 이래?"

"저는 원래 이렇습니다."

딱딱한 그의 목소리에 벨라는 기분이 나빠졌다.

"싫으시면 지금이라도 다른 사람을 사귀십시오."

아무런 표정 변화 없이 말하는 그를 흘겨본 후, 벨라는 종이에 분풀이하듯 서명을 휘갈겼다.

"내가 이런 사람을 사랑한 죄지. 죄야."

그 모습을 보며 리체는 옆에서 쿡쿡 웃었다.

"오늘 일정이 아직 많이 남아 있는데 이만 이동하시지요, 후작님?"

리체의 말에 벨라는 에잇 소리를 내며 밖으로 휙 나갔다. 리체는 벨라를 뒤따라 나가려다 말고 '훗' 하고 웃으며 뒤를 한번 돌아보았다.

루카스는 그 상태로 얼어 있었다.

무표정한 게 아니라 심장 마비 직전임을 잘 아는 리체는 눈웃음을 지으며 걸음을 마저 옮겼다.

'정말 싫었으면 아마 먼저 한 발짝 피했겠지.'

여기서 아는 체하면 그야말로 루카스가 심장 마비로 쓰러질지도 모른다고 생각했다.

루카스는 잠시 서서 벨라가 입맞춤한 자신의 입술을 말없이 한번 쓸어 보았다. 아직도 그 입술의 촉감이 그대로 남아 있는 듯했다.

두근두근.

얼굴이 화끈거렸다.

'무슨 연인이 이래?'

방금 벨라가 언짢은 듯한 음성으로 말한 것이 귓가를 자꾸만 맴돌았다. 하지만 이럴 때 어떤 표정을 지어야 하는지 알 수 없었다.

사실은 설렜다고 말하면 왠지 자신의 표정이 음흉해 보일 것만 같았고. 키스해 주셔서 감사하다고 말하면 벨라가 어처구니없어할 것이 뻔했다.

제대로 된 키스를 언제 해 본 적이 있어야 뭐라 반응을 할 텐데 그녀의 어딜 쳐다봐야 할지도 모르겠고. 어색하고 당황스러운데 어쩐지 그 느낌이 싫지는 않았다.

제대로 된 연인은 어떻게 행동하는지 눈여겨본 적도 없었다.

'이러고도 남의 연애에는 잘도 조언을 해 줬군.'

겉보기에 무표정한 루카스는 화끈거리는 얼굴을 가라앉히려고 애썼다.

사랑은 그저 남들의 일이었는데 자신의 경우가 되니 말문이 막혔다.

라울린이 이 여자 저 여자 어깨에 걸치고 수작 부릴 때에 하던 행동을 본 게 그가 아는 연애질의 전부였다.

황태자에게는 벨라가 평소 좋아하는 것과 라울린의 행동을 참고해 조언했을 뿐이었다.

어쩐지 그 행동들은 라울린이니까 통했지 자신이 따라 했다가는 평생 묻어 버릴 흑역사가 될 것 같았다.

루카스는 잠시 천장을 바라보았다.

'다비드 님, 저는 대체 어찌해야 합니까?'

"루카스 뭐 해요! 빨리 따라오지 않고! 급한 서류였다면서요!"

저 멀리서 벨라의 목소리가 들려와 정신 차렸다. 문득 자신의 속마음이 들킨 것 같아 귓불까지 화끈하게 달아오르는 느낌이 들었다.

루카스는 혹시라도 그녀의 체취가 사라질까 두려워 손수건을 고이 펴 만년필을 정성 들여 감싼 후 품에 집어넣었다.

'연애를 잘 못 해서 실망하시면 안 되는데…….'

루카스는 겉보기에 여전히 무표정한 얼굴을 지은 채 성큼성큼 벨라의 뒤를 따랐다. 그가 다가오자마자 벨라는 그의 팔에 자신의 팔을 고리 걸고 어깨에 머리를 기댔다. 루카스는 순간 움찔했다.

벨라는 뽀로통한 얼굴로 그를 올려다보고는 자신이 기댔던 그의 어깨에 먼지를 털듯 툭툭 건드리며 말했다.

"에스코트 좀 해 줘요. 옆구리가 시리면 다 루카 책임이에요."

여전히 무표정한 그의 얼굴이 못마땅한 벨라는 미간을 찡그렸다.

"팔짱 좀 꼈다고 팔 닳지 않아요. 내 사랑을 받아들였으면 이 정도는 양보해 줘요. 안 잡아먹으니까."

루카스는 가타부타 아무런 말 없이 고개를 정면으로 돌리더니 그녀의 보폭에 맞추어 걷기 시작했다. 벨라는 그나마 그가 팔짱 낀 손을 풀지 않는 것만으로도 안도의 숨을 내쉬었다.

함께 걷는 내내 루카스는 아무 말이 없었다.

"다음 일정은 어디죠?"

벨라의 뒤에서 리체가 대답해 주었다.

"린다 고벨만의 그랜드 호텔 기공식에서 축사를 읽어 주실 차례입니다."

"아. 맞다."

벨라는 골치 아프다는 듯 이마를 한 번 톡 두들겼다.

"시간이 조금 지체되었습니다. 서두르셔야 합니다."

리체의 재촉에 벨라는 루카스를 살짝 쳐다보았다. 그저 팔만 내줬을 뿐 그는 멀찍이 떨어져 걷는 거나 마찬가지로 벨라와 닿지 않으려고 노력하고 있었다. 그 모습이 얄미워진 벨라는 루카스의 팔을 잡아당겼다.

"루카! 나 좀 봐요!"

루카스가 멈춰 서자마자 벨라는 그의 뺨에 쪽 하고 입 맞추고는 마차를 향해 뛰었다. 사람들 많은 한복판에서 뽀뽀를 당하자 루카스의 미간이 찡그려졌다. 그 모습에 리체는 참지 못하고 뒤에서 또 웃고 말았다.

루카스는 어이가 없다는 듯한 표정으로 마차에 올라 벨라의 옆자리에 앉았다. 마차 문이 닫히고 리체는 눈을 찡긋하더니 마부의 옆자리로 올라가 탔다.

당황하는 루카스 대신 벨라는 환하게 웃으며 리체에게 엄지를 척 내보였다.

참고 참았던 루카스의 인내심이 툭 끊어졌다.

"아가씨, 자꾸 이런 스킨십은 곤란합니다. 애들 장난도 아니고……."

그러자 루카스의 두 뺨에 벨라의 손이 와 닿았다. 루카스의 동공이 커졌다.

"우리 둘만 남았으니까 애들 장난은 그만하자고요."

벨라의 입술이 긴장한 루카스의 이마에 도장 찍듯 꾹 눌렸다.

"아가씨, 자꾸만……."

난처해하는 루카스에게 벨라는 두 눈을 반짝이며 말했다.

"그러니까 바보라고요. 루카는."

루카스의 눈이 자신에게 바짝 다가온 보랏빛 눈동자에 고정되었다.

"먼저 다가올 생각 따위 하지 않으니까, 베이비 키스라도 내가 먼저 하면서 긴장을 풀어 주려고 노력하는 거잖아요."

뻣뻣하게 굳은 그의 목덜미를 벨라가 부드럽게 쓸어내렸다.

"베이비 키스여도 좋아요. 그 상대가 루카 당신이니까."

벨라는 싱긋 웃었다.

당황한 루카스는 자신의 목덜미에 와 닿은 벨라의 손을 쥐고 조심스레 무릎으로 끌어내렸다.

"저는 이런 행동이 급작스럽습니다. 아직 마음의 준비가……."

"알아요. 누군가 가까이 다가오는 것도, 닿는 것도 싫어한다는 것. 그래서 루카가 좋아하는 것을 함께하려고 곰곰이 생각해 봤는데, 루카 당신은 따로 좋아하는 것이 없더라고요. 그래서 내 식대로 천천히 다가가려는 거예요."

루카스는 벨라의 손을 잠시 놓자 그 손이 자신의 허리로

와 닿는 것에 당황하여 다시 벨라의 손을 꼭 쥐었다.

"제가 좋아하는 것이 없다니 무슨 말씀이십니까?"

"루카가 좋아하는 것을 알아보려고 했는데 그런 게 하나도 없었어요."

"그럴 리가 없지 않습니까?"

"좋아하는 음식이 뭐예요?"

"……딱히 가리는 음식은 없습니다만."

"그럼 취미는 뭐예요?"

"……."

"좋아하는 음악은 어떤 풍이에요?"

"……."

"좋아하는 계절은? 좋아하는 날씨는? 아끼는 물건은?"

"……."

아무런 대답도 하지 못하는 루카스를 향해 벨라는 눈을 갸름하게 흘겼다.

"이봐, 이봐. 아무것도 없어. 이러니 내가 당신이 뭘 좋아하는지 파악하는 데 애먹지. 안 그래요?"

벨라는 자신의 손을 끌어당겨 루카스의 손 위에 다른 손을 얹어 그의 커다란 손을 감싸 쥐며 말했다.

"좋은 기억, 우리 함께 만들어 가요. 하나씩, 하나씩, 내가 주는 느낌을 거부하지 말고 받아들여 줘요. 여기서 우리는 지금 제대로 된 첫 키스를 하게 될 거니까 앞으로 이 마차를 탈 때마다 첫 키스를 기억해요."

벨라의 말에 루카스는 약간 눈썹을 찡그리며 대답했다.

"아가씨께서 제게 무수히 퍼부었던 입맞춤은 그럼 모두 연습이었습니까?"

"아직도 연애하려면 멀었네요, 루카. 마차에서 입맞춤은 이 마차에서의 첫 키스, 정원에서 입맞춤한 것은 정원에서 첫 키스. 베이드 거리에서 한 입맞춤은 베이드 거리에서의 첫 키스."

벨라의 말에 루카스의 눈썹이 움찔했다.

"연습 많이 해 봤으니까 이젠 첫 키스 잘할 수 있죠? 아직도 서투른 거 아니죠? 루카는 뭐든 다 잘하는 줄 알았는데 이제 보니까 키스는 영 아니네요?"

그 말에 루카스의 눈빛이 번쩍였다. 그 모습에 벨라는 눈이 가득 휘도록 함박웃음을 지었다.

"키스도 잘하는지 보여 줘요."

벨라는 그의 두 뺨을 손으로 감싸고 먼저 그의 입술에 자신의 입술을 포갰다. 그녀의 숨결은 따뜻했고 입술은 말랑했다.

몇 번이고 장난처럼 뽀뽀하고 도망가기를 반복한 그녀의 입술이 폭신하게 닿아 짓눌리는 것도 어느 정도 익숙한 느낌이 들었다.

장난처럼 다가와 놓고 벨라의 입술이 파르르 떨렸다. 그녀의 긴장이 생생하게 전해졌다.

루카스는 지그시 눈을 감으며 그녀를 끌어안았다. 그녀의 가느다란 허리가 그의 손에 착 감겼다.

벨라는 살짝 고개를 틀어 그의 키스를 받아들였다. 1초가

10초처럼 길게 느껴지는 순간이었다. 마치 달콤한 사탕을 입술에서 굴리듯 부드럽고 조심스러웠던 키스가 점점 더 농염하게 달아올랐다.

벨라의 손가락이 그의 머리카락 속을 파고들었고 루카스는 깨지기 쉬운 도자기 화병을 다루듯 조심스럽고도 진중한 입맞춤을 이어 갔다.

하아.

둘이 입술을 잠시 뗐었다가 막혔던 숨을 급히 몰아쉬었다. 그리고 다시 입술을 포개는 순간.

"어흠!"

도착지에 다다라서도 도통 마차에서 나오지 않는 두 남녀 때문에 리체는 살짝 마차 문을 잡아당겼다가 얼른 도로 닫았다. 그리고 그들이 알아서 밖으로 나올 때까지 기다렸다.

잠시 후 마차 문이 열리고, 여전히 무표정한 얼굴의 루카스가 먼저 내린 후 벨라의 손을 잡아 내리는 것을 정중히 도왔다. 그러나 루카스의 두 뺨에 깃든 홍조는 감출 수가 없어서 리체는 다시금 쿡쿡 웃고 말았다.

그랜드 호텔의 기공식을 마치고 돌아가려는데 누군가가 멀리서 벨라를 불렀다.

뒤돌아보자 그 상대는 칼리아스의 보좌관 에클레르였다.

벨라는 그를 보자마자 뻣뻣하게 굳었다.

칼리아스는 여전히 벨라에게 마주치고 싶지 않은 사람이었다. 그가 회귀 전에 보여 준 행동은 그녀에게 뼈아픈 실망감만을 남겼을 뿐이었다.

그가 그녀의 능력을 그렇게 사용할 줄 몰랐다. 황태자비를 그만두고 싶어서 얼마나 몸부림을 쳤는지 모른다. 하지만 끝끝내 칼리아스는 그녀를 놓아주지 않았다. 그녀가 한 사코 사람 죽이는 일에 관여하고 싶지 않다고 눈물로 매달려도 그의 대답은 한결같았다.

'이 모든 것은 너와 내가 맞이할 미래의 번영을 위한 거야.'

페로하트 국민 이외의 종족은 모두 말살시키는 한이 있어도 끝내는 제국의 힘 앞에 무릎 꿇리게 하려는 그의 속내를 치가 떨리게 보고 왔다. 이제는 에클레르만 보아도 어딘가에서 칼리아스가 지켜보고 있을까 봐 두려웠다.

긴장한 그녀를 보며 루카스는 조용히 벨라를 자신 쪽으로 끌어당겼다. 평소 연애 중인 걸 들켜 벨라의 평판을 떨어뜨릴까 노심초사한 마음에 한 발짝 뒤로 물러나 있던 것과는 대조적이었다.

루카스의 손이 등에 와 닿자 벨라는 저도 모르게 안도의 숨을 내쉬었다.

'그래. 그 무엇도 두려워하지 말자. 나는 아르티드가의 수장. 내가 물러서거나 두려워하면 루카를 비롯한 사람들을 지킬 수 없어.'

벨라는 비장한 각오로 에클레르를 바라보았다. 에클레르

는 천천히 다가오더니 루카스와 벨라를 번갈아 쳐다보며 곱지 않은 시선을 던졌다.

"거참, 감히 제국 최고의 신랑감인 황태자 전하를 걷어차고 사귄다는 상대가 일개 집사로군요. 창피해서 고개를 들고 다닐 수가 있나."

에클레르의 말에 루카스는 싸늘한 시선으로 그를 바라보았다.

"뭐가 창피하다는 거죠?"

벨라는 되려 코끝을 치켜들며 거만하게 그를 쏘아보았다.

"하필이면 사귀어도 평민에 미천한 과거를 가진 자니까요."

"말씀이 지나치시네요. 그런다고 좋은 혈통을 가진 사람이 모두 깨달음을 얻은 성자는 아니잖아요?"

벨라는 코웃음 쳤다.

"그리고 나를 위해 언제든 목숨을 내던질 각오가 되어 있는 사람이 왜 창피하죠? 오히려 이런 사람이야말로 최고의 신랑감 아닌가요?"

벨라는 오히려 뿌듯하다는 듯한 시선으로 루카스를 쳐다보았다.

"에클레르 당신은 황태자 전하를 위해 앞뒤도 가리지 않고 뛰어들 자신 있나요?"

말해 봐야 입만 아프다는 표정으로 에클레르는 고개를 저었다.

"하여튼 저는 황태자 전하의 전언을 전달하러 왔습니다. 어디 조용한 데로 이동하시죠."

미간을 찡그린 채 그를 따라가지 않는 벨라를 돌아보며 에클레르는 걸음을 독촉했다.

앞장서서 걷는 에클레르의 뒷모습을 보며 벨라는 긴장을 감출 수 없었다.

회귀 전의 삶.

첫 번째 회귀의 시간.

두 번째 회귀 후 현재.

벨라는 그 모두를 떠올리며 눈빛을 흐렸다.

황제가 조국와 민족을 위하여 희생하라며 그녀를 전장에 내몰았던 기억도 뼈에 사무치게 떠올랐다.

칼리아스도 그녀와 루카스가 연인이 되었다는 소문은 들었을 것이다. 여태 아무런 연락도 없다가 처음으로 은밀히 불러들인 것이어서 무슨 이야기를 하려는 건지 두렵기도 했다.

'과거처럼 날 붙잡아 황궁에 가두고 놓아주지 않으면 어쩌지?'

그녀의 어깨가 저도 모르게 떨려 왔다. 순간 크고 따뜻한 루카스의 손이 벨라를 가볍게 감싸 안았다. 마법처럼 긴장이 풀렸다.

그래. 루카스가 함께 있어.

루카와 함께라면 난 무엇이든 잘 해낼 수 있어.

그를 다시 죽지 않게 하기 위해서라도 벨라는 각오를 다졌다.

"루카, 언젠가 페테르니타스 궁전에 가게 되면 들러 보고 싶다 한 곳 기억나요?"

벨라는 자신의 어깨를 감싼 루카스의 손을 가만히 끌어당겨 쥐며 말했다.

"유적지 말씀입니까?"

벨라는 고개를 끄덕였다.

"돌아오는 길에 함께 구경하고 싶어요."

"네. 그리하겠습니다."

둘의 대화에 앞장서서 걷던 에클레르는 뒤를 힐끔 쳐다보았다. 둘의 대화가 황태자에 대한 것이 아니라 황궁에 다녀온 후의 데이트 내용이라 불쾌한 시선을 보냈다.

"아르티드 후작님은 우리 전하와 연인 관계였던 사실을 너무 쉽게 잊어버리셨나 봅니다?"

에클레르도 눈에 띄게 반감을 내비칠 정도인데 칼리아스의 기분은 그에 비할 수 없을 정도이리라. 벨라는 조용히 눈치를 보았다.

"아르티드 후작을 탓하려고 부르신 것은 아닙니다."

에클레르는 벨라가 지나치게 조용해지자 마지못해 한마디 했다.

"우리 전하는 그리 옹졸한 분이 아니십니다. 오히려 너무 대인배라 탈이지요. 감히 전하의 뒤통수를 친 자에게 이런 관대함을 베푸시다니!"

에클레르의 투덜거림에 벨라는 다시 눈을 내리깔았다.

루카스가 죽었던 첫 번째 회귀의 삶에서 이기기 위해서라면 무슨 짓이든 하는 페로하트와 플란네르의 모습을 적나라하게 보았다.

페로하트는 라울린이 죽은 그 전투에서 얻은 비행기를 본 뜬 비행기를 대량 생산했다. 그리고 플란네르를 이겨 보려고 애썼으나 조종사의 연습량이 부족해 하늘을 제대로 장악하지 못했다.

차선은 독가스였다.

브릭이 독가스 공격을 받았던 것을 보복하겠다며 오히려 독가스를 즐겨 쓰던 페로하트.

적국의 병사는 물론 민간인들까지 달아나지 못하게 벨라가 땅을 뒤흔드는 사이, 그녀의 공장에서 만든 독가스로 플란네르 연합군을 무자비하게 죽도록 만들었다.

플란네르 연합군은 그 무자비함에 격분해 결사 항전을 외쳤다.

양측에 타협 같은 것은 없었다. 상대방이 절대 악이고 자신들은 적을 처단하기 위해 본의 아니게 무기를 든 절대 선인 척했다.

시간이 흐를수록 전쟁의 양상은 원거리에서 서로를 타격하는 폭탄전으로 발전했다. 상대방이 죽을 때까지 참호에서 폭탄을 던지는 식이었다.

황제는 그저 제국의 자존심을 세울 생각밖에 없었고 그것을 비판해야 할 칼리아스는 고분고분히 황제의 뜻에 따라 살육을 자행했다.

기억을 곱씹은 벨라의 눈에 눈물이 차올랐다.

'예정된 미래를 바꾸기 위해 무엇을 해야 하는가?'

여전히 해답은 알 수 없었지만 벨라는 그와 잡은 손에 더욱 힘을 주었다.

'다시는 놓치지 말아요. 마주 잡은 두 손⋯⋯.'

'이런저런 핑계로 날 피하더니 집사와 밀회하기 위해서였어!'

칼리아스의 만년필 끝이 앞으로 나아가지 못했다. 종이를 구긴 그의 손이 부들부들 떨리는가 싶더니 곧 종이는 그의 손에서 한 줌의 재가 되어 사라졌다.

어떻게 자신에게 고백을 받고도 다른 남자, 그것도 그녀를 모시던 집사와 눈이 맞았는지 믿을 수 없었다.

루카스는 늘 벨라에게 깍듯하게 거리를 유지했고 심지어 그에게 연애 조언까지 해 주던 인물이 아니었던가. 설마하니 루카스가 탐심을 지니고 있을 줄은 믿기 어려웠다.

그저 충직한 줄만 알았던 자가 감히 황태자비가 될 벨라를 꼬여 내다니 배신감에 치가 떨렸다.

그는 황궁의 천장에 그려진 초대 황제의 웅장한 초상화를 올려다보았다. 실제 초대 황제가 저렇게 생겼는지는 잘 모르지만, 눈은 황금으로 돋을새김되어 있어 기괴한 느낌까지 풍겼다. 부정부패를 용서치 않겠다는 뜻으로 저렇게 험악한 표정으로 노려보는 모습으로 그려져 있다 하였다.

마물과 신령한 존재들이 인간과 뒤엉켜 살던 혼돈의 시대로부터 이 땅에 인간만이 번영하는 세상을 펼쳤다는 그는 거의 반쯤은 신이나 마찬가지로 숭배되고 있었다.

벨라에게서 자신은 황태자비로 적합하지 않다는 일방적인 이별 통보를 받고도 동요하지 않았던 것은 그것이 일시적인 감상이라 생각되어서였다.

'어찌 감히 황태자인 나를 차 버리고 일개 집사와 눈이 맞을 수가 있지?'

아무리 생각해 봐도 자신은 미천한 집사 따위와 비교될 만한 존재가 아니었다.

몇 번이고 다시 사람을 보내어 확인해 보았다. 그러나 그 것은 소문이 아니라 사실이었다.

'나에게 보냈던 애틋한 눈길은 본심을 숨기기 위한 위장이었나.'

그들의 연애에 들러리가 된 기분은 이루 말할 수 없이 더러웠다. 벨라가 감히 자신을 버렸다는 생각이 든 이후부터 그 무엇에도 집중하기 힘들었다.

화르륵.

'둘 다 죽여 버릴까?'

황제나 황후나 말 한마디에 사람을 죽이고 살리는 만큼, 그 역시 사람 죽이는 것이 손쉬웠다. 하지만 언제나 이성이 앞섰기에 삼갔다.

이성이 마비되어 버릴 것 같은 지금, 짐승과 인간의 차이를 가르는 것은 종잇장 하나의 차이였다.

'후우……'

창가에 서 있던 칼리아스의 눈에 에클레르가 그들을 데리고 오는 것이 보이자 간신히 잠재웠던 질투의 불꽃이 활활 타올랐다.

크아악!

칼리아스는 주먹을 꾹 눌러 쥐며 자신을 억제했다.

'나는 짐승이 아니다.'

천장에 그려진 초대 황제의 눈동자가 그를 탓하듯 매섭게 노려보는 상상을 하며 간신히 분노를 억눌렀다.

루카스와 리체가 밖으로 나가려 하자 칼리아스는 그들을 불렀다.

"가지 말고 함께 들어도 된다."

칼리아스의 어색한 미소에 화답해 벨라는 정중히 인사를 올렸다.

"제국의 빛나는 태양을 뵙습니다."

벨라는 그가 루카스를 해치기라도 할까 봐 마음이 조마조마했다. 다행히도 칼리아스의 시선은 벨라도 루카스도 아닌 리체를 향했다. 일부러라도 리체만 바라보는 것 같았다.

"내게 변명이라도 해야 할 사항이 있겠지만 그 해명 듣자고 부른 것은 아니니 순서대로 이야기하지."

칼리아스는 애써 표정을 관리하며 말했다.

"그런다고 벨라 당신을 용서한 것은 아니니 각오해."

칼리아스의 눈에서 형형한 불꽃이 튀는 듯했다.

벨라가 바짝 긴장하자 루카스가 나서려 했다.

"버틀러 경은 내게 한마디도 하지 말아라. 그랬다간 나를 기만하고 능멸한 죄를 물을지도 모른다."

부글부글 끓어오르는 분노를 가까스로 누르며 칼리아스

는 말했다.

"그대를 탓하기보다 더 중요한 문제가 있어 우선순위를 달리했을 뿐이다. 오늘은 손끝 하나 대지 않을 테니 긴장하지 말라."

그렇게 말하니 더 긴장되었다. 벨라는 입술이 바짝바짝 타는 듯했다.

칼리아스는 리체에게 말했다.

"롬바르트 백작, 그대의 외조부가 멸문지화를 당한 이유에 대해 알아보던 것은 어찌 되었나?"

"전하, 황송하옵게도 그것은……."

리체가 얼굴을 붉히며 아무 말 못 하자 칼리아스는 그럴 줄 알았다는 듯한 표정으로 말했다.

"어디까지 알고 있는가?"

"네?"

칼리아스의 속내를 알 수 없는 리체는 그저 어리둥절한 표정이었다.

"솔직히 말하라. 우리가 플란네르 라사비에 성채 근처에서 찾은 불법 인쇄소에서 본 내용 그 이상 아는 사실이 있는가 말이다."

칼리아스의 눈매가 날카로웠다.

"그게……."

리체가 말꼬리를 흐리자 칼리아스는 한쪽 입매를 틀어 올리며 말했다.

"더 알면 반역이었겠지. 황제 폐하께서 이 사실이 새어 나가는 것 자체를 원치 않으셨을 테니."

리체는 수긍하듯 고개를 살짝 숙였다.

"나는 그저 내 능력에 대해 더 알고 싶었을 뿐이었는데 황제께서는 엉뚱하게도 기밀문서가 있는 개인 서고를 내게 허락하셨다."

칼리아스의 입가가 실룩였다.

"성스러운 불의 검에 대해 알고 싶어서 황제의 개인 서고에 들어갔는데 우연히 우리가 불법 인쇄소에서 봤던 그 책자와 몇 가지 자료를 보았다. 결론부터 말하자면 우리가 봤던 내용은 사실이었다."

그의 말에 리체의 얼굴이 창백하게 질렸다.

"그…… 그건……!!"

벨라는 심각한 와중에 개미만 한 목소리로 루카스에게 물었다.

"그 인쇄소에서 봤던 내용이 뭐였죠?"

루카스는 한 번 보고 외워 버린 그 불법 서적의 내용을 나직하게 입밖에 내뱉었다.

"칼데이라 공국의 흑막, 보이지 않는 검은 손."

벨라는 눈을 크게 떴다. 그 말을 듣고서야 액시즈 레크룩스 공화국의 라사비에 성채가 있던 자리에서 이들과 함께 찾아보았던 불법 인쇄소의 기억이 떠올랐다.

"에른스트 엘 롬바르트 백작, 페로하트의 황후 비비안에게 씌워진 누명이 부당하다 주장하다 추방형에 처해졌다. 그럼에도 불구하고 그는 끊임없이 이 일에는 보이지 않는 검은 손이 개입했다고 주장하다가 국가 전복을 시도하는 불온한 사상을 지닌 자로 간주되어 사형되었다."

그날 사라진 몇 페이지의 문서를 더 찾겠다고 오두막을 뒤지다가 플란네르 측에 발각되어 티베리의 포로가 되고 말았었다.

루카스가 되뇌어 준 그 말에 그날이 눈앞에 다시 펼쳐지는 것만 같았다.

"그 내용이 사실이었다면, 황태자 전하의 모후이신 비비안 님도 억울하게 돌아가신 것이고, 리체의 집안도 억울하게 멸문지화를 입은 것이네요?"

"한 가지 더, 제피르는 모반을 일으켰던 것이 아니었다."

칼리아스의 말에 벨라의 눈이 커졌다.

"나의 품 안에 제피르가 어찌 되었는지 처음과 끝에 대한 기록이 있다. 아마도 공개되면 즉시 사회에 큰 파장을 일으킬 것이다."

칼리아스는 놀란 벨라의 표정을 보며 차갑게 말했다.

"그러나 나는 황태자다. 황제 폐하의 잘못된 정치적 판단이었다 하더라도 나는 내 발 찍는 격의 행동을 할 생각은 없다. 또한 그대들에게 이 내용이 새어 나가게 허락할 생각이 없다. 싫든 좋든 나는 그분의 뒤를 이어 이 혼란한 시대를 수습해야 한다."

벨라는 마른침을 꿀꺽 삼켰다.

"보여 주지도 않을 자료를 들고 오셔서 그런 말씀 하시는 이유가 무엇인가요?"

"궁금한가?"

칼리아스의 입매에 비틀린 미소가 떠올랐다.

"나도 마찬가지다. 황제 폐하께서 왜 내게 이것을 볼 수 있게 허락하셨는지 그 의도를 파악할 수 없다. 그래서 두렵다. 그리고 그 이야기를 그대들과 상의해야 하는 상황이 우스울 뿐이다."

칼리아스의 눈이 서늘하게 반짝였다.

"후…… 어디서부터 이야기를 해야 할까?"

칼리아스는 근처 의자에 털썩 앉더니 다리를 꼬고 한쪽 팔로는 턱을 괴었다.

"정말로 보지 않길 원하셨다면 그 자료를 폐기하셔도 되었고 내가 보지 못하게 숨겨 뒀어도 괜찮았다. 그런데 굳이 거기에 두셨다."

그는 한숨을 쉬며 미간을 찡그렸다.

"아바마마의 의도를 알 수 없어서 그대들을 부른 것이다. 대체 감춰야 할 사실을 내가 볼 수 있게 열어 놓으신 이유가 무엇일지 말이다."

벨라는 칼리아스가 자신을 부른 이유를 알게 되자 안도의 숨을 조그맣게 내쉬었다.

"그 기록 외에는 별다른 물증이 없어서 실제로 처벌할 수 있는 근거가 없어서일까요?"

벨라의 말에 칼리아스는 살짝 비웃는 투로 말했다.

"그걸 내가 몰라서 그대에게 묻겠나?"

"황태자 전하를 폐위하시려는 함정?"

벨라는 마른침을 삼키며 조심스레 말했다. 그러나 칼리아스는 여전히 아리송한 미소만을 지을 뿐이었다.

"왜 그렇게 생각하지?"

"그야, 진실을 안 후 격분하여 실수하시도록 일부러?"

이번엔 리체가 눈빛을 빛내며 말했다.

"비비안 폐황후 사건이 폐하의 탓이 아니라고 변명하고 싶으셨던 걸까요?"

칼리아스는 흥미롭다는 듯 눈웃음을 지었다.

"황제께서 거부권을 행사할 수도 있었지만 끝내 사형에 처하는 문서에 옥새를 찍으셨다. 결국 아바마마께서는 그 일을 막을 의지가 전혀 없으셨다. 그런데 그걸 그대로 보게 놔두셨다. 내가 복수의 칼날을 갈면 어쩌시려고?"

딱히 마음에 드는 답이 없는지 칼리아스는 말을 이어 갔다.

"아르티드 후작, 혹시 또 다른 꿈을 꾼 적은 없는가? 미래에 있을 일에 대한 것."

벨라는 칼리아스에게 어떤 것을 말하고 어떤 것을 모르는 척해야 할지 고민되었다. 있을 만한 질문에 대해 모범 답안 몇 개를 뽑아 놓긴 했어도 막상 말하려니 망설여졌다.

회귀 전 보고 온 칼리아스의 모습에 큰 실망감을 느꼈기 때문이었다.

그를 이대로 믿어야 하는지 아닌지도 확신이 들지 않았다.

"얼마 전 그대가 분명 시간이 앞당겨지고 있다고 말했다."

"네?"

"비행기는 시간이 지난 후에 발달한다고 하지 않았나? 플란네르 놈들은 단순한 비행기 원형이 아닌 복합적인 형태의 날개를 지닌 발전된 비행기를 선보였다. 그때 그대가 시간이 앞당겨진 것 같다고 말했다. 프로스트 영식 역시 꿈으로 미래를 내다보았을 테니 그럴지도 모른다 했지."

칼리아스는 초조한 얼굴로 말했다.

"통상적인 미래의 흐름을 예측하는 것만으로는 부족하다. 놈들이 한발 앞서기 전에 우리도 두 발, 세 발씩 앞질러 가야 한다."

'그래서, 당신의 선택은 또다시 적은 모조리 죽인다는 것이 될까요?'

벨라는 순간 고민에 빠졌다. 그런 벨라의 기색을 읽었는지 루카스가 먼저 입을 열었다.

"미래는 폭탄전이 될 거라고 하더군요. 참호전 양상으로 발전한 전쟁의 흐름을 이겨 내고자 하늘을 장악하여 적의 참호를 무력화시키는 방향으로 말입니다."

칼리아스의 눈썹이 확 찌푸려졌다.

"네놈에게 발언을 허락한 적 없다. 감히 나의 말을 거역하는가? 간신히 참고 있는 나를 자극하려는 것이냐?"

루카스는 정중히 고개를 숙여 사과의 뜻을 표하며 입을 다물었다. 하지만 벨라는 루카스가 말하고자 하는 바를 깨달았다. 정 내키지 않는다면 딱 거기까지만 말해 주라는 뜻이었다.

"혹시, 브릭이 플란네르의 비행선에 유린당하던 때 격추된 적군의 비행기에서 온전한 부분을 구하여 연구 중이신가요?"

벨라의 말에 칼리아스의 눈이 약간 커졌다.

"군 기밀인데 어찌 아는가?"

'놀라긴. 보고 왔으니까 알지요.'

루카스가 죽었던 첫 번째 회귀의 삶에서 이기기 위해서라면 무슨 짓을 다 하는 페로하트와 플란네르의 모습을 적나라하게 보았다.

페로하트는 적기를 본떠 만든 비행기를 대량 생산했다. 그리고 플란네르를 이겨 보려고 애썼으나 비행 조종사가 부족해 하늘을 제대로 장악할 능력을 갖추지는 못했다.

차선으로 독가스를 사용했다.

적국의 병사는 물론 민간인들까지 달아나지 못하게 벨라가 땅을 뒤흔드는 사이, 그녀의 공장에서 생산한 독가스를 플란네르 연합군 지역에 투하했다.

민간인까지 가리지 않고 죽게 만든 결과로 적국은 용서 없는 결사 항전을 외쳤다.

타협 같은 것은 없었다. 서로 상대방이 절대 악이고 자신들은 그들을 처단하기 위해 본의 아니게 무기를 든 절대 선인 척했다.

시간이 흐를수록 전쟁의 양상은 원거리에서 서로를 타격하는 폭탄전으로 발전했고 상대방이 죽을 때까지 숨어서 발사나 해 대는 식이었다.

황제는 그저 제국의 자존심을 세울 생각밖에 없었고 그것을 비판해야 할 칼리아스는 고분고분히 황제의 뜻에 따라 살육을 자행했다.

"앞으로 제공권과 해상권을 장악하는 것이 중요해질 거예요. 적의 발이 국토에 닿지 않아도 적은 충분히 우리를 공격할 수 있게 됩니다. 그리고 우리 역시 그 흐름으로 따라갈 것이고요."

벨라의 말에 칼리아스의 동공이 흔들렸다.

"그런 중요한 사항을 왜 내게 말하지 않았나?"

벨라는 난감한 표정으로 루카스를 힐끔 쳐다본 후 말했다.

"비교적…… 최근의 꿈이라 말씀드릴 겨를이 없었습니다."

"그다음 상황은 어찌 되던가?"

칼리아스가 물었다. 벨라는 다시 한번 루카스의 눈치를 보았다. 그러나 그의 표정은 벨라가 무슨 말을 해도 다 따르겠다는 듯 변함이 없었다.

"그러다가 지독하게 폭발력이 강한 폭탄에 의해 세상이 회복 불가능한 상태로 망가질 겁니다."

벨라는 자신이 잘못 워프해서 봐야 했던 겪지 말아야 할 미래에 대해 말했다.

칼리아스는 코웃음을 쳤다.

"회복 불가한 상태로 망가져? 아무리 산불이 나도 그 잿더미에서 나무는 다시 자란다. 회복 불가능이란 대체 무엇을 말하는 것인가? 인간은 그 어느 폐허에서도 다시 문화를 피워 냈다."

"바닥이 말라 버린 그랑블루 강과 가도 가도 끝없이 모래만 있는 세상을 보았습니다."

"세상에 그런 정신 나간 짓을 할 이가 어디 있는가? 아무리 놈들이 상식이 없다 하여도 그런 짓까지 한단 말인가?"

칼리아스의 말에 벨라는 난감한 미소를 지었다.

"꿈이 그랬다고요, 꿈이⋯⋯."

전하, 당신이 그 상식 없는 사람이었을지도 몰라요. 독가스를 인정사정없이 쓰게 만든 것은 당신이었다고요.

"하! 악몽이라도 꾸고서 그걸 계시라고 착각한 모양이군."

칼리아스는 말이 곱게 나가지 않는 자신을 깨닫고 잠시 헛기침을 했다.

아무리 최대한 냉정하게 상황을 판단하고 정치적인 협조를 구하려고 그녀를 불렀다지만 상대는 결혼까지 생각했던 사람이었다. 그런 그녀와 그녀의 새 연인을 보니 배알이 뒤틀려 오는 것을 참기 힘들었다.

칼리아스는 연거푸 깊은숨을 내쉬었다. 그리고 황제 개인 서고에서 본 건국 시조의 유훈을 떠올렸다.

[자신이 마지막 황제가 되리라 생각하는 자는 아르티드가의 계승자에게 도움을 요청하라. 그리고 스스로 황제의 관을 태워라.]

[이후 결과는 아르티드가의 계승자에게 맡겨라. 페로하트의 황가의 처음과 끝은 아르티드가에서 정하리라.]

건국 시조 페오스에 관한 사실은 너무 오래전 일이라 남은 것이 거의 없어 신화와 그가 남겼다는 유훈 정도만 알려져 있었다. 그런데 황제 개인 서고에 가니 시조의 유훈 원본이 있었다.

그리고 자신이 아는 유훈 내용 외에 저 구절이 있다는 사실을 알고 놀랐다.

당장 벨라에게 분노를 쉽사리 내보이지 못하는 것은 이 구절 때문이었다.

'대체 이것은 무슨 뜻이란 말인가?'

마치 저주를 내리는 듯한 이 말에 칼리아스는 미간을 찡그렸다. 아마도 이 구절 때문에 황제는 벨라를 황태자비로 맞이하는 것에 썩 좋지 않은 반응을 내비쳤던 모양이었다.

읽기에 따라 아르티드가와 친하게 지내는 황제는 마지막 황제가 될 수 있다는 예언으로 해석될 수 있었다.

황제만이 알아야 할 내용이었으므로 황태자 신분으로 감히 이것을 들여다본 지금, 마음 같아서는 벨라와 루카스를 요절내도 분이 풀리지 않을 것이나 신중해질 수밖에 없었다. 이 구절 때문에 더욱 복잡해지는 기분이 들었다.

황제는 지금이라도 플란네르 연합군을 단숨에 해치울 수 있을 줄만 알았다.

하지만 현실적으로 군을 통솔해야 하는 칼리아스에게는 그 한계가 명확히 보였다.

벨라가 꿈에서 겪어 보았다던 제국의 몰락, 그 상황이 당장 닥치지 않았더라도 칼리아스는 어쩐지 그것이 곧 다가올 현실처럼 느껴졌다. 제국의 세 기둥은 당장에라도 영토를 독립할 것처럼 싸우고, 귀족들은 여전히 옛 영광만을 기억하며 변화를 싫어했다.

칼리아스의 머릿속은 온통 혼란스러웠다.

그저 성스러운 검을 잘 쓰기 위해 훈련을 거듭하던 중 이유를 알 수 없는 각혈을 자주 보이게 되었다. 그 이유를 알기 위해 온갖 사료를 다 뒤져 보았지만 해결책을 찾을 수 없었다. 그가 보지 못한 자료라고는 박물관에서 보존 처리 중인 고문서나 황제 개인 서고의 자료뿐.

황제 개인 서고의 오래된 자료를 청했을 때 의외로 황제는 직접 들어가서 마음껏 보라며 허락해 주었다. 그리고 건국 시조의 숨겨진 유훈과 자신의 어머니에 대한 항목을 읽고 당황하였다.

찾고자 하는 자료는 찾지 못하고 엉뚱한 자료를 들고서 대혼란에 빠진 그는 지푸라기라도 잡는 심정으로 벨라를 불러야 했다.

그런데 벨라가 폭탄전이 일어나 회복 불가능할 정도로 세상이 망가진다고 말하니 온갖 짜증이 한꺼번에 밀려왔다.

칼리아스의 호흡이 격해졌다.

회복 불가능한 미래라…….

그가 알게 된 내용을 벨라에게 직접 보여 줄 생각은 없었다. 그러나 그 말에 잠자코 있을 수가 없었다.

그녀의 말은 항상 맞았으므로 무시하고 넘어가긴 힘들었다.

칼리아스는 품에서 필사본 두루마리 하나를 꺼내 에클레르에게 전했다. 에클레르로부터 필사본을 건네받은 리체가 그것을 읽어 내려가기 시작했다.

"목숨 아까운 줄을 알면 지금 이 자리에서만 알고 이후 입을 다물라. 나는 그대들에게 이것을 보여 준 적이 없다."

칼리아스는 벨라와 루카스를 쳐다보지 않았다. 그들을 바라보는 순간 또다시 억제하지 못하고 불길에 휩싸일 것이 뻔했다. 칼리아스는 감정을 다스리기 위해 다시 리체 쪽으로 시선을 돌렸다.

"그대들이 이 사실을 다른 누군가에게 전한다면 국가 반역죄에 연루될지도 모른다. 그저 나의 직권으로 진실을 확인만 하는 것인 줄을 알라."

필사본을 읽는 리체의 낯빛이 시시각각 창백해져 갔다. 칼리아스는 그 모습을 흥미롭다는 듯 바라보았다.

"이것은 버틀러 경부터 먼저 읽어 보셔야 할 것 같은데요."

읽다 만 두루마리를 루카스에게 내미는 리체의 손이 바르르 떨렸다.

근처에 있던 의자에 걸터앉은 칼리아스는 다리를 꼬고 거만한 자세로 앉으며 그럴 줄 알았다는 듯한 표정을 지었다.

"리체, 무슨 내용이길래?"

벨라가 묻자 리체는 조심스럽게 중얼거렸다.

"제피르가 반역을 일으킨 것으로 조작되었어."

벨라의 눈이 휘둥그레지자 칼리아스는 눈을 갸름하게 뜨며 말했다.

"묘한 타이밍에 주군이 죽는 바람에 누명을 쓰긴 했지만 액시즈 레크룩스의 멸망과 합병은 페로하트와 플란네르의 합작이더군."

"뭐라고요?"

"별거 아니야. 액시즈 레크룩스를 개혁하려고 했던 것은 제피르가 아니고 제피르가 섬기던 주군의 뜻이었지. 그저 제피르는 주군이 죽은 뒤 그 유지를 따르려 했던 거였고."

루카스는 별다른 표정 변화 없이 쭉 읽어 내려갔다.

"귀족과 평민이 모두 평등하다는 사상이 위험하다고 판단한 페로하트와 플란네르에서 짜고 그를 죽음으로 내몬 것이다. 그 바람에 나의 모후께서도, 롬바르트 백작도 연루되어 차례로 희생되었던 것이지."

칼리아스의 말에 벨라의 눈동자가 흔들렸다.

"왜요? 그 세 가지가 왜 연관이 있는 거죠?"

"나로서도 그 세 가지 사건을 함께 언급하며 돈, 돈 하는지 모르겠어. 아무래도 그때 쓰인 돈의 출처가 같다는 이야기인가 본데. 돈을 돌려줘야 한다고 말하다가 화를 입은 것은 세 사건이 같아."

칼리아스의 태연한 대답에 벨라는 당황했다.

"돈?"

칼리아스는 미간을 찡그린 채 말했다.

"그래. 돈."

리체가 조심스러운 표정으로 입을 열었다.

"액시즈 레크룩스가 본보기로 짓밟혔다는 설은 알고 있습니다. 그리고 플란네르가 액시즈 레크룩스의 뒤를 이어 페로하트의 영향을 벗어나려고 하니 다음 본보기로 삼아 없애 버리려고 한다는 설도요. 그런데 혹시 그 뒷배경에 같은 돈의 문제가 얽혀 있다고 보시는 건가요?"

리체가 마음에 드는 소리를 했는지 칼리아스는 미간을 풀며 고개를 끄덕였다.

"아무래도 내가 모르는 어떤 복잡한 금전 관계가 이 셋 사이에 얽혀 있는 듯하다. 아바마마께서 내가 이 사실을 알게 놔두신 이유를 짐작하겠는가?"

리체의 초록색 눈동자가 반짝였다.

"황제 폐하의 일에 황태자 전하께서도 동참하라?"

칼리아스는 착잡한 표정으로 팔을 바꿔 턱을 짚었다.

"온갖 실정에도 이 나라가 용케 망하지 않고 버텨 왔더군."

칼리아스는 한숨을 다시 내쉬었다.

"황제의 개인 서고를 들여다본 것을 후회한다. 아바마마 뿐만 아니라 그 선대에 이르기까지 국가가 부도날 정도로 빚을 가져다 썼어. 나의 모후께서는 그 사실을 알고 있었어. 그래서 자꾸만 국가의 채무를 털어 버릴 것을 종용하셨지. 그리고 아바마마의 눈 밖에 났던 거 같다."

뜻밖의 사실에 괴로워했을 황태자의 모습에 벨라의 눈이 저도 모르게 글썽여졌다.

"핑계는 온갖 것을 가져다 붙여도 된다. 그리고 바른말 한 죄로 나의 외가는 박살이 났지. 그런데 이상한 것은 그것과 같은 예로 액시즈 레크룩스를 언급했다는 것이다. 액시즈 레크룩스도 무언가 빚과 연관이 있었다. 그리고 롬바르트 백작은 그 진실을 떠들어 대다가 추방도 모자라 사형을 당했고."

칼리아스는 심각한 얼굴로 말했다.

"자세한 전말은 모른다. 그리고 어느 돈인지 언급도 제대로 되어 있지 않다. 그러니 남아 있는 물증도 없고 내용도 두루뭉술해서 증거로 삼을 수 없다. 하지만 분명 내가 모르는 연결 고리가 있다."

"황제 폐하께 직접 여쭤보면 안 되나요?"

벨라의 말에 칼리아스는 시무룩한 표정이 되었다.

"이미 여쭤봤지. 황제가 되어야 알려 준다고 하시더군. 그게 아니라면 몰라도 된다고 기억에서 지우라셨어."

그의 말에 벨라와 리체는 뭐라 대답해야 할지 몰라 침묵하며 서로 눈치만 보았다.

"아무 대답이라도 해 보아라! 어서!"

초조해진 칼리아스의 말에 루카스가 대답했다.

"그 일은 아직도 진행 중이고 그 일에 전하께서 동조하여 최종적으로 마무리해 달라는 무언의 압박 같습니다. 동참하면 황제 자리를 물려주고, 동참하지 않으면 폐위하겠다는……."

"지금 내가 아군으로 믿을 만한 자가 여전히 그대들뿐이어서 어쩔 수 없이 알려 주는 것뿐이다!"

루카스를 면전에 두고 치솟는 분노를 간신히 참고 있었는데 루카스가 입을 열자 그만 화를 멈출 수 없었다.

"감히 나를 두고 둘이서 짜고 농락한 것은 당장 엄벌에 처해야 마땅하지만 때가 때이니만큼 나중으로 미뤄……."

참고 싶었지만 온전히 참을 수는 없었다. 꺼내지 않으려고 하다가 막상 꺼내자 참아 두었던 분노가 그만 확 폭발하고 말았다.

"둘이 서로 연모하면서 나를 들러리처럼 사이에 끼우고 줄다리기라도 한 것인가? 나의 연심이 너희의 사랑놀이에 바보처럼 짓밟힌 것인가?"

칼리아스의 손에서 성스러운 불의 검이 형체를 드러내려는 순간 리체가 침착하게 말했다.

"들러리 삼은 것이 아니고 양보해 준 것입니다."

칼리아스는 리체의 말에 금속 광채가 번뜩이는 살벌한 눈빛을 띠었다.

"양보?"

코웃음을 치다 못해 살의까지 띤 그의 목소리에 벨라는 리체가 괜한 봉변을 당할까 봐 사이에 끼어들려던 참이었다.

"제가 필명으로 쓰던 로맨스 소설의 모델이 황태자 전하인 것을 안 제 친구가 제 깊은 연심을 알고 무리수를 둔 것입니다."

몇 발짝 멀리서 살펴보며 어디서 끼어들어야 할지 몰라 쩔쩔매던 에클레르의 눈이 등잔만 하게 커졌다.

"핑계를 대도 그럴싸한 핑계를 대라! 감히 나를 농락하다니 그 간교한 혀부터 뽑아 버리겠다!"

칼리아스가 격분하자 그의 주변으로 분노의 불길이 휘감아 돌았다. 그러나 리체는 안색 하나 변하지 않고 말을 계속 이어 갔다.

"감히 말씀드리기 부끄러우나 필명으로 쓴 소설의 로맨스 상대는 항상 황태자 전하 당신이었습니다. 그리고 전하의 상대가 저를 절망의 구렁텅이에서 구해 준 은인이나 마찬가지인 친구였습니다. 그래서 소설 속에서나마 전하와 제가 이루어지는 상상을 하며 저의 연심을 평생 속으로 간직하려 했지요."

벨라의 눈이 놀란 토끼 눈처럼 휘둥그레졌다.

"이미 이 마음은 친구에게 들켰고, 이왕 사태가 이리 험악하게 일그러졌으니 솔직하게 말씀드리는 것뿐입니다."

"시끄럽다! 입에서 나온다고 다 말이 되는 줄 아는가?"

칼리아스는 버럭 소리쳤다. 그러나 그의 집중이 흐트러져 그를 감싸던 불길이 사라진 것은 사실이었다.

"리체!"

벨라는 리체가 자신을 구하려고 무리한 거짓말을 한다고 생각했다. 그렇지만 리체는 눈썹 하나 까딱하지 않고 계속하여 말했다.

"황태자 전하를 승전 연회 때 처음 뵙고 숨이 멎는 줄 알았습니다. 세상에 이런 고귀한 존재도 있구나. 그러나 감히 내 것이 될 수는 없겠지. 꿈조차 꾸어 보지 못하다가 이 친구를 만났습니다. 그리고 전하께서 이 친구에게 연정을 베풀어 주시는 것을 보았습니다."

벨라의 눈동자가 흔들렸다. 거짓말로 둘러댄다고 하기엔 리체의 연기는 너무나도 훌륭했다.

"친구를 배신하지도 못하고, 감히 바라보아서도 안 될 제국의 태양을 탐할 수도 없어서 그 불타는 마음을 소설 속에서 풀어 보았습니다. 그 책을 읽은 친구가 저의 속마음을 깨닫고 진흙탕으로 들어가 전하를 놓아주려 한 것입니다. 탓하시려거든 저를 탓하십시오."

벨라는 뭐라 해야 할지 몰라 입만 벌렸다. 힐끔 보니 에클레르는 턱을 다무는 것도 잊은 사람처럼 어버버버거리고 있었다.

리체의 엷은 초록색 눈이 보석처럼 빛났다.

"그러니 전하, 이 모든 일은 저의 못난 소설로부터 빚어진 일이니 죽음으로라도 사죄드리겠습니다."

벨라는 눈만 깜빡거렸다.

'이 상황이 왜 이렇게 황당하게 튀니?'

뒷수습할 생각에 식은땀만 뻘뻘 흘리고 있는데 순간 리체가 두 손을 곱게 모으며 칼리아스와 벨라에게 인사를 하더니 창밖으로 몸을 날리려 하였다.

당황한 칼리아스가 달려들어 리체를 뒤로 밀쳐냈다. 그 순간 벨라도 놀라서 달려가려고 하였으나 생각해 보니 여기는 2층이라 뛰어내려 봤자였다.

"허튼짓하지 말라! 롬바르트 백작!"

칼리아스의 외침에 리체는 언제 뛰어내리려 했냐는 듯 공손한 태도로 몸을 일으키고는 말했다.

"저의 말과 행동은 잊어 주십시오. 부끄럽습니다. 그리고 죄송합니다."

황당해하는 칼리아스에게 리체는 진지한 얼굴로 말했다.

"여기서 더 논의해 봐야 어차피 물증도 없고 섣불리 논하다 금기를 건드리고 반역죄만 뒤집어씁니다. 각자 해결책을 한 가지씩 궁리해 와서 마저 논의하는 것이 어떨까 합니다."

속이 부글부글 끓는지 인상을 구기고 있던 칼리아스는 한참 동안 거친 호흡만 내쉬고 있다가 이윽고 입을 열었다.

"다들 돌아가라. 일단 나는 황제 폐하의 뜻은 무엇이든 따

르는 척하며 의중을 살피겠다. 그대들은 해결책을 상의한
후 내게 충언하라."

"리체! 대체 왜 그랬어!"

나가면서 벨라는 리체를 붙잡았다. 리체는 담담하게 웃으
며 말했다.

"왜 그러긴. 전하의 눈 봤지? 정말로 너와 버틀러 경을 해
치려는 기색이었어. 하지만 냉정한 판단을 하시는 분이시니
시간이 지나면 곧 바른 판단을 내리시겠지."

"그러다가 감정을 가지고 장난쳤다고 너마저 처벌당하면
어쩌려고 그래?"

벨라의 말에 리체는 활짝 미소 지었다.

"장난? 난 거짓을 말한 적 없어. 솔직한 내 마음이기도 했고."

벨라의 눈이 커졌다.

리체는 진심인지 농담인지 모를 태도로 말했다.

"여자 중에 황태자 전하와의 로맨스를 꿈꿔 보지 않은 페
로하트 국민이 있을까? 그건 누구나 한 번쯤 가지는 꿈 같
은 거야. 그러니 신경 쓰지 마."

전혀 내색하지 않았던 리체의 의외의 모습에 벨라는 묘하
게 코끝이 시큰거렸다.

"궁전 근처의 유적지에 들른다며? 나 먼저 벨라시아로 돌

아가 있을게."

리체는 종종걸음으로 사라져 갔다.

"데이트 잘하고 와!"

벨라는 그 뒷모습을 바라보며 서 있다가 자신의 곁에 다가온 루카스를 쳐다보았다.

페테르니타스 궁전 근처에 있는 텔레포트 유적지는 고대의 전설만 간직한 채 반쯤 무너져 이끼와 초목에 뒤덮인 이정표 같은 장소였다. 궁전을 구경하러 온 사람들이 한 번쯤 와서 호기심에 주변을 둘러본 후 도시락을 까먹고 휴식을 취하는 공원쯤으로 취급되었다.

그러나 그 유적지의 가치를 아는 벨라는 그곳에서 확인하고 싶은 것이 있었다.

언젠가 루카스가 벨라시아에 있는 기록을 샅샅이 뒤져 찾아냈던 내용 중에 선조가 자기도 모르는 사이 텔레포트 했던 경우가 있었다.

선조가 가능했다면, 혹시 벨라 자신도 그곳에서 시간을 워프하는 것이 아니라 장소를 워프하는 것이 가능할지도 몰랐다.

그녀가 아는 텔레포트 포인트는 그랑블루 다리 밑, 그리고 드라흐마 평원 근처의 낭떠러지 밑. 그런 위험한 장소가 아닌 페테르니타스 궁전 근처 텔레포트 유적지라면 충분히 안전하게 실험해 볼 만했다.

벨라는 두 번째 회귀 사실을 고백하며 자신이 루카스에게 했던 말을 떠올렸다.

'루카, 이제 나는 한시도 루카와 떨어져 있고 싶지 않아요. 그리젤리 지하 창고의 마법진에서 우리 함께 텔레포트 했던 것 기억하죠? 만약 그 유적지에서 텔레포트 하게 되었을 때 혹시라도 길을 잃어 엉뚱한 곳에 떨어진다 해도 난 루카만 곁에 있으면 두렵지 않을 거 같아요. 그러니까, 나와 손잡고 같이 가 줄래요?'

라울린을 살려 보려다가 엉뚱한 폐허 속에 혼자 남겨졌던 기억이 아직도 생생해 벨라는 자신의 능력을 쓰는 것에 두려움이 남아 있었다.

루카스는 기꺼이 고개를 끄덕여 주었다. 그것이 얼마나 큰 위로가 되었는지 모른다.

답답하던 황궁을 벗어나 황궁에서 그리 멀지 않은 텔레포트 유적지에 다다르자 탁 트인 공간의 초록 물결이 마음을 한결 시원하게 달래 주었다.

전설은 이미 잊힌 지 오래라 공터나 다름없었다. 밀어내고 새로운 건축물을 짓자는 의견이 분분했지만 고대 문서에 정확히 기록된 부분이라 없애지 못하고 놔둔 것이 오늘날에 이르렀다.

생각했던 것보다 이정표라 불릴 만한 그 어떤 석상도 없는 것을 보고 벨라는 조금 실망했지만 칼리아스 앞에서 잔뜩 긴장했던 마음에 여유를 갖기 위해 살며시 뒷짐을 지고 일대를 산책하듯 걸었다.

"루카."

벨라의 부름에 뒤에서 따라오던 루카스가 고개를 들었다.

"루카가 죽고 없는 동안 세상이 얼마나 엉망이 되었는지
는 이야기했죠?"

"간략히는 말씀하셨습니다."

루카의 말에 벨라는 저 멀리 페테르니타스 성을 올려다보
았다.

"저 성에 감금되다시피 하여 살았어요. 밖으로 나올 수 있
는 것은 전쟁터에 끌려갈 때뿐."

벨라는 쓸쓸한 미소를 지었다.

"전쟁의 경과가 어떻게 되었습니까? 기억하시는 대로 자
세히 말씀해 주시기 바랍니다."

"저번에 말했잖아요. 서로 누가 더 인간 이하인가를 내보
였다고."

벨라의 말에 루카스가 조용히 답했다.

"제가 궁금한 것은, 전하와 후작님 두 분의 초월적인 능력
을 쓰는데도 왜 승패가 바로 나지 않았느냐는 겁니다. 소모
전만 반복했다는 것이 제 상식선에선 이해되지 않습니다."

그 말에 벨라는 눈빛을 흐렸다.

"티베리……, 정말 강하더라고요."

유적지 터에서 혹시나 무언가 새로운 것을 발견할까 싶어
구석구석을 훑다가 결국 아무것도 발견하지 못한 채 루카스
와 벨라는 한숨 돌리며 천천히 산책했다.

"처음 전쟁의 시작은 메넬론이 다시 침공당하지 않게 하
려고 그곳에 군 기지를 강화하고 식량을 보급하면서부터였
어요. 실질적인 페로하트의 공격 전초 기지로 보고 플란네

르 연합군이 공격하면서 확전되었어요."

벨라는 뒤돌아서 루카스를 바라보았다.

"제국군이 힘과 물량만으로 밀어붙이는데 티베리는 인적 자원으로 밀어붙였어요. 오랫동안 전쟁 준비를 해 왔더라고요. 아마도 액시즈 레크룩스를 합병하면서부터 쭉 목표가 제국 타도였나 봐요. 아버지가 해 온 준비를 아들이 이어서 그대로……."

벨라는 씁쓸한 미소를 지었다.

"황태자께서 나선 전선은 그럭저럭 지켰어요. 그런데 황태자 전하가 없는 전선은 참패했죠. 제국에는 인재가 없었어요. 그러다 보니 점점 먼 거리에서 상대를 타격하는 무기만 사용해 대고, 결국엔 독가스에 손을 댔죠."

지금도 기묘한 미소를 입가에 띤 채 경련하다 죽은 사람들의 모습이 눈앞에 생생하게 떠올라 벨라는 눈을 질끈 감고 말았다.

"그게 시작이었죠. 금기란 게 한 번 넘기가 힘들지 넘은 후엔, 손쉽게 사람을 죽이는 방법에 양측이 심취했어요."

다시 떠올리는 것도 괴로운 기억이었지만 벨라는 최대한 자신이 겪은 것을 루카스에게 많이 설명하려고 애썼다.

"비행기와 폭탄이 급속도로 개발되고 한 번에 많이 쏠 수 있는 총과 강력한 폭발물과 그것을 실어 나를 운송 수단을 서로 경쟁하듯 개발하죠."

"그것들을 조심하라고 황태자 전하께 알려 드리지 않는 이유는 무엇입니까?"

벨라는 루카스의 말에 희미하게 웃었다.

"황태자 전하 역시 적을 쉽게 죽이는 것에 심취하셨었기에."

그래서 날 놓아주려 하지 않았죠. 그때 본 것들을 이야기하다 보면 내 능력이 드러날 테고 그러면 좀 더 쉽게 많이 죽이는 방법을 찾으려고 애쓰게 되겠죠.

바람이 불어왔다.

"전쟁이 언제 시작되었는지 정도는 전하께 알려 드려야 하지 않겠습니까?"

루카스는 벨라에게 물었다.

벨라는 또다시 눈앞에 죽은 사람으로 가득 찬 평야를 떠올렸다. 아무리 떠올리지 않으려고 애를 써도 그 구역질 나는 장면은 영혼에 새겨진 상처처럼 통증을 불러일으켰다.

"자세히 알려 드리고 싶지 않아요."

페로하트만 살아남기 위한 적대적인 전쟁은 이제 싫었다.

그러지 말라고 칼리아스에게 애원했었다. 칼리아스의 대답은 공존이 불가하다는 것이었다.

'적에게 자비는 없다.'

그는 그렇게 말했다.

"지금도 메넬론의 군기지 확충 작업은 계속되고 있을 겁니다. 그리고 후작님 말씀대로라면 플란네르 연합군 측의 선제 공격이 있을 텐데 이대로 페로하트가 당하도록 보고 계실 겁니까?"

잠시 벨라는 갈등했다.

"그런…… 걸까요?"

벨라의 말에 루카스는 차분한 표정으로 그녀를 바라보았다.

"같은 일이 반복되지 않도록 하시면 됩니다. 황태자 전하께 선택의 기회는 드려야 하지 않겠습니까?"

벨라는 미간을 흐리며 말했다.

"그러다가 또 전하께서 적이라면 군인, 민간인 가리지 않고 죽이는 쪽을 선택하시면 어떻게 하죠? 그 수많은 생명의 무게는 누가 감당하죠?"

여전히 담담한 눈빛으로 벨라를 바라보던 루카스가 입을 열었다.

"싫든 좋든, 그 운명의 주사위를 던질 수 있는 분은 전하뿐이십니다. 후작님과 제가 아니라. 그분이 잘못된 선택을 하시든 올바른 선택을 하시든 그분의 몫입니다. 그리고 그분이 올바른 선택을 하실 수 있도록 우리는 도와드릴 수 있습니다."

아직도 망설이는 벨라에게 그는 한마디 더 보탰다.

"후작님 아니시면 그분을 바른길로 이끌 수 있는 분은 없으니까요."

"……."

루카스와 전쟁이 없는 곳으로 떠날 수 있다면 얼마나 좋을까?

그러나 전화에 휘말리지 않는 곳이 어디 있던가?

순간 떠올랐다.

전화에 휘말리지 않는 유일한 곳. 칼데이라 공국!

"루카. 뭔가 이상해요. 모두가 전쟁에 휘말려 신음하고 있을 때 칼데이라 공국만큼은 안전했어요."

"무슨 말씀이십니까?"

루카스가 되묻자 벨라는 기억을 더듬으며 말했다.

"칼데이라 공국이 페로하트를 배신해요. 그래서 페로하트에서 본때를 보여 주려 침공했는데 주변국에서 다른 방향으로 협공하여 막아 줘요. 이상하네요. 중립국인데, 페로하트가 침공해야 할 이유도 주변국이 방어해 줘야 할 이유도 불분명하고, 군대도 없는 나라가 계속해서 유지되는 거……."

"그것이 왜 중요합니까?"

루카스가 묻자 벨라는 눈빛을 흐렸다.

"이상해서요……. 이 전쟁으로 거의 모두가 초토화될 텐데……."

"중립국이니 당연한 것 아닙니까?"

"중립국이면 중립국다워야죠. 결정적인 순간에 페로하트를 등지고서 끝까지 교역으로 이익을 보았거든요. 그런데도 페로하트는 그곳과의 관계를 끊지도 못하고 잇지도 못하고 애매한 사이였어요. 그때에도 어디서부터 원인을 찾아야 할지 몰랐는데, 다만……."

"생각이 정리되지 않는다면, 잠시 쉬었다가 다시 생각하십시오."

루카스의 말에 벨라는 횡설수설하다 말고 정신을 차렸다.

"맞아요. 지금은 여기를 둘러보는 것이 중요하죠. 브릭에 머무른 적은 많아도 이곳에 오기는 이번이 처음이네요. 어차피 남아 있는 흔적이 거의 없으니 별 의미 없을지도 모르지만."

벨라는 웃으며 텔레포트 유적지를 걸었다. 시기상으로는 라울린이 전사한 지 몇 달 지나지 않은 상황이라 플란네르의 공습이 있었던 흔적이 도시 곳곳에 남아 있었다. 텔레포트 유적지 역시 당시의 포격에 움푹 파인 흔적이 엿보였다.

"마법진이라도 있기를 바라셨습니까?"

한 걸음 걷다 말고 살피기를 반복하던 벨라는 루카스의 말에 살짝 미소를 지었다.

"없겠죠. 당연히. 남은 것이 있었으면 벌써 박물관에라도 전시했을 테니."

"사람들이 많이 오가는 장소여서 더욱더 과거의 흔적은 찾기 힘들 겁니다."

"산책이라도 해요."

벨라는 루카스에게 다가가 팔짱을 꼈다. 어색해하며 잠시 굳었던 그는 벨라의 보폭에 맞춰 천천히 따라 걸었다.

"아직도 그렇게 어색해요?"

벨라가 그를 쳐다보자 루카스는 반사적으로 고개를 뒤로 빼며 손바닥을 내보였다.

"응?"

마치 기습 키스 당할 것에 대비한 듯한 루카스의 태도에 벨라는 푸흡 하고 웃었다. 전혀 키스할 의도가 없었다는 것을 깨달은 루카스는 어색한 듯 펼쳤던 손바닥을 슬그머니 치웠다.

싱글거리며 걷는 벨라를 보며 루카스가 입을 열었다.

"산책이 그렇게 즐거우십니까?"

"왜요?"

"이렇게 좋아하실 줄 알았다면 자주 산책을 시켜 드릴 걸 그랬습니다."

그의 말에 벨라는 다시 풋 하고 웃었다. 그 모습을 보고 루카스는 조심스레 물었다.

"아닙니까?"

"루카, 나에 대해서는 뭐든지 잘 안다고 생각했는데 아니었나 봐요."

"네?"

"루카랑 산책하니까 좋은 거지 산책이 좋은 건 아니에요."

벨라의 눈빛이 아름답게 반짝였다. 그는 고개를 살짝 돌렸다. 여전히 긴장하는 기색이 역력한 루카스를 보며 벨라는 기뻤다. 항상 무표정한 그의 얼굴에 감정이란 게 조금씩 스쳐 가는 것이 신기했다.

"왜 하필 저처럼 아무것도 가진 것이 없는 사람을 택하신 겁니까?"

주변 사람들을 구경하며 걷던 벨라는 루카스의 얼굴을 올려다보았다. 자꾸만 자신 없어 하는 루카스에게 벨라는 눈웃음을 지었다.

"다른 말로 하자면, 사랑한다는 고백이 다시 듣고 싶은 거예요? 그런 거예요, 루카?"

속내를 들키기라도 한 듯 그의 얼굴이 더욱 딱딱하게 굳었다. 그런 그를 재밌어하며 벨라는 입을 열었다.

"한 번 더 말해 줄게요, 그럼. 내가 완벽하게 모든 것을 다

가진 사람이라고 했죠? 그래서 내 선택은 루카예요."

"네?"

벨라의 보랏빛 눈동자가 보석처럼 반짝였다.

"루카의 사랑까지 가졌으니 모든 것을 다 가진 사람이라고요. 난 루카가 없으면 모든 것을 가진 사람이 아니에요. 나를 사랑해 주는 사람이자 내가 사랑하는 사람. 난 당신의 곁에 있어 행복한 사람이에요."

루카스는 순간 말문이 막혔는지 멈칫하다가 싱글벙글 웃고 있는 벨라의 손을 이끌어 다시 아무 말도 듣지 못했다는 듯 천천히 걷기 시작했다.

"루카, 내 고백만 듣고 루카는 아무 말도 안 해 주기에요?"

루카스는 못 들은 척 괜히 다른 곳만 쳐다보면서 걸었다. 벨라는 그 모습에 자꾸 웃음이 나왔다. 루카스도 수줍어한다는 사실이 신기하고 재밌었다.

"여러분! 이 사람이 제게 고백만 듣고 모른 척 대답을 안 한대요! 이래도 되나……."

텔레포트 유적지에 놀러 나온 사람들을 향해 벨라가 또 우렁차게 외치자 당황한 루카스는 벨라의 입을 틀어막으려고 애썼다.

헉!

모두의 시선이 두 사람 쪽으로 향하자 벨라는 재빨리 뛰기 시작했다. 그는 혼날까 봐 미리 도망가 버린 그녀를 보며 한숨을 푸욱 내쉬었다. 그리고 더 이상 말려들지 않기 위하여 천천히 걸어갔다.

루카스가 죽어라 뛰어올 거라 지레짐작한 벨라는 정신없이 뛰다가 뒤돌아보았다. 그가 천천히 걸어오자 벨라는 가쁜 숨을 몰아쉬며 기다렸다.

루카스는 서두르는 기색도 없이 다가와 숨찬 벨라를 근처 유적지 가장 바깥쪽 담장 벤치로 데려갔다.

"후작님, 고양이와 쥐 놀이를 하려고 여기 오셨습니까?"

수준 이하의 장난에 무응답으로 일관하며 루카스는 벨라를 벤치에 앉게 했다.

"그렇게라도 해야 루카가 날 따라오니까요. 안 그래요?"

해맑게 웃는 벨라를 보며 순간 루카스의 시선에 당혹스러움이 스쳐 갔다.

"왜요?"

벨라는 그의 얼굴을 빤히 바라보았다.

루카스가 가리키는 방향은 벨라의 가슴 정중앙이었다. 왜 그러나 싶어 고개를 숙여 보니 뭔가가 빛났다. 놀란 벨라가 몸을 일으키자 그 빛은 사라졌다.

"뭐지?"

루카스는 벨라를 도로 벤치에 앉혔다. 그러자 그 빛은 다시 반짝였다. 벨라는 자신의 품에 뭐가 있나 살폈다. 가주의 방 열쇠였다. 거기에 작게 새겨진 마정석이 반응해 빛나고 있었다. 벨라가 도로 일어서자 빛은 언제 그랬냐는 듯 사라졌다.

루카스는 벨라의 손을 끌어 반대편 너머의 벤치로 데려갔다. 그리고 그쪽 벤치 근처에 앉히려 했다. 정확히 벤치 위치는 아니었으나 그 근처에서 이번엔 가주의 방 열쇠에 정령석이 반응해 빛났다.

"······!!"

벨라는 눈을 크게 떴다. 그리고 이번엔 그 일대를 크게 돌며 열쇠가 빛나는 자리를 찾았다. 그리고 흥분해서 소리쳤다.

"루카! 이것 봐요! 열쇠가 빛나는 특정 위치가 있어요! 마법진에 위치할 보석 종류에 따라서 열쇠에서 빛이 나요."

루카스는 주변을 둘러보더니 벨라의 열쇠를 쳐다보았다.

"마법진이나 이정표가 존재하지는 않지만 그 위력이 남아 있는 모양입니다. 설령 마법진이 남아 있더라도 지하 창고에서 본 것 정도의 크기라 생각했는데 이 상태로 보아서는 매우 커다란 마법진인가 봅니다. 이 주변을 둘러보아 그 정확한 위치를 가늠해 보는 것이 좋겠습니다."

루카스의 말에 벨라는 신나서 고개를 끄덕였다.

"아무도 발견하지 못했던 마법진이라니 두근거려요! 지팡이를 항상 가지고 다닌 것처럼 마법 보석도 항상 가지고 다닐걸!"

벨라의 한탄에 루카스는 품에서 보석 상자를 꺼냈다.

"앗!"

"언젠가라도 필요하실까 봐 늘 가지고 다녔습니다. 마력석은 흔하지만 드래곤 하트는 유일무이하기에······."

루카스의 준비성에 벨라는 뛸 듯 기뻐했다. 그리고 이내 가져온 마법 보석이 빛나는 자리에 해당 보석을 살짝 묻어 두었다. 마지막 보석을 위치에 놓고 전체적 모습을 보자 공원 한 바퀴를 다 차지했다.

"텔레포트 유적지가 실은 중앙부가 아니라 이 일대 전부였구나!"

벨라는 감탄사를 내뱉었다.

"신화 속에서 나의 조상님이 군대를 한꺼번에 텔레포트 시켰다는 말이 사실이었나 봐요! 군대가 들어갈 만큼 마법진이 커요!"

벨라의 두 뺨이 흥분으로 발갛게 달아올랐다.

"쉿. 조용히 말씀하십시오, 후작님. 남들에게 주목받아서 좋을 것은 없습니다."

몇 발짝 뒤에서 그림자처럼 따라다니는 수호 기사 제스로와 눈이 마주치자 제스로는 루카스의 말이 맞다는 듯 고개를 끄덕였다.

"미안해요, 루카, 너무 기뻐서 그만. 이 마법진 안으로 들어가면 어디로 텔레포트 하는 걸까요? 이럴 줄 알았으면 힘들게 화이트포럼 다리나 드라흐마 협곡에서 뛰어내리지 않아도 되었을 텐데. 이렇게 쉬운 방법이 있는 줄을 몰랐어요!"

벨라는 기뻐서 자꾸만 목소리가 커지느라 애먹었다.

"여기로 들어가면 우리 지하 창고의 마법진으로 이동할 수 있는 거예요? 타임 워프는 해 봤어도 장소 텔레포트는 해 본 적이 없는데 잘 몰라서 실수하면 어쩌죠? 설마하니 초대 가주께서 군대를 옮기던 때로 타임 워프 해 버리는 건 아니겠죠?"

흥분해서 말이 많아진 벨라를 진정시키며 루카스가 차분한 목소리로 말했다.

"그건 아무도 대답해 줄 수 없는 질문입니다. 후작님만이 할 수 있고 후작님 스스로가 답을 찾으셔야 할 일입니다. 정신 집중하시고 선조가 썼던 방법이 무엇인지 깨달을 때까지 노력해 주십시오."

순간 벨라는 떨리는 목소리로 말했다.

"루카, 나 겁이 나요. 정말로 또 타임 워프 하는 건 아니겠죠? 걱정되고 무서워요. 루카랑 어렵게 다시 만났는데 또 헤어지는 것은 아니겠죠?"

불안해하는 벨라를 지켜보던 루카스는 침묵 끝에 다시 입을 열었다.

"그 역시 아가씨만이 할 수 있는 일이어서 저도 뭐라고 말씀드릴 수가 없습니다. 하지만 아가씨께선 늘 그러하셨듯 스스로 답을 찾아 잘해 나가실 겁니다."

마침 유적지에서 거리의 악사가 바이올린을 켜고 있었다. 그 흥겨운 음악에 사람들이 하나둘씩 몰려들었다.

"저 음악 소리를 들으며 진정하십시오. 사람들이 저쪽을 쳐다보느라 주의가 흐트러졌을 때 텔레포트를 시도해 보시는 것도 좋겠습니다."

루카스의 말에 벨라는 그의 손을 세게 잡아당겼다.

"루카, 내 손 잡아요. 절대로 내 손 놓치면 안 돼요."

"차근차근 연습하십시오. 초대 가주님처럼 다른 사람을 데리고 텔레포트 하시는 건 익숙해진 후에……."

루카스의 말에 벨라는 한사코 고개를 저었다.

"지하 창고에서 나랑 함께 이동했던 것 기억 안 나요? 처음부터 세 사람이 오갔던 것처럼 지금도 루카와 함께 이동하는 것이 가능할 거예요."

"무리하지 마십시오. 그러다 각혈이라도 하시게 되면 용서하지 않겠습니다."

"아니에요. 만에 하나라도 루카와 다시는 헤어지고 싶지 않아요. 얼마나 내가 어렵게 루카 당신 곁으로 돌아왔는데요. 당신이 내게 마음을 열어 주었는데 실수로 타임 워프 해 버리고 나를 매정하게 떠미는 당신이나 이미 당신이 죽고 없는 세상으로 가 버리고 싶지 않아요. 나는 루카를 잃어버리는 것이 가장 두려워요. 루카. 그러니 내 손 잡아 줘요."

벨라는 간절한 표정으로 그에게 손을 내밀었다. 그 손을 묵묵히 바라보고 있던 루카스는 이윽고 조심스레 벨라에게 손을 내밀었다.

"언제든, 아가씨를 따를 겁니다. 걱정하지 마십시오."

"루카……."

벨라는 활짝 웃으며 그와 함께 마법진 안으로 옮겨 갔다.

팟!

눈부신 섬광이 그들을 감쌌다. 거리의 음악사를 쳐다보던 사람들은 둘이 사라진 줄도 모르고 다만 제스로만이 걱정스러운 눈빛으로 바라보고 있었다.

"우왓!"

벨라는 천지를 뒤흔드는 진동에 몸을 가눌 수 없었다. 그 순간에도 루카스와 잡은 손을 놓칠까 봐 눈을 크게 뜨고 그를 쳐다보았다.

그 역시 당황하기는 마찬가지였는지 한 손으로는 벨라의 손을 굳게 잡고 다른 한 손으로는 벨라의 허리를 감싸 안았다. 강렬한 진동과 수많은 흐름에서 그녀를 보호하기 위해 사력을 다했다. 그의 품에 꼭 끌어안겼다는 감동보다는 홍수에 휩쓸려 가는 통나무가 된 기분으로 벨라는 상황을 파악하려고 애썼다.

수많은 사람과 한 덩어리가 되다시피 뭉쳐 있다가 시야를 모두 하얗게 흐리는 강렬한 섬광이 지난 후에 땅바닥에 패대기쳐지듯 두 발이 닿았다.

앞으로 휘청이는 몸을 뒤로 젖힐 새도 없었다. 그들을 빽빽하게 둘러싸고 있던 사람들이 함성을 지르며 개미 떼처럼 앞을 향해 달려 나가고 있었다.

벨라는 눈을 크게 떴다. 뭔가 이상했다. 하늘은 시커멓고, 낮인지 밤인지 분간되지 않았다. 잘못된 시간의 흐름 속으로 워프해 버렸을 때 보았던 하늘 같아서 벨라는 가슴이 철렁 내려앉았다.

그러나 그곳은 달랐다. 풀이 없는 메마른 땅과 거친 돌무더기가 굴러다니는 그곳에 산이란 산은 용암을 맹렬한 기세로 뿜어내고 있었다. 진한 먹구름이 소용돌이치며 드러난 태풍의 눈 사이로 비친 하늘은 섬뜩한 붉은색이었다.

산꼭대기에서 용암 덩어리를 사방으로 뿜어내는 광경은 그 자체로 괴기스러웠다. 펄펄 끓는 기름에 찬물 한 컵을 들이부은 것은 그 광경에 비할 바가 아니었다.

시뻘건 용암이 공중으로 솟구쳐 사방으로 튀자 불붙은 화산석이 되어 사람들 머리 위로 떨어져 내렸다. 그런데 그 사이로 떨어져 내리는 것은 그뿐만이 아니었다.

"드래곤이다! 피하라!"

사람들이 비명을 지르며 사방으로 몸을 피했다. 그 자리로 하늘을 가리는 새까만 무언가가 순식간에 머리 위를 스치며 시뻘건 불길을 뿜고 지나갔다.

그 거대한 존재가 지나간 궤적을 따라 하늘에 포물선을 그리며 수직으로 떨어져 내리는 빽빽한 화살 비에 살아남을 수 있는 것은 아무것도 없었다.

한편으로는 인간의 형상이 아닌 것들이 달려들어 병사들을 파리 죽이듯 해치웠다. 파리 목숨 같은 병사들이 끝까지 피하지 않고 도망쳤다가도 다시 모여 이를 악물고 그것들을 베고 또한 베어져 쓰러졌다.

쇠사슬에 묶여 있던 누더기 차림의 사람들이 우리에서 해방되어 뛰쳐나오며 자유를 외쳤다.

그들은 벨라가 있는 곳으로 일제히 뛰어왔다. 일부러 그녀를 향해 달려온 것이 아니라 살 수 있는 방향은 그쪽뿐이어서 그러했다.

거대한 인파의 무리가 일시에 도망치면 쓰나미와도 같다는 사실을 처음으로 깨달았다.

"루카!"

어찌나 빠른 속도로 사람들이 달아나는지 두 손을 잡은 벨라와 루카는 인파에 치여 강제로 찢어질 뻔했다. 절대로 그 손을 놓치지 않겠다고 약속했다. 여기서 루카의 손을 놓치면 영영 다시는 찾지 못할 수도 있었다.

귀청을 찢는 듯한 나팔소리와 어마어마한 섬광과 오로라처럼 하늘에 펼쳐지는 성스러운 푸른 불빛을 보았다. 벨라는 눈을 크게 떴다.

하늘에서 유령이 춤추듯 불이 휘감아 돌고, 유성우가 지상으로 강력한 폭발을 일으키며 무더기로 떨어져 내렸다. 드래곤이 지옥의 불길을 내뿜는 모습이 마치 환각을 보는 것 같은 공포심을 불러일으켰다.

그 푸른 불꽃의 장막의 한가운데에 푸른 머리칼을 휘날리며 어둠의 세력과 싸우는 한 영웅이 있었다.

그 모습을 넋 놓고 보고 있던 벨라는 루카스의 손을 놓칠 뻔하자 이를 악물고 버텨 내어 그의 손을 끌어당겼다.

"루카스! 내가 또 텔레포트 한 게 아니라 타임 워프를 해 버렸나 봐요!"

간신히 루카스의 품에 바짝 안겨 들며 벨라는 그의 얼굴을 쳐다보았다. 그 역시 당황한 기색이 역력했다.

"이것이 회귀입니까?"

할 말을 잊은 루카스의 뒤로 군마가 우르르 달려들었다. 벨라는 재빨리 그를 끌어당겼다.

"정신 차려요! 루카!"

"어이! 거기 비켜! 걸리적거린다고!"

누군가가 그들에게 외쳤다. 벨라와 루카스의 머리 위로 거대한 그림자가 드리웠다.

느닷없이 그들의 머리 위로 대군단이 나타나 육중한 소리를 내며 땅 위에 안착했다.

"살고 싶으면 왔던 데로 돌아가!"

어쩐지 들어 본 적이 있는 고함 소리에 벨라는 귀가 번쩍했다.

리 엘 아르티드의 목소리였다.

벨라는 눈을 크게 떴다. 아주 짧은 순간이었지만 벨라는 선조의 얼굴을 똑똑히 보았다.

거대한 마법진에서 리 엘 아르티드가 일시에 대군단을 소환하면 공격술사들이 뒤에서 마법으로 군대를 엄호하고, 지휘관들이 화려한 검술을 뽐내며 앞으로 돌격했다.

세상의 살아 있는 모든 것의 운명을 걸고 싸우듯 드라흐마 평원에서의 최후의 결전이 펼쳐지는 중이었다.

"돌아가!"

날카로운 그 한마디에 벨라는 정신이 번쩍 들었다. 그리고 어둠의 저주 마법이 대군 위로 꽂히기 일보 직전 벨라는 루카스의 손을 잡아당겨 마법진 안으로 뛰어들었다.

"어떻게 된 것인지 모르겠지만, 피해야 해요. 워프를 잘못 했어요!"

어떻게 돌아가는지 잘 몰랐다. 단지 원치 않았던 곳으로 왔으니 어디로든 가야만 했다.

"신의 가호가 너희와 함께하기를!"

마지막으로 리 엘 아르티드가 그렇게 외치는 소리를 들은 것 같기도 했다.

팟.

하얀 섬광이 벨라와 루카스를 감쌌다. 그리고 그와 동시에 파삭 하는 날카로운 소리가 들렸다. 그것은 마치 유리잔에 금이 갈 때 나는 소리 같았다.

빛줄기가 사라지고 벨라가 눈을 떴을 때는 드래곤 하트가 놓인 바로 그 위치에 서 있었다.

헉헉대며 가쁜 숨을 몰아쉰 벨라는 제일 먼저 자신이 루카스의 손을 놓쳤나 놓치지 않았나를 살폈다. 다행히도 어찌나 세게 잡았는지 피가 통하지 않아 손이 하얗게 질릴 정도였다.

안도의 숨을 들이켜며 고개를 돌린 벨라의 눈에 실금이 간 드래곤 하트의 모습이 보였다.

"쿠울럭!"

그와 동시에 벨라는 검붉은 피를 한 모금 바닥에 토해 냈다. 원했든 원치 않았든 간에 능력 밖의 타임 워프였다.

그러나 루카스는 벨라의 각혈에도 손수건을 내밀지 않았다. 고개를 들어 루카스를 쳐다본 벨라는 곧 그가 무엇을 멍하니 바라보는지 깨달았다.

분명 아까 서 있었던 페테르니타스 궁전 근처의 텔레포트 유적지였다. 루카스가 바라보는 곳에는 시뻘건 화염을 동반한 검은 연기 기둥이 피어오르고 있었다. 불타는 페테르니타스 궁전의 끔찍한 모습이 보였다.

비행기 공습이었다.

티베리가 체펠린선에 폭탄과 독가스를 실어 페로하트의 수도 브릭을 급습했던 날로 회귀한 건가 싶었다. 하지만 그랬다면 흰 연기가 도심을 가득 채웠을 거였다.

그러나 이번엔 도심 전체가 불타느라 새까만 연기가 온 도심을 휘감고 있었다. 벨라의 놀란 눈이 이전보다 더 하늘을 빼곡하게 메운 비행기 군단에 쏠렸다.

"……!!"

라울린이 전사하던 날, 온 도심은 라울린이 연막작전으로 피우게 한 흰 연기로 뿌옜지 검지는 않았다. 당시의 비행기는 실을 수 있는 탄환과 폭탄의 무게가 얼마 되지 않아 보급을 위해 기지로 다시 돌아가곤 했다.

그런데 한눈에 보아도 적군의 비행기는 그때의 것이 아니었다. 벨라가 루카스의 죽음 후 견뎌 내야 했던 의미 없는 살육전이 벌어지던 당시의 최첨단 비행기였다.

벨라는 휘둥그레진 눈으로 주변을 둘러보았다. 서툴기만 한 페로하트의 비행기가 플란네르 연합군의 비행기를 막기 위해 필사적으로 날아올랐으나 적군의 비행기는 재빨리 공중 곡예를 돌아 페로하트 비행기의 후미를 정확하게 조준했다.

공중 폭발과 함께 페로하트 비행기가 격추된 후에 그 비행기는 이번엔 다른 페로하트의 비행기를 격추시켰다.

아무리 보아도 뭔가 잘못된 것이 틀림없었다. 적군의 비행기는 보급하러 돌아가기는커녕 쉴 새 없이 하늘에서 도심으로 폭탄을 떨어뜨렸고 그들의 엄호를 받으며 페로하트 연합군이 브릭으로 진격하고 있었다.

"이번에도 타임 워프를 잘못한 것입니까?"

벨라는 겪지 말아야 할 미래로 와 버린 것은 아닌지 싶은 생각에 루카스의 손을 끌어당겨 다시 마법진 안으로 뛰어들었다.

팡!

그때 날카로운 파열음을 일으키며 폭탄 하나가 마법진 근처에서 터졌다. 바닥을 데굴데굴 굴러 살아난 벨라는 정신이 들자 벌떡 일어났다. 루카스가 자신을 감싸 안고 또 희생한 것 같았다.

"루카! 안 돼!"

벨라는 고함지르며 그를 찾았다.

"저 여기 있습니다."

루카스는 귀가 먹먹한지 한쪽 손으로 귀를 가렸다. 귀에서 피가 흐르고 있었다.

"루카! 죽으면 안 돼요! 제발!"

벨라의 눈에서 눈물이 펑펑 쏟아져 내렸다.

"으음…… 소리 지르지 마십시오. 전 괜찮습니다."

루카스는 자신의 몸에 이상이 없음을 몸짓으로 표현했다.

"그런데 귀가 왜 이래요!"

"폭탄은 피했습니다만 폭발음 때문에 고막이 찢어졌는지 한쪽이 전혀 들리지 않습니다."

그가 크게 다친 줄 알고 놀랐던 벨라는 그제야 정신 차렸다.

"다만 방금 폭발로 드래곤 하트가 완전히 깨졌습니다."

루카스는 드래곤 하트의 파편이라도 찾으려고 더듬어 보았지만 끝내 아주 작은 부스러기만 몇 개 주워 올렸을 뿐이었다.

"다시 구할 수도 없는데 어쩌죠?"

벨라는 그 파편을 안타까이 손에 쥐었다. 순간 또 강렬한 폭발음이 들려왔다.

적군의 비행기가 날개가 동강 난 채 뱅글뱅글 돌다 공중 폭파되는 소리였다.

속수무책으로 당하기만 하던 페로하트의 비행기가 적기를 격추한 걸까 살피던 벨라의 눈이 커졌다.

건국 시조 페오스의 성스러운 검에 비하면 장난감 수준의 작은 것이었으나 칼리아스가 자신의 손에서 뽑혀 나온 불타는 검의 형태를 적기를 향해 던져 격파시키고 있었다.

"전하를 도와야 해!"

벨라는 눈물을 흘리며 두 손을 뻗었다. 거대한 진동과 함께 세상이 흔들렸다. 그 진동으로 인해 진격하던 플란네르 연합군이 잠시 멈춰 섰지만, 하늘을 장악한 적기까지 뒤흔들지는 못했다.

"전하께 미래에 대해 솔직하게 말씀드려야 했어! 이건 모두 내 탓이야!"

가슴이 미어지는 것 같아서 견딜 수 없었다. 쉼 없이 폭탄이 떨어지고 총알이 산발적으로 날아다니는데도 벨라는 그를 향해 달리기를 멈출 수 없었다.

땅을 뒤흔들어 가며 적을 넘어뜨려 이리저리 몸을 피해 칼리아스가 싸우는 장소로 간신히 달려갈 수 있었다. 그리고 힘겹게 적과 싸우고 있는 칼리아스의 모습을 보았다.

그의 옷이 검붉은 피로 흥건히 얼룩져 있었다. 한눈에도 그것은 부상을 당해 흘린 피가 아니었다. 무리한 마력 운용의 결과로 내상을 입어 토해 낸 피로 물들어 있었다.

'아무리 보아도 무리야!'

벨라가 기억하는 칼리아스는 훈련의 훈련을 거듭해 조금씩 성스러운 불의 검의 활용을 늘려 갔었다. 그때도 힘겨워했는데, 지금 이 상황에서는 능력보다 더 버겁게 잠재력을 끄집어내고 있었다.

작정하고 준비해 온 적군의 무력에 속수무책으로 쓸려 나갈 상황에서 적의 비행기를 상대할 것은 그 하나뿐이었다.

"무리하면 안 돼요!"

벨라는 목청껏 외쳤다. 과거에서처럼 자신이 땅을 흔들어 적이 도망치지 못하게 도와줄 테니 기다리라고 말하고 싶었다. 그러나 그녀가 칼리아스의 근처에 다다르기도 전에 빛나는 섬광이 하늘에 번쩍였다.

건국 시조 페오스가 그리했듯 일렁이는 불의 장막이 하늘을 덮었다. 그물로 물고기를 잡듯 그 장막은 적기를 향해 펼쳐졌다. 페오스만큼 광범위한 것은 아니었으나 분명히 같은 종류의 기술이었다.

번쩍한 순간 적의 비행기 여러 대가 일시에 불붙어 힘없이 추락해 대지 곳곳에 굉음을 일으켰다.

그와 동시에 칼리아스는 힘을 잃고 털썩 쓰러졌다.

"안 돼요! 전하!"

벨라는 필사적으로 그에게 달려갔다. 그의 주변을 호위하던 황실 기사단이 벨라를 알아보고 길을 비켜 주었다. 벨라가 곁에 다다랐을 때 칼리아스는 보좌관 에클레르의 부축을 받으면서 다량의 피를 끊임없이 토해 내고 있었다. 그가 벨라를 쳐다보았을 때는 이미 눈이 반쯤 풀려 있었다.

"벨라……, 와 주었어."

그가 그 와중에도 벨라를 알아보고는 희미한 미소를 띠었다.

"제가 도와드릴 때까지 기다리시지 왜 그러셨어요!"

벨라가 할 수 있는 말은 그것뿐이었다.

그에게 자신이 본 미래를 말해 줬어야 했다. 그랬다면 이렇게 그 혼자 적의 대군을 맞이해 싸우다 모든 생명력을 소진하고 죽음을 앞두게 되지 않았으리라.

벨라의 눈에 눈물이 고였다. 울 자격마저 없는 것 같아서 벨라는 손등으로 눈물을 닦았지만 생명이 빠르게 사그라져 가는 칼리아스는 그런 벨라를 보며 눈웃음을 지었다.

"벨라, 나를 위해 울어 주는 것인가? 그래도 날 위해 울어 줄 사람도 있고 쓸쓸한 죽음은 아니겠어."

칼리아스는 헐떡이며 자꾸만 피를 토했다. 그런 그를 붙들고 보좌관 에클레르는 당황하여 허둥댈 뿐 어찌해야 할지 몰랐다.

"전하! 죄송합니다. 실은 제가 앞으로 있을 일을 꿈에서 본 것이 아니라 직접 타임 워프를 해 회귀하여 겪어 보았습니다. 사실대로 말씀드렸다면 전하께서 이렇게 되는 것을 막을 수 있었을 텐데 이 모든 것은 저의 잘못입니다."

벨라는 그저 죽어 가는 칼리아스 앞에서 정신없이 빌 뿐이었다.

"전하를 어찌 설득해야 할지 자신이 없어서 회피했습니다. 그저 꿈에서 보았노라 소극적으로 이야기했을 뿐입니다. 적극적으로 전하를 보좌할 생각을 하지 못했습니다."

흐느낌이 목소리에 새어 나오는 것을 간신히 참으며 벨라는 간절히 말했다.

"이런 일이 벌어질 줄 충분히 예측할 수 있었는데 전하를 위해 아무것도 하지 않았어요! 죄송합니다. 그러니 죽지 마세요, 제발!"

벨라는 칼리아스의 차가워진 손을 붙잡았다. 그러자 칼리아스는 흐릿한 눈에 초점을 맞추려고 애썼다.

"이런 일이 벌어질 줄 예측 가능했다고? 그게 어떻게 가능해?"

"제 선조의 능력을 그대로 물려받았기 때문에 시간을 거스르는 것이 가능했어요. 숨겨서 죄송해요, 전하. 이 모든 것은 귀찮은 일에 휘말릴 것이 싫어 전하에게 숨긴 탓입니다. 그러니 제발 힘내서 살아 주세요. 네? 전하를 도울 수 있게 해 주세요!"

벨라의 뺨에 자꾸만 눈물이 흘러내렸다. 자꾸만 쿨럭이며 뭔가를 말하려던 칼리아스는 헐떡거린 끝에 간신히 말했다.

"설마 티베리 그놈도 회귀한 것은 아니겠지?"

"네? 티베리가 회귀를 해요?"

벨라는 놀라서 그의 손을 더욱 꼭 잡았다. 쿨럭이며 칼리아스가 말했다.

"벤자민 그놈만 미래에 대한 계시를 받은 줄 알았더니 티베리 그놈도 미래를 직접 알더라고. 이 모든 것이 티베리 그놈 머리에서 직접 나왔어."

힘겨워하면서도 그는 벨라에게 열심히 말했다.

"우리의 수도를 공략하다 실패한 지 몇 달 만에 몇 년 치의 과학 기술을 앞당겨서 첨단 무기를 만들 줄이야. 대비하지 않았던 것은 아니었지만 놈이 준비한 것은 우리보다 몇 걸음 앞선 것들이어서 역부족이었어."

칼리아스의 말에 벨라는 그저 눈만 크게 뜰 뿐이었다.

"이 모든 것이 티베리의 머리에서 나왔다고요?"

벨라는 믿어지지 않는다는 듯 칼리아스에게 되물었다. 에클레르가 손수건으로 칼리아스의 입에서 흐른 피를 닦아 주었지만 이내 닦은 것보다 더 많은 양의 피를 칼리아스가 뱉어 냈다.

"벨라, 시간을 거스르는 게 가능하다면 과거의 나에게 준비를 더 일찍 하라고 조언해 줘. 그런다면 나는……."

이미 칼리아스는 한계점을 지나가고 있었다. 그의 눈에

짙은 죽음의 그림자가 드리우고 있었다. 그의 손을 잡은 벨라의 손등 위로 눈물이 자꾸만 떨어졌다.

"미안해요, 도와주지 못해 미안해요, 전하 죽지 마세요. 죽으면 안 돼요."

흐느끼는 벨라를 보며 칼리아스가 마지막으로 힘겹게 말했다.

"에클레르, 돌아가신 황제 폐하의 관을 다오. 아르티드 후작에게 주겠다."

"네?"

갑자기 황제의 관 이야기가 나오자 벨라는 눈을 크게 떴다.

"실은 나도 솔직하게 말하지 못한 것이 있어. 세상에 공개되지 않은 건국 시조의 유훈 중에 이런 때가 오면 황제의 관을 아르티드 후작에게 주고 뒷일을 맡기라고 되어 있어. 질투에 눈이 멀어 비밀로 했지만, 지금이라도 유훈을 받들어 그대에게 이 관을 주겠어."

칼리아스의 말에 벨라는 그저 당황할 뿐이었다.

"제가 황제의 관을 가져서 뭐 하게요? 저는 황제의 재목이 아닙니……, 앗!"

황금과 보석으로 꾸며진 황제의 관을 받지 않으려던 벨라를 더욱 놀랍게 한 것은 칼리아스가 최후의 힘을 쥐어짜 자신의 손에 감도는 불길로 그 관을 불태워서였다.

"안 돼요! 황제의 관을 태우시면……!!"

불길 속에서 드러난 것은 선명한 선홍색의 보석이었다. 드래곤 하트였다.

"이것은?"

칼리아스는 벨라의 손에 그것을 쥐여 주며 말했다.

"어서 이걸 가지고 시간을 거슬러 나에게 와. 그리고 나를…… 도와줘."

칼리아스는 최후의 숨결을 남긴 채 손을 떨구었다.

적국의 비행기는 자신들을 막던 불덩어리들이 사라진 사실을 깨닫자마자 다시 전열을 갖춰 공습을 시작했다. 숨을 거둔 칼리아스를 끌어안고 있던 에클레르가 황실 기사단에게 명령했다.

"전하의 유언이다. 아르티드 후작을 호위하라."

끝까지 저항하던 자가 사라진 지금, 승기를 잡았다고 생각한 적군은 총공세를 시작했다. 벨라는 칼리아스가 준 드래곤 하트를 손에 쥔 채 자신이 가야 할 단 하나의 방향으로 뛰었다. 그녀의 뒤를 루카스와 황실 기사단이 따랐다.

더 이상 막는 것이 없자 적기는 맹렬한 폭격을 지상에 쏟아부었다. 벨라는 밀려오는 공포를 이기기 위해 루카스를 잡은 손에 더욱더 힘을 주었다.

이 모든 것을 바로잡을 시간으로 워프해야 한다.

좌표 같은 거 난 몰라. 다시 또 엉뚱한 시간으로 워프해 갈지도 몰라. 하지만 내가 할 수 있는 것이 이것뿐이라면, 나는 반드시 해내야 해.

그런데 어디로 가야 하지?

건국 시조의 삶도, 칼리아스의 삶도 자신을 불태워 남을 밝혀야 하는 것은 마찬가지였다. 그들은 더 이상 피할 데도, 물러날 데도 없는 상황에서 자신이 무너지면 뒷사람들이 세상의 풍파를 맨몸으로 맞이해야 한다는 각오로 버틴 자들이었다.

왜 이렇게 끊임없이 누군가를 지켜야 하는 거지?

왜?

내 삶도 버거운데 버티고 버텨서 남들을 지켜야 하는 거지?

쏟아지는 폭탄과 흙먼지 속에서 다시 텔레포트 포인트로 달리며 벨라는 입술을 깨물었다. 자신의 손을 꼭 잡은 채 앞장서서 달리는 루카스를 보며 벨라는 자신에게 대답했다.

이들을 지키지 않으면 내 삶도 쓸려 나가 버리니까…….

나 혼자 버티는 줄 알았는데 내 뒤에서 나를 받치고 있던 이들 덕에 버텨지고 있었으니까…….

이들을 지키는 것이 나를 지키는 것이니까…….

그랑블루 강 화이트포럼 다리에서 뛰어내릴 때만 해도 그저 과오 많은 자신의 삶 하나만을 돌이키길 바랐다. 그 하나도 이루어지지 않으리라 생각했었다.

그러나 제대로 살려고 하면 할수록…….

신이 그녀에게 이 정도로는 부족하다고 속삭이는 것 같았다.

죽을 만큼 노력해도 누군가가 귓가에 '더, 더, 더……, 조금만 더, 아직 모자라. 더 열심히 해 봐.' 다그치는 것 같았다.

숨이 턱 밑까지 차올라 그만두고 싶어도 그만둘 수 없었다.

이 삶 하나 고쳐서 다시 산다는 게 이렇게 어려울 수가.

'리체가 쓴 로맨스 소설 속 주인공도 삶을 고쳐 사는데 그저 사소한 실수 몇 가지만 고쳐도 해피 엔딩이 보장되어 있건만.'

벨라 자신은 제대로 살아가려 하니 수많은 목숨이 그녀에게 얽혀 있어 쉽지가 않았다.

나 하나 바로 산다는 건 무의미했다. 그리고 그녀의 노력만으로는 다할 수가 없었다. 자신을 이끌어 텔레포트 포인트로 뛰어가는 루카스의 뒷모습만 해도 그랬다.

'자신의 목숨 아까운 줄 모르고 거침없이 내거는 이 사람.'

벨라는 눈빛을 흐렸다.

폭탄이 떨어지는 이 순간의 모든 일이 느릿느릿하게 눈앞에 펼쳐지는 것 같았다.

'그래. 화이트포럼 다리까지 뛰어가는 것보다는 텔레포트 포인트 유적지까지 뛰는 건 훨씬 쉽잖아? 난 거기서도 뛰어내렸다고. 이쯤이야…… 이 정도 고생쯤이야…….'

벨라는 입술을 질끈 깨물었다.

이번에 다시 또 시간을 거스르게 된다면, 다시 한번 더 모두를 살리고 싶어. 그리할 수 있는 가장 적절한 순간으로 돌아가고 싶어.

라울린. 푸딩…….

낸시와 정원사 가드너 씨는 하늘이 내린 수명을 다하고 죽은 것이라 하여도 라울린과 푸딩만큼은 주어진 생명을 다할 때까지 살게 하고 싶어.

신이시여. 제발 다시 한 번만 더.

가장 필요한 곳으로 돌아갈 수 있게 하소서.

황실 기사단이 길을 터 준 순간 루카스와 벨라는 텔레포트 유적지 중심으로 뛰어들었다.

팟!

눈부신 섬광이 그들을 다시 한번 감쌌다.

그와 동시에 유리잔이 깨지는 듯한 파열음이 또다시 들려왔다. 아마도 드래곤 하트에 금 가는 소리이리라.

잘은 모르지만, 장소를 이동하는 것에는 무리가 없으나 시간을 거스를 때마다 드래곤 하트에 실금이 가는 것 같았다.

어쩌면, 화이트포럼 다리나 드라흐마 협곡의 텔레포트 포인트는 정말 운이 좋아서 작동한 것인지도 모른다.

까마득히 오래전에 아르티드 초대 가주가 쓰던 곳인 만큼 그곳을 작동시킨 드래곤 하트에 얼마나 많은 실금이 가 있는지도 알 수 없었다.

그리고 그 섬광이 사라진 직후 벨라는 피를 확 내뿜었다.

컥!

가슴이 터져 나가는 듯 아팠다. 그러나 그 통증이 반가웠다. 타임 워프에 성공했다는 뜻이었다.

"괜찮으십니까? 아가씨!"

매우 놀라 격해진 루카스의 목소리가 들렸다.

벨라는 아찔한 가운데 간신히 고개를 들었다. 루카스가 무사히 자신의 곁에 있다는 사실이 벨라를 더욱 기쁘게 했다.

하지만 이내 벨라는 루카스의 품에 안겨 그의 옷자락에 피를 더 많이 뿜어내고 말았다. 급한 대로 루카스는 자신의 와이셔츠 소매를 뜯어 손수건 대용으로 닦아 주었다.

'와이셔츠?'

벨라는 달랑 와이셔츠에 바지 차림인 루카스를 보고 눈을 크게 떴다. 그리 간략한 차림새라면 이곳이 무인도임을 뜻했다.

벨라는 고개를 들어 주변을 살폈다.

맙소사.

이곳은 모기떼가 득실거리는 무인도였다. 신께서 그녀를 돌아가게 허락하신 곳은 무인도였다.

바나나 잎으로 만든 임시 움막 안에 걸터앉아 있는 티베리와 볼멘 표정으로 나무 패고 덩굴을 엮는 벤자민과 그들을 감시하고 있는 칼리아스까지!

벨라의 눈가에 눈물이 글썽글썽 고였다.

"루카! 우리가 돌아왔어요! 시간을 거스르는 데에 성공했다고요!"

그러자 루카스가 무슨 말인지 모르겠다는 듯 엄숙한 목소리로 주의를 주었다.

"갑자기 왜 그러십니까?"

벨라는 루카스의 손에 쥐어진 헝겊을 끌어당기며 말했다.

"마력을 쓰는 데 성공했다고요. 시간을 되돌렸어요. 이제 칼리아스 전하를 살릴 수 있게 되었어요."

"무슨 말씀인지 전혀 모르겠습니다."

벨라의 눈이 커졌다. 그녀는 당황하며 루카스의 손을 뒤집어 보았다. 방금 전까지 벨라의 입가에서 피를 닦아 주었던 셔츠 천 자락이 쥐어져 있었다. 그런데 그저 젖은 흔적만 남아 있을 뿐이었다.

"루카! 방금 내 피를 닦아 줬잖아요!"

"수영 연습을 하다가 바닷물을 많이 들이켜서 닦아 드리고 있었지 않습니까?"

"?"

벨라는 눈을 크게 떴다.

"자꾸 농땡이 칠 건가, 프로스트 영식!"

칼리아스의 화난 목소리가 뒤에서 쩌렁쩌렁 울렸다. 생전일 한 번 안 해 보았던 벤자민의 손이 물집투성이였다. 벨라는 그 모습을 보며 자꾸만 주변을 두리번거렸다.

지금이 어느 때인지 대강 확인한 순간 맥이 탁 풀렸다. 루카스는 몸을 돌려 오늘 낚은 물고기와 섬에서 찾아낸 열매 따위를 모아 저녁 식사 준비를 했다.

하아…….

벨라의 눈빛이 흐려졌다.

물고기가 구워지는 냄새가 고소하게 풍겨 왔다. 티베리는 벨라와 눈이 마주치자 그 특유의 느끼한 미소를 지으며 윙크를 보내왔다.

윽……!

다시 보아도 버터 바른 듯한 그의 미소는 적응이 되지 않았다. 신이 다시 기회를 한 번 더 주셨는데도 왠지 벨라는 맥이 빠지는 느낌을 지울 수 없었다.

'루카스, 나의 고백을 잊은 거예요?'

벨라는 쓸쓸한 표정으로 그의 뒷모습을 멍하니 바라보았다. 바삐 움직이는 그의 모습이 어쩐지 아득히 멀게 느껴졌다.

'내 고백은 하지 않았던 것이 된 거예요? 나의 고백에 뜨

거운 눈물로 답했던 당신은 이제 없나요?'

가슴 한편이 뭉근하게 아파 왔다. 저도 모르게 눈가가 뜨거워지는 것을 벨라는 고개 들어 눈물을 참았다.

'아니야. 처음부터 다시 고백하면 돼. 죽은 것도 아니고, 그저 시간을 거슬렀을 뿐. 모든 것은 그대로인걸. 오히려 신께 감사드려야 하지 않겠어?'

벨라는 흐르는 눈물을 아무도 보지 못하게 닦아 낸 후 심호흡했다.

'그래. 지금은 분명 라울린도 살아 있을 거고, 할 수 있는 일도 더 많아. 이번엔 더 치열하게 대처해 나가자.'

냄새를 맡자마자 기억에서 새록새록 되살아나는 코코넛 게의 향미에 입 안 가득 침이 고였다. 이 상황에서도 본능은 어쩔 수 없는지 배가 고프니 머릿속이 복잡하던 것도 잊고 저녁 식사에 동참하게 되었다. 루카스가 각종 해산물을 푸짐하게 구워 냈다.

"이야. 오늘은 코코넛 게 말고도 다른 물고기가 있네? 이거 맛있었는데 또 잡혔군. 코코넛 게도 이젠 조금 물리던 차였는데 잘됐어."

칼리아스는 만족스러운 표정으로 잘 구워진 생선 꼬치를 집어 한 입 먹으려다 말고 벨라를 힐끔 쳐다보았다.

"자. 아르티드 영애."

벨라가 영문을 몰라 그를 물끄러미 바라보자 칼리아스는 미간을 살짝 찡그렸다.

"내 팔 떨어진다. 받아."

벨라는 얼결에 생선 꼬치를 받아 들었다. 그사이 눈치를 보던 벤자민이 다른 생선 꼬치를 집으려 하자 칼리아스는 버럭 화를 내었다.

"그건 내 것이다, 죄수 놈아! 좋은 말로 할 때 내려놔라."

"저도 생선 꼬치 먹을 줄 압니다. 아르티드 영애는 되는데 저는 왜 안 됩니까?"

"아르티드 영애는 아프지 않나! 그리고 내가 된다고 하면 되는 거고, 안 된다 하면 안 되는 것이다. 잔말 말고 놔라."

"싫습니다! 온종일 죽도록 부려 먹고 이것도 못 먹게 합니까?"

"죄수 놈은 그럴 자격도 없다!"

둘이 투닥거리는 사이 티베리는 조용히 코코넛 게를 배불리 먹고 있었다. 경쟁자가 없으니 양껏 먹어도 눈치 주는 이가 없었다.

기어코 벤자민이 한 입 뜯어 먹은 생선 꼬치를 빼앗아 든 칼리아스는 뒤를 돌아보았다가 코코넛 게가 있던 자리가 텅텅 비어 있자 다시 화르륵 불타올랐다.

"간이 배 밖으로 나오지 않고서야 이런 짓을! 다 죽여 버릴까?"

티베리는 칼리아스의 협박에도 아랑곳하지 않고 먹던 코코넛 게의 집게발을 쪼옥 빨아들였다.

"악!"

티베리를 보며 화를 내는 사이 벤자민은 얼른 칼리아스가 쥔 꼬치에서 생선을 쏙 빼서 달아났다.

생선 하나에 광분한 칼리아스가 벌떡 일어나기도 전에 티베리와 벤자민은 곧바로 달아났고 칼리아스는 도망친 놈들을 응징하기 위해 달리기 시작했다.

"전하! 어차피 도망쳐 봐야 모기한테 더 뜯기기만 합니다! 돌아오세요!"

보다 못한 벨라가 목청껏 칼리아스를 부르고 나서야 그는 씩씩거리며 되돌아왔다.

"조용히 숨만 쉬어도 모자랄 판에 네놈이 감히 나의 식사를 탐하다니!"

벨라는 그에게 생선 꼬치의 반을 내밀었다.

"전하, 같이 나눠 먹어요."

"내가 줬던 것을 어찌 다시 달라 하겠느냐? 아르티드 영애가 먹어야 한다."

그리 말하면서도 칼리아스의 배에서 꼬르륵 소리가 났다. 그러자 그의 얼굴이 새빨갛게 달아올랐다.

벨라는 체면 때문에 선뜻 손을 내밀지 못하는 그에게 억지로 떠밀듯 생선의 반을 내밀며 함께 먹기를 권했다. 마지못해 받아 드는 척 칼리아스는 생선을 물어뜯었다. 생각보다 생선구이는 맛있었다.

순식간에 다 먹고 아쉬워하는 칼리아스 앞에 루카스가 새로 구운 코코넛 게를 가져다주었다. 그러자 칼리아스의 표정이 환해졌다.

벨라는 그 모습을 물끄러미 바라보노라니 그의 마지막 모습이 떠올라 코끝이 시큰해졌다.

지금 그의 모습은 무척이나 자유롭고 편안해 보였다. 늘 어딘가 날카롭게 날이 서 있는 그런 황태자로서의 모습이 아니라 사회 초년생의 모습이었다. 사람들과 부대껴 보지 못해 인간관계에 서툰 그대로 그의 솔직한 감정이 묻어났다.

무인도에서는 이토록 가까이 지내다가 페로하트로 돌아가자마자 황태자로서의 딱딱한 모습만을 내비치던 모습을 떠올렸다.

가여우신 분…….

이러하든 저러하든, 페로하트의 운명은 칼리아스의 죽음과 그 결을 같이하는 셈이었다.

디노르센 전투에서 전사하든, 플란네르 연합군에 맞서 싸우다 피를 토하고 죽든, 그는 자신이 원하는 대로 자유로이 살지 못하고 나라의 운명을 무겁게 지고 가야 하는 자였다.

제공권을 빼앗겨 격추당하기만 하는 페로하트의 공군을 대신해 공중에 성스러운 불의 장막을 버겁게 펼쳐 내고는 숨을 거두던 그의 마지막 모습이 자꾸만 떠올랐다.

"응? 아르티드 영애. 내 얼굴에 무엇이라도 묻었는가?"

눈물을 글썽이며 자신을 빤히 바라보기만 하는 벨라가 이상했는지 칼리아스는 코코넛 게살을 뜯다 말았다.

"아닙니다, 전하. 드시기 편하게 게 껍데기를 벗겨 드리겠습니다."

"내가 직접 발라먹으면 된다. 놔두어라. 이곳은 황궁도 아니고, 보아하니 자꾸 기침하던데 본인 몸부터 챙기도록."

시간을 거스른 후유증으로 기침이 자꾸 나왔다. 그러나 입 안에서 피 맛이 느껴질 뿐, 루카스를 만나기 위해 회귀했을 때처럼 격하게 각혈하지는 않았다. 하지만 그나마도 사람들을 걱정시킬까 봐 티 내지 않으려고 조심하였다.

벨라는 조심히 코코넛 게의 껍질을 벗기고 칼리아스가 먹기 좋게 하여 건넸다. 칼리아스는 거절하려다가 차마 거절하지 못하고 받아 들었다. 그녀가 시중드는 것이 뭔가 어색한 듯 칼리아스의 뺨이 붉게 달아올랐다. 하지만 싫지는 않았는지 잠자코 그녀가 발라 주는 게살을 맛있게 받아먹었다.

'분명 많은 가능성을 속에 지녔으나 채 피어나 보지 못하고 생을 마감하게 되는 모습이 나와 닮았어.'

벨라는 그를 보며 거울 반대편의 자신을 바라보는 기분이 들었다.

그날 밤, 밤이 깊으면 깊을수록 신경이 곤두서는 느낌이었다. 모기들이 귓가에서 쉴 새 없이 앵앵거리는 소리가 오래간만이어서 그런지 더욱더 깊게 잠들지 못하고 뒤척였다. 루카스와 칼리아스는 포로들을 감시하느라 서로 교대로 잠들었다. 지금 모깃불을 지키는 것은 칼리아스였다.

타닥타닥.

하루빨리 칼리아스에게 타임 워프 사실을 알리고 그의 미래에 대해 충언해 주어야 했다. 그런데 벤자민과 티베리가 있어서 속내를 쉽게 드러낼 수가 없었다. 칼리아스가 마지막으로 했던 말들이 자꾸만 마음에 걸렸다.

'설마 티베리 그놈도 회귀한 것은 아니겠지?'

'이 모든 것이 티베리 그놈 머리에서 직접 나왔어.'

'벨라, 시간을 거스르는 게 가능하다면 과거의 나에게 준비를 더 일찍 하라고 조언해 줘. 그런다면 나는……'

벨라는 저도 모르게 칼리아스를 애잔하게 바라보았다. 자신의 능력을 각성한 지 얼마 안 된 칼리아스는 아무리 생각해 봐도 신기한 모양이었다. 모기 퇴치용 풀을 모깃불에 던지다 말고 자신의 손에서 화르륵 태워 보더니 재밌어서 어찌할 줄 모르겠다는 표정이었다.

이럴 때 보면 영락없는 장난꾸러기의 모습인데 남들 앞에서는 그런 내색을 하기 싫어하여 언제나 인상을 구기고 지냈다.

어쩐지 마음 한편이 찌르르 아려 오는 느낌이었다. 루카스를 사랑하면서도 칼리아스의 연인이 되어 살아왔던 지난날들이 머릿속을 하나하나 스쳐 갔다.

가뜩이나 잠도 오지 않는데 수많은 기억이 떠오르자 잠들기는 그른 모양이었다. 벨라는 두 손을 깍지 모아 배 위에 얹고 하늘을 바라보았다. 새까만 어둠 속 총총히 박혀 빛나는 별들이 아름다웠다. 기울어 가는 달과 이제 막 뜨기 시작한 샛별과 파도치는 소리가 아름답게 어우러졌다.

찰싹.

저쪽에 있는 움집에서 자던 벤자민이 모기를 때려잡는 소리가 들렸다. 벨라는 살며시 눈을 감았다.

저러다가 홧김에 모깃불을 제 움집 앞에 놓는다고 불이 옮겨붙어서 홀랑 태웠었지.

아니나 다를까 눈감고 얼마 지나지 않아 벤자민이 억 소리를 내며 '불이야'를 외쳤다. 곧 물 확 끼얹는 소리와 '앗 차가워'를 외치는 소리와 함께 루카스의 목소리가 들렸다.

"소리 지를 시간에 물을 뿌리십시오."

"물이 거기 있는 줄 누가 알았어?"

"버틀러 경! 그건 마실 물 아닌가! 죄수 놈아! 너 때문에 식수를 낭비했으니 당장 가서 물을 떠 와!"

"왜 저만 갖고 그러십니까! 이런 일은 저 하인이 할 일이지 프로스트가의 계승자인 제가 할 일이 아닌데요!"

"프로스트가고 뭐고 간에 넌 페로하트로 가면 쇠고랑이다! 죄수는 죄수답게 굴어라!"

와장창 우당퉁탕 끝에 벤자민은 툴툴거리며 식수를 떠 오기 위해 인근 샘으로 갔다.

벨라는 일어날까 하다가 말았다. 어차피 벤자민이 식수에다가 침을 뱉어서 떠 오는 바람에 모두 한꺼번에 물 뜨러 가는 일이 발생할 것을 뻔히 알기에 몸을 돌려 누웠다.

티베리와 벤자민이 허튼짓을 하지 못하게 하느라 항상 칼리아스와 루카스는 번갈아 가며 자리를 지켰다. 그러니 셋이 함께 무언가를 의논하는 것은 무리였다. 그렇다고 이대로 칼리아스를 놔둘 수도 없고, 쭉 무인도에 있을 수도 없었다.

'그러면 티베리와 벤자민을 페로하트로 데려갈 생각을 하지 말고 이 자리에서 죽여야 하는 걸까?'

생각해 보면 그 방법이 제일 쉬웠다.

'내 손에 피를 다시 묻혀야 하는 걸까?'

벨라는 벤자민을 죽이고 울부짖던 자신의 옛 기억을 더듬었다. 가슴이 불길하게 뛰었다. 그 죽음으로 치러야 했던 뼈아픈 대가는 루카스의 죽음이었다.

그런다고 이대로 놔두자니 티베리와 벤자민이 무슨 짓을 할지 몰랐다.

'하나만 있어도 위협적인데 둘씩이나 있고 그 둘 다 과거를 기억한다는 점이 찜찜해.'

그리고 어디서부터 어디까지 과거를 아는 것인지도 알 수 없었다.

'벤자민보다도 티베리가 과거를 기억한다는 것이 핵심이야. 벤자민은 자기 욕심만 차리지만 티베리는 그 이상으로 음험하거든.'

이전에 무인도에 함께 있을 때까지만 해도 과거를 기억하는 기색이 전혀 없었다.

'과연 어느 순간부터 기억하게 된 것인지 그게 어느 때인지 시점도 알 수 없어.'

순간 묘한 불안감이 엄습해 왔다.

혹시…….

회귀를 할 때마다 나와 정반대의 견해에 있는 사람 하나가 과거를 기억하게 되는 것은 아닐까?

생각이 거기까지 미치자 소름이 오싹하게 돋았다.

우리가 여기 갇혀 있는 동안, 누군가가 이 모두를 기억하게 되었다면?

그것도 최악의 사람이?

벨라는 몸을 벌떡 일으켰다. 한시바삐 이 무인도를 벗어
나야 했다. 노를 열심히 젓지 않으면 해류를 거스를 수 없었
고, 당장 나가려 해도 물살의 흐름이 약한 시기를 고르고 바
다를 건너갈 동안 필요한 생필품들을 비축해야 가능했다.

'그런데 돌아갔을 때 이미 누군가가 손쓸 수 없이 완전하
게 각성해 있다면?'

더 이상 회귀의 이점이 없어지는 거였다.

"아르티드 영애, 좀 더 잠을 청하지 왜 벌써 일어났나?"

칼리아스는 벨라에게 어서 누우라고 손짓했다. 하지만 벨
라는 일어나 칼리아스의 곁으로 다가왔다.

"우리가 섬에서 나가려면 얼마나 더 걸리죠?"

"버틀러 경에게 묻지 왜 내게 묻는가? 날이 밝으면 버틀
러 경에게 묻게."

벨라는 칼리아스의 말에 속이 타서 그의 곁에 바짝 다가
가 앉았다.

"밖에서 무슨 일이 벌어질지 걱정이 됩니다. 하루빨리 황
태자 전하께서 안전하시다는 것을 알려야 하고, 아르티드
가의 가주가 무사하여 상속 문제에 이상이 없다는 것을 증명
해야 합니다. 여기서 이러고 있을 게 아닙니다."

벨라의 말에 칼리아스는 깊은숨을 내쉬며 하늘을 쳐다보
았다.

"나 역시 빨리 나가고 싶은 마음은 마찬가지이지만 어쩌

겠는가? 식수와 식량도 문제고 뗏목 만들 통나무를 구하는
것도 어려우니 말이지. 버틀러 경의 말로는 꽤 준비 기간이
필요하다 하던걸. 그러니 버틀러 경에게 물어보라."

벨라는 뒤를 힐끔 돌아보았다. 피곤한지 곤히 잠들어 있
는 루카스의 모습이 보였다.

흐트러진 그의 머리카락을 쓸어 올려 주고 싶은 충동이
들었지만, 그는 전처럼 자신의 가까이에 다가오지 않고 한
발 멀리 물러나 깍듯하게 대할 뿐 연인으로서 손을 내주는
법이 없었다.

그 모습이 왠지 속상하게 느껴졌다.

'루카가 나를 위해 고생하는 것도 마음 아픈데 그와 무관
한 다른 사람들을 위해서 힘들어야 하다니!'

그가 아니면 여기 있는 사람들 모두 생존이 어려웠을지
모른다. 물을 정화하고 먹을 만한 식물을 채집하고 요리를
하고, 뗏목을 엮을 밧줄을 가공하여 만드는 일 등등 온갖 잡
일을 다 하느라 피곤한 것이 당연했다.

벨라는 자신의 손등을 매만졌다.

아직도 그가 흘렸던 눈물의 촉감이 손등에 그대로 남아
있었다.

어렵게 고백했고, 어렵게 연인이 되었다. 키스조차 조심
스러워하며 곁을 내주기 서먹해하던 그였다. 그만큼의 거리
에 가까이 다가가기까지도 시간이 오래 걸렸던 사람이었다.

그런데 그 기억이 모두 없었던 일이 되어 버리니 서운하
기가 이루 말할 수 없었다.

루카스를 보고 있노라면 사랑의 기억을 모두 잊어버린 것 같아 마음 한편이 아려 왔다. 너무나 사랑하는데, 그 사랑을 철벽처럼 막아 내는 예전의 그로 돌아가 있어서 그를 쳐다보는 것조차 슬펐다.

그가 깍듯하게 굴수록, 벨라는 견디기 힘들었다. 하지만 어쩌랴. 그는 벨라가 사랑 고백하던 그 순간의 그가 아니지 않은가.

지금이라도 자는 그의 곁에 다가가 그의 뺨을 쓰다듬고 그 입술에 입 맞춰 주고 싶었다. 하지만 그렇게 하는 즉시 그는 벌떡 일어나 주인과 고용인의 본분 운운하며 멀찍하게 물러날 게 뻔했다.

'상상만으로도 그 모습을 떠올리게 되는 것은 슬퍼.'

벨라는 고개를 돌려 칼리아스를 바라보았다.

칼리아스는 멍하니 입을 벌리고 벨라만 쳐다보았다. 그러다 시선이 마주치자 당황한 듯 고개를 돌렸다. 그의 얼굴이 온통 붉었다.

"엇흠…… 으으음."

칼리아스는 괜스레 헛기침했다. 벨라는 그 모습을 가만히 바라보았다.

'이렇게 날 좋아하는 마음이 온몸으로 티 나는데…….'

사랑에 서툴러서, 거절당해 본 적이 없어서 그토록 그녀를 놓아주지 않았던가 보다.

"앗 뜨뜨!"

칼리아스가 성스러운 불의 검을 제대로 조절하지 못하자

손에서 옷자락으로 불이 옮겨붙었다. 그는 벌떡 일어나 그 것을 끄려고 바닥을 데굴데굴 굴렀다. 시끌시끌한 가운데에 서도 티베리는 팔짱을 끼고 누워 잠만 잘 자고 있었다.

'어쨌거나 다섯 명이 노를 저어야 해류를 거스를 수 있으 니 지금은 없앨 수 없어. 그리고 티베리가 물길을 자신에게 유리한 대로 끌고 가게 하면 안 돼.'

벨라는 자신의 손바닥을 내려다보았다. 그리고 가만히 쥐 었다 폈다 하였다.

지금 품에는 어찌 된 일인지 지팡이와 열쇠, 드래곤 하트 가 고스란히 있었다.

'시간을 거스르면 원래 있던 위치로 가야 하는 것이 아닌가?'

벨라는 고개를 갸웃거렸다. 다른 때엔 물건을 가지고 시 간을 거슬러 본 적이 없는데 이번엔 어째서 물건을 가지고 거스를 수 있었는지 자신도 이유를 잘 몰랐다. 시간을 몇 번 이나 거슬렀는데도 원리가 뭔지 알 수 없었다.

'내 능력은 공간을 이동하거나 시간을 거스르거나, 사물을 공중에 붕 띄우는 것.'

사물을 붕 띄운다 해도 자유자재로 다른 사람을 공격할 수 없다는 점에서 그것은 염동력이라 불리는 능력과는 다른 것 같았다.

하지만 티베리와 벤자민이 뗏목에서 도망치려 할 때 그들 을 공중에 붕 띄워 붙잡을 수는 있을 것 같았다.

'지팡이까지 있으니 하늘 높이까지 치솟게 할 수 있겠지.'

벨라가 모닥불을 쬐며 가만히 앉아 있기만 하는데도 칼리아스는 어색한 듯 시간이 지날수록 더 많이 꼼지락거렸다.

부스럭대는 소리에 벨라가 칼리아스를 쳐다보자 화들짝 놀란 그는 딴청을 부렸다. 벨라를 쳐다보지 않은 척······, 우연히 눈 마주친 척······.

"아르티드 영애, 실은······ 말이지······."

무언가 말하려 하는 통에 벨라는 그를 빤히 쳐다보았다. 그러자 칼리아스는 다시 또 당황스러운 눈초리로 고개를 돌렸다.

"콜록."

기침을 가장해 칼리아스는 말을 하려다 말았다.

무슨 말을 하려는지는 잘 알고 있었다. 사귀자는 말을 하고 싶어서 몇 번이고 뜸 들였던 것을 벨라는 너무나도 잘 알았다. 지금도 그녀에게 사귀자고 말하려다가 쑥스러워서 입을 다문 듯했다.

오죽 말하기 부끄러웠으면 나중에 루카스를 통해 데이트 날짜를 잡아 달라고 따로 말했을까.

벨라는 혼자 피식 웃었다. 그러고는 섬 밖의 다른 사람들이 생각났다.

모든 것들이 무로 되돌아가 버린 지금, 리체는 돌아오지 않는 벨라와 칼리아스의 소식에 노심초사하며 기도하고 있을 것이고, 전쟁터로 차출되어 간 라울린과 캐시는 서로의 마음을 확인하지 못한 채 서먹하게 굴다가 결국은 끌려서 비밀 연애를 하고 있을 것이다.

찰스는 여전히 포르위네 성에서 버티고 있으면서 벨라가

이대로 영영 행방불명되기를 바라고 있을 것이고, 티베리의 형들은 쿠데타를 일으킬 준비로 바쁠 터였다.

하…….

겪었던 일을 처음부터 다시 할 생각에 절로 한숨이 나왔다.

'이왕 회귀할 거, 푸딩이 희생될 일을 만들지 않게 만국 박람회 이전으로 돌아갔으면 얼마나 좋았을까?'

아직도 영원히 마음속에 아물지 않은 상처로 남은 푸딩이 문득 그리웠다.

그러고 보니 오랫동안 널 기억하지 않았구나. 미안해. 이런저런 바쁜 일을 핑계로 널 생각할 틈이 없었어.

벨라는 하늘을 멍하니 바라보았다. 달 밑에서 빛나는 샛별이 푸딩의 눈동자 같아서 애잔한 느낌이 들었다.

"아가씨, 수영은 나중에 하고, 일단은 물과 친해지십시오."

루카스는 허리 깊이 정도 되는 물속으로 벨라를 천천히 이끌었다.

벨라는 눈빛을 흐렸다.

아……! 기억난다. 루카스에게 수영을 배울 때 이런 말을 했었지. 벨라는 루카스의 손을 꼭 잡았다. 아직도 물에 들어갈 때마다 회귀하며 겪은 질식사 직전의 고통이 떠올라 손발이 오그라드는 듯한 두려움이 일었다.

"아가씨께서는 물장구를 칠 때 수심이 무릎 정도 되는 곳에서는 곧잘 하십니다. 하지만 이 정도 깊이만 되어도 상황이 달라집니다."

순간 루카스가 벨라의 허리를 가뿐하게 감싸 들어 올렸다.

벨라는 기겁하며 루카스의 목에 두 팔을 감았다.

"아가씨, 제가 잡고 있으니 걱정하지 마십시오. 그저 안아 들었을 뿐입니다."

자신의 귀가 루카스의 가슴에 밀착되어 있어 그의 심장 뛰는 소리가 더욱 선명하게 들려왔다. 매끈하고도 단단한 가슴이었다. 언제든 기대고 의지해도 좋을 만큼. 게다가 따뜻했다. 왠지 코끝이 시큰거리는 느낌이었다.

루카. 나를 조금 더 안아 줘요.

나의 고백을 잊어버린 나의 사랑.

그의 깍듯함에 더더욱 거리감을 느끼고 벨라는 그를 꼭 끌어안았다. 이렇게라도 안고 마음의 위안으로 삼고 싶었다.

"아가씨는 발이 지면에서 떨어지기만 해도 겁부터 냅니다. 제가 붙잡고 있어서 물에 빠지지 않습니다. 걱정하지 말고 몸에서 힘을 빼십시오."

벨라는 오므린 다리의 힘을 빼 보려 하였지만, 아무것도 없는 물 위로 발가락이 닿자 다시 공포감에 젖어 들었다.

"하지만……."

"몸이 허공에 뜨는 것이 아직도 무서우십니까?"

"……?"

"아직도 제가 이 손을 놓을 것 같습니까?"

원래대로라면 자신의 입에서 나와야 할 말이 루카스의 입에서 나왔다. 벨라는 눈을 크게 뜨고 그와 시선을 마주쳤다.

"루카, 기억…… 해요?"

반신반의하며 묻는 벨라에게 그가 말했다.

"섬에서 안전하게 나갈 때까지 모른 척하려고 했습니다만 그러자니 전하의 곁에 필요 이상 가까이 계시기에……."

루카스의 표정은 변화가 없었지만, 그의 목소리 끝은 미묘하게 떨렸다.

"전에는 전하에게 그리 다정하게 말을 건네지는 않았지 않습니까?"

순간 벨라는 깨달았다.

"루카, 질투하는 거예요?"

벨라의 말에 루카스는 급히 입을 다물었다. 그의 침묵이 확실한 증거였다.

"맞죠? 그렇죠?"

벨라는 함박웃음을 지었다. 여전히 대답하지 않는 루카에 확실히 쐐기를 박듯 그녀는 말했다.

"아니라면 황태자 전하에게 수영을 배워도 되나요?"

루카스는 정색하며 말했다.

"반드시 저에게 배우십시오. 수영은 제가 더 잘합니다."

"무슨 근거로요?"

일부러 던진 말에 루카스가 잠시 망설이는 모습을 보며 벨라는 그의 뺨에 재빨리 키스했다. 루카스의 눈동자가 잠시 흔들렸다. 벨라는 너무 기뻐서 그의 목을 두 팔로 꽉 끌어안았다.

"걱정 마요. 나를 가라앉게 놔두지 않을 것을 잘 아니까 꼭 루카에게 배울게요."

루카스 역시 벨라를 힘있게 끌어안았다.

"왜 기억하지 못하는 척했어요! 내가 얼마나 슬펐는지 알아요?"

벨라의 눈에서 눈물이 왈칵 샘솟았다. 그가 모든 것을 잊어버렸을까 봐 얼마나 마음 졸였는지 모른다. 그 불안이 일시에 해결되자마자 코끝부터 찡해서 견딜 수 없었다.

"쉿. 조용히 하십시오, 아가씨. 회귀로 인해 과거의 기억을 갖게 된 자가 또 있을까 봐 내색하지 못했습니다. 아가씨는 표정으로 다 드러나는 분이라 잠시 숨겼을 뿐입니다."

벨라의 눈물이 뺨을 타고 그의 어깨로 뚝뚝 떨어졌다.

"그런 줄도 모르고 나는…… 예전처럼 철벽 치는 차가운 사람으로 돌아갔을까 봐 나는……."

벨라가 울먹이며 말하자 루카스는 그저 그녀를 다독여서 달랠 뿐이었다. 그의 숨결이 벨라의 귓가에 닿았다. 모든 것이 꿈만 같은데 그의 숨결로 인하여 꿈이 아님을 실감할 수 있었다.

"그래도 나빠요. 내가 얼마나 마음 졸였는지 루키는 모를 거예요."

그의 다독임에 벨라의 가슴은 빠르게 진정되어 갔다.

"언제나 아가씨를 사랑해 왔다는 것을 잘 아시면서 마음 졸이셨습니까?"

그가 나직하게 벨라의 귓가에 속삭였다. 벨라는 눈물을 머금으며 말했다.

"또다시 나를 황태자 전하께 떠밀어 보내려고 할까 봐……."

그녀의 말에 루카스는 살짝 입꼬리를 끌어 올렸다.

"제가 두 번 다시 그런 짓을 할 것 같습니까?"

그의 말에 벨라는 고개를 끄덕였다.

"내가 아는 루카라면 충분히 그럴 만해."

글썽거리는 눈으로 벨라는 루카스를 바라보았다.

"루카는 그저 내가 행복하면 된다고 생각하잖아? 자신은 어떻게 되든 말든."

그 말에 루카스는 대답 대신 벨라의 눈을 빤히 쳐다보았다. 둘 사이에 묘한 침묵이 감돌았다.

"지금이라도 아가씨의 선택을 바꾸어 황태자 전하께 가고 싶습니까?"

그가 느리게 물었다. 어쩐지 대답을 잘못했다가는 그녀를 끌어안은 손을 거두어 갈 것 같은 느낌이었다. 벨라는 저도 모르게 긴장감이 들어 마른침을 삼켰다.

"가려 해도 이젠 제가 안 됩니다."

벨라는 루카스의 말을 들으며 멍한 표정을 지었다.

"전하의 곁에 가까이 앉아 계시는 아가씨를 보며 깨달았습니다. 절대로 보내지 않을 겁니다. 다른 것은 포기할 수 있어도 아가씨만은 안 됩니다. 제 입술을 훔쳤으니 책임지셔야죠."

그 말을 하며 떨리는 눈동자로 자신을 바라보는 그가 정말 좋았다. 벨라는 그의 입술을 향해 돌진했다.

첨벙!

그 바람에 루카스는 균형을 잃고 뒤로 넘어졌으나 벨라는 그를 끝내 놓지 않았다. 그리고 물속으로 가라앉으면서도 정신없이 그의 입술을 탐했다.

잠시 버둥거리나 싶던 그 역시 벨라의 허리를 감싸 안으며 그녀의 입술을 정성껏 받아들였다. 마치 오랜 시간 이별했다 다시 만난 연인의 키스처럼 달콤했다.

그들의 숨이 다해 아쉽게 물 밖으로 일어서야 했을 때 미역이 한 가닥 벨라의 정수리에 얹혀 있었다.

"어이! 거기서 둘이 뭐 해!"

바닷가에서 뭔가 이상한 분위기를 감지한 황태자가 그들을 향해 으르렁거리듯 외쳤다.

"수영! 수영 배우잖아요!"

벨라는 핑계 대듯 말하면서도 물 밑으로 잡은 루카스의 손을 놓지 않았다.

"티베리와 벤자민이 어디까지 기억하고 있을지 모르니까 일단은 이 섬을 벗어날 때까지 모르는 척해야 합니다."

루카스의 말에 벨라는 자신의 정수리에 붙은 미역을 떼려고 손을 뻗으며 말했다.

"수영 시간에만 살짝씩 이야기해요. 아무래도 섬 밖에 또 기억을 가진 사람이 있을지 모른다는 생각이 들어서 이 섬 빠져나가는 날짜를 앞당겨야겠어요. 티베리가 물길을 돌리는 거 조심하고, 밧줄을 풀지 못하게 잘 감시해야 하고요."

루카스는 대답 대신 머리에 붙은 미역을 떼 주며 벨라의 뺨을 슬쩍 매만졌다. 그 조심스러움에 벨라는 싱긋 웃었다.

"둘이 달아나려 하면 내 능력을 이용해서 공중에 띄워 버릴게요. 루카는 수상한 부분 있는지 낌새를 잘 살펴보세요."

"그, 공중에 띄우는 능력으로 뗏목을 이동시킬 수는 없습니까?"

루카스의 말에 벨라는 미간을 살짝 찌푸렸다.

"이상하게 공중에 띄우는 건 되는데, 좌우로 움직이게 조절하는 것은 잘 못해요. 아무래도 염동력 같은 거랑은 다른 능력 같아요."

"전에 만년필 뚜껑을 공중에 띄워 제 손까지 옮기지 않으셨습니까?"

"그거야 수평 맞추기 쉬웠으니까……. 조금만 균형을 덜 맞춰도 움직이는 게 아니라 휘청대기만 해요."

"사람들의 눈을 피해 연습을 해 보십시오."

"무얼로……?"

벨라의 말에 루카스는 주변을 둘러보다가 말했다.

"작은 돌멩이라도 틈틈이 옮겨 보십시오. 아마도 언젠가 요긴하게 쓰이지 않겠습니까?"

그의 말에 벨라는 고개를 끄덕였다.

"둘이서 뭐 하냐까?"

살짝 약이 오른 듯한 표정의 칼리아스가 저쪽에서 외치자 벨라는 루카스를 한번 쳐다본 후 먼저 물 밖으로 나갔다.

"전하, 어디 불편하십니까?"

"그런 것은 아니고⋯⋯⋯."

루카스는 멀어져 가는 벨라의 뒷모습을 바라보다가 물 밑을 더듬었다. 이곳저곳 더듬은 끝에 일그러진 진주를 주웠다. 벨라가 늘 소중하게 차고 다니던 목걸이의 진주였다.

그것을 말없이 바라보던 루카스는 천천히 손을 움켜쥐고 물 밖으로 나왔다.

이전에 했던 대로 식량을 준비하고, 뗏목에 쓸 굵은 나무를 베어서 모아 덩굴 줄기로 묶고 돛대를 만든 후 섬을 떠나게 되었다.

벨라의 재촉에 이전보다 일주일 정도 앞당긴 날짜였다. 루카스는 전보다 더 꼼꼼하게 티베리와 벤자민을 묶은 밧줄을 살폈다. 아무리 보아도 완력으로 밧줄을 끊을 만한 것은 아니었다. 이 밧줄은 돛대 천과 함께 있었던 것으로, 이전에 뱃사람들이 쓰다 버린 것으로 추정되었다.

벨라는 밧줄이 묶인 뗏목의 연결 부위를 살폈다. 이걸 잡아 뽑느니 뗏목이 부서질 판이었다.

기억을 아무리 더듬어 봐도 티베리가 이것을 어떻게 풀고 달아났는지 이해가 되지 않았다.

"그건 또 뭔가?"

칼리아스가 뾰로통한 표정으로 벨라를 쳐다보았다.

"또 둘이서만 뭔가 짜고 하는 거지? 대체 무얼 내게 숨기는 것인가? 내게도 말하라."

티베리를 묶은 밧줄을 벨라와 루카스 둘이서 거듭해 살피자 어쩐지 소외된 듯한 느낌의 칼리아스는 투덜거리며 말했다.

"나도 알아야 도울 것 아닌가? 자꾸 이럴 테야?"

"아닙니다. 섬을 떠나기 전에 이자가 달아날 만한 허점이 있는지 살피는 것뿐입니다."

벨라는 의심쩍은 눈초리를 한 칼리아스를 달래느라 애썼다.

"이 앞의 무인도들 사이로 강한 해류가 흐르는데, 이것을 거슬러야만 아카이브 제도로 진입할 수 있습니다. 성인 장정 여섯이서 노를 저어야 넘어갈 수 있는 곳인데 우리는 다섯. 아슬아슬한 상황이지만, 젖 먹던 힘까지 모두 모아서 힘껏 저어 주십시오."

티베리의 말에 벨라는 노를 힘껏 잡았다. 두 번째로 겪는 일이라 그때처럼 두렵거나 하지 않았다. 다만 티베리가 무슨 수로 밧줄을 푸는지 눈 크게 뜨고 잘 지켜봐야 할 일이었다.

벨라는 벤자민을 쳐다보았다.

한때는 그와 마주치는 것만으로도 팔다리가 후들거렸다. 하지만 무인도에서 그의 지질한 모습을 두 번째 보려니 한심함을 넘어서 연민까지 들었다.

'이렇게 비굴한 사람이었나?'

노도 얼마 젓지 못했는데 그는 벌써 지친 표정으로 헐떡이고 있었다.

다시 주어진 삶의 기회에서 충분히 더 좋게 살 수 있었건만 끝내 쉬운 길만 택하다가 페로하트로도, 플란네르로도 돌아갈 수 없는 몸이 되어 버린 그가 한심하기 그지없었다.

그러나 그 표정이 연기라는 것을 지금은 잘 안다. 남들 열심히 노 젓고 있을 때 저렇게 요령을 피우며 힘을 아끼다가 티베리를 따라 달아날 때나 전력을 다할 것이 분명했다.

'버러지 같은 인간. 저렇게나 일생 남에게 도움이 되지 않기도 힘들 거야. 누구는 미래를 알게 되자 바꿔 보겠다고 젖먹던 힘까지 모두 끌어내는데, 오로지 자기 자신을 위한 일 외에 아무것도 노력하려 들지 않다니……!'

벨라는 그가 누설한 비행기 정보로 티베리가 비행기 개발에 힘써 전쟁에 사용한 것을 떠올리며 미간을 찡그렸다.

자꾸만 독가스에 중독되어 죽어 버린 한 마을 전체의 풍경이 떠올랐다. 벨라는 입술에 피가 맺히도록 질끈 깨물었다.

'다시는 그런 의미 없는 죽음이 반복되게 하지 않을 거야.'

순간 벤자민이 노 젓다 말고 벨라의 눈을 똑바로 바라보았다. 시선을 들킨 벨라는 그 눈길을 피하려다가 이를 악물고 가만히 노려봤다. 벤자민은 코웃음을 쳤다.

"벨라, 페로하트로 돌아가면 날 어떻게 할 속셈이지?"

"말이 좀 짧군요. 프로스트 영식."

어쩐지 대놓고 시비 거는 듯한 어조에 벨라는 불쾌해졌다.

"시치미 떼지 마. 꿈이라고 생각했는데 아무리 생각해 봐도 꼭 겪어 본 것 같은 기시감이 드는 꿈이었단 말이야."

그가 노골적으로 적의를 드러내며 말했다.

"내 꿈 내용을 당신에게 직접 말해 주지 않았는데도 내 꿈에서 당신이 어떻게 보이는지 아르티드 영애 당신 역시 너무 잘 알고 있단 말이지. 꿈속에서 당신이 내 앞에서 비굴했다는 말을 꺼내지 않아도 이미 알고 있었어. 그 말은 당신도 그 꿈을 미리 겪어 보았다는 뜻이기도 하지."

벤자민의 확신에 가득 찬 목소리에 벨라는 할 말을 잊었다.

"이것 봐. 할 말 없지? 나를 죽이던 순간 기억하지? 그러니까 나만 보면 그렇게 소스라치게 놀라는 것 맞지?"

그런 적 없다고 소리치려던 벨라는 순간 머뭇거렸다.

"죄짓고 어떻게 복을 받지? 나더러 죄인이라 말하는 너는 이미 손을 내 피로 물들여 본 살인자야. 난 사람을 죽여 본 적은 없어. 그래도 내 죄가 더 무거운지 네 죄가 더 무거운지 멋대로 판단할 자격이 있다고 생각해?"

"프로스트 영식, 죗값을 치를 생각 하니 머리가 벌써 이상해지는가? 잔말 말고 노나 열심히 저어라."

칼리아스의 말에 벤자민은 코웃음을 쳤다.

"희망도 없는데 열심히 저을 이유가 없지 않습니까?"

"왜 없나! 죽여 버릴 거 무기 징역 해 주고, 무기 징역을 노역으로 감해 줄 수도 있지 않은가! 그러니 열과 성을 다하여 노를 젓도록 하라."

"저는 억울할 뿐입니다. 전하께서 그렇게 훼방만 놓지 않았다면 모든 일이 제대로 돌아갔을 텐데 전하께서 난입하셔서 저는 졸지에 죄인이 된 셈입니다. 저의 충성을 바라신다면 저에게 만회할 기회도 주셔야 하지 않습니까?"

자꾸만 궤변을 늘어놓는 벤자민을 보고 있노라니 벨라는

손이 부들부들 떨렸다.

어찌 저렇게 자기 좋을 대로만 해석하는지 이해되지 않았다.

"프로스트 영식, 당신이 애국자면 티베리도 애국자겠네. 애국자 한 번만 더 났다간 네가 등쳐 먹은 수많은 사람의 재산도 돌려줘야 하고 말이야. 조국을 배신한 대가는 무겁게 짊어져야 할 것 아니야!"

그러자 벤자민이 코웃음을 쳤다.

"내가 뭘? 나는 플란네르의 경제를 혼란에 빠뜨리기 위해 가서 열심히 노력한 죄밖에 없어. 나야말로 페로하트에서 애국심에 대해 표창받아야 하지 않나 싶은데?"

벨라의 눈썹이 추켜 올라갔다.

"정신 나갔어? 네가 애국자라고?"

벤자민은 야비한 표정으로 웃으며 말했다.

"그럼. 애국자이지. 나는 미래를 보고 플란네르의 힘을 미리 꺾기 위해 나름 최선의 전략을 짜서 전화망 사업을 벌였지. 그리고 그 사업이 중요한 때에 망하게 만들어서 플란네르 경제에 큰 타격을 주려고 했어. 그런데 네가 끼어들어서 내 일을 다 망쳐 놓았던 거지. 나야말로 네게 피해 보상을 요구하고 싶은데?"

"말이면 다인 줄 알아? 당신이 정말 조국을 위해 그런 짓을 벌였다고 생각해?"

"왜? 내가 하려던 일을 망친 것은 당신이잖아."

뻔뻔한 그의 말에 벨라는 기가 막혔다. 벤자민은 재수 없는 미소를 지으며 한껏 이죽거렸다.

"기억나? 내게 사랑한다고 말하던 순간. 넌 참 비굴하게
도 내게 애정을 구걸했지."

"그 입 다물라. 지금 힘껏 노를 저어도 모자랄 판에 노 젓
는 데에 힘을 쓰지 않고 더러운 주둥이 놀리는 데 쓰다니 그
혀부터 조용하게 만들어 줄까?"

칼리아스의 일갈에 벤자민은 노 젓는 시늉을 조금 더 하
는 둥 마는 둥 하더니 말했다.

"벨라, 시간을 좀 되돌렸다고 해서 영혼이 싸구려인 네가
잘나진 줄 아는 모양인데, 넌 말이야, 여전히 지저분한 남자
들 뒤나 닦아 주던 창부가 딱 알맞아. 이런 데서 힘 빼지 말
고 적성이나 다시 찾아가지 그래?"

벤자민이 히죽거리며 하는 말에 벨라의 입매가 굳었다.

빡.

찰진 마찰음에 벤자민이 앞으로 고꾸라질 뻔했으나 뗏목
에 묶인 다리 때문에 넘어지지는 못했다. 분노에 가득 찬 벤
자민이 뒤를 돌아보았다.

"바닷물이 미끄러워서 그만."

무표정한 얼굴로 루카스가 성큼성큼 다가와 노를 다시 주
워 제자리로 돌아갔다. 크고 무거운 그것이 던진다고 던져
질 성질의 것이 아닌데 잘도 벤자민의 등허리를 강타했다.

"누구 등뼈 부러뜨릴 일 있어?"

아파서 어찌할 줄 모르는 벤자민을 보며 벨라는 쿡쿡 웃
고 말았다.

"죄송합니다. 꼴뚜기도 말하는 게 신기해서 그 헛소리를

듣다가 그만."

무심한 듯 내뱉는 말이 더 웃었다.

"괜찮아요, 루카. 아무 소리나 하면 다 말이 되는 줄 아는 모양이니까."

벨라의 말에 벤자민이 버럭했다.

"자신의 손에 쥔 것들이 중요한지 중요하지 않은지도 잘 모르는 머저리들이 더 나쁜 거다!"

여전히 그는 반성이라곤 없었다.

"내가 가져가서 중요하게 쓰는 건데 쓸 줄도 모르는 것들이 허튼소리나 하는 거다! 왜 내가 하는 일에 사사건건 훼방을 놓았나?"

벨라는 그에게 대꾸할 말을 준비하느라 입술을 굳게 다물었다.

"내가 하는 일을 그대로 놔뒀다면 페로하트에도 이롭고 귀족들에게도 이롭고 모두가 널리 이로워졌을 건데 착한 척하면서 네년이 끼어들어서 모든 것을 다 망……!"

"이런, 또 미끄러졌습니다."

루카스의 손에서 놓쳐진 노가 다시 한번 벤자민을 강타했다.

"억! 등뼈가……!"

고통에 컥컥거리던 벤자민은 성질을 버럭 내며 노를 집어 던졌다.

"에이 씨발! 안 해!"

루카스와 벤자민이 노를 젓지 않자 금방이라도 뗏목은 뒤로 밀렸다.

"미쳤나! 제군들! 어서 노 젓던 손을 멈추지 말아라! 여기서 뗏목이 뒤집히면 우리 모두 죽는다!"

칼리아스의 외침에도 벤자민은 노골적으로 반감을 표시했다.

"여기서 다 죽어 버리면 더 좋지 뭐. 죽든지 말든지 죄인 누명 쓰고 송환될 바에는 다 같이 죽는 게 낫잖아? 네놈들 잘되는 꼴을 내가 두고 볼 거 같아?"

"당장 여기서 네놈을 죽여 줄까?"

화가 난 칼리아스의 손에 불꽃이 휘감겨 돌았다.

"죽여! 까짓거 죽여 버리라고! 그리고 평생을 무인도에서 살아라! 퉤!"

벤자민은 노를 바닷물에 던져 버렸다. 뗏목이 거친 해류에 떠밀려 기우뚱하더니 정해진 항로를 벗어났다.

"미쳤어?"

격노한 칼리아스가 벤자민을 발로 찼다.

"죽여! 지금 당장 날 죽여! 어차피 해류를 거스르고 나면 쓸모없다고 제일 먼저 처치해 버릴 거, 멀리 갈 것도 없이 여기서 날 죽여!"

벤자민은 이판사판이라는 듯 칼리아스에게 덤벼들었다. 격분한 칼리아스가 정말 죽여 버릴 기세로 성스러운 불의 검을 뽑아내어 그에게 휘두르려는 것을 벨라가 뛰어들어 말렸다.

"전하! 조금만 참으십시오! 여기서 이러시면 안 됩니다!"

"티베리! 뭐 하는 거지?"

루카스가 소리쳤다. 그 말에 벨라는 그쪽을 쳐다봤다. 티베리가 탈출할까 봐 밧줄을 이중 삼중으로 감아 뒀었는데 그것을 풀다가 루카스의 눈에 띄고 말았다.

"어깨를 탈골 시켜서 생긴 밧줄 틈새로 팔을 빼려고 했던 건가? 스스로 탈골 시키고 다시 끼우다니……!"

이미 반쯤 밧줄을 풀어 버린 티베리가 혀를 내두르며 놀랍다는 듯 말했다.

"이 와중에도 다른 데 신경 쓸 겨를이 있는 모양이군요. 뭐, 탈골쯤이야, 군인으로서 격렬하게 살아왔다면 한 번쯤 겪어 볼 만한 일이고, 눈치채기 전에 마무리하려 했는데 실패했군요. 이로써 우리의 연합은 끝난 거라 해도 좋겠습니다."

티베리 역시 노를 뒤로 던져 버렸다. 그러자 그 자리서 뱅뱅 돌기만 하던 뗏목이 일시에 급류에 휘말리면서 모두의 균형이 흐트러졌다.

"와류가 흐르는데 여기서 도망칠 작정인가! 당장 노를 잡아라! 어서!"

칼리아스의 외침에 티베리는 싱긋 웃더니 말했다.

"저를 붙잡아 둘 수 있는 것은 아무것도 없습니다만."

그는 재빨리 벤자민의 등을 떠밀어 칼리아스와 부딪쳐 넘어지게 만들고는 강하게 발을 굴러 위태로운 뗏목의 균형을 무너뜨려 단숨에 휙 뒤집히게 했다.

"악!"

간발의 차이로 벨라를 붙들려 하는 루카스를 발로 걷어찬 티베리는 그녀의 긴 머리채를 휘어잡았다.

모두가 거칠게 흐르는 바다로 풍덩 빠지는 찰나 티베리가 벨라를 끌어당겨 자신의 가슴에 품으며 귓가에 속삭였다.

"레이디, 능력을 발휘해 봐. 빠져 죽기 싫으면."

벨라는 그 말에 저도 모르게 몸을 부르르 떨었다.

"어차피 죽을 거라면 여기서 레이디와 함께 죽는 것도 나쁘지 않거든?"

그 짧은 순간 티베리에게서 느껴지는 싸한 느낌에 압도되어 벨라는 저도 모르게 자신의 능력을 쓰고 말았다.

풍덩.

뗏목은 뒤집혔고 모두는 물에 빠졌다. 그러나 티베리와 벨라만이 물 위로 가까스로 떠올라 있었다.

"설마하니 저들을 죽게 놔둘 것은 아니겠지?"

티베리가 잔인한 웃음을 흘리며 말했다.

뗏목을 비롯한 모두는 벨라의 힘에 의해 떠 있었다.

티베리는 벨라의 목을 단단하게 틀어쥐고 조금이라도 허튼짓을 하면 꺾어 버리겠다는 의지를 분명하게 내보였다.

"나의 레이디, 우리를 뭍으로 데려다주시지요."

"커흑, 숨 막혀……! 이 손부터 놓고 말해요!"

벨라는 그의 손을 뿌리치려고 애썼다.

그러나 실전으로 다져진 그의 단단한 손은 꿈쩍도 하지 않았다.

"당신의 능력을 잘 압니다. 마음만 먹으면 얼마든지 이동을 제어할 수 있다는 것을. 허튼짓하다가 이 손으로 레이디의 아름다운 목을 꺾어 버리면 저들도 곧바로 바다에 빠져

물고기 밥이 될 겁니다."

그의 속삭임에 벨라는 눈빛을 흐렸다.

"일부러 소용돌이치는 곳에서⋯⋯!"

"당신도 기억하고 나도 기억하는데 굳이 빈틈을 내보일 필요야⋯⋯."

"언제부터 기억하기 시작한 거지?"

벨라의 물음에 대답하기는커녕 티베리는 하고 싶은 말만 했다.

"레이디, 뗏목을 이끌어 주십시오. 갈 길이 멉니다만."

그의 뜻을 따르지 않자 티베리는 벨라의 목을 더욱 힘주어 졸랐다.

숨을 쉴 수 없자 그녀의 얼굴이 새빨갛게 달아올랐다.

티베리가 이를 뿌득 갈며 벨라에게 말했다.

"협조하지 않을 거면 다 같이 죽자고."

"시키는 대로 하십시오."

그녀의 목이 부러지기라도 할까 봐 루카스가 외쳤다. 그러자 티베리의 손아귀에서 힘이 약간 풀렸다. 헐떡거리며 숨을 몰아쉰 벨라는 그에게 말했다.

"공중에 띄울 줄만 알 뿐, 이동시키는 것은 해 본 적이 없어요!"

"어차피 뗏목을 저을 노도 몽땅 바닷속에 빠졌으니 이를 어쩐다?"

확신에 가득 찬 티베리를 보며 벨라는 불길한 예감에 몸서리를 쳤다.

"이곳이 암초 지대라 급류가 흐른다고 했던 말, 그 이상의 의미가 담겨 있는 거죠? 그렇죠?"

벨라의 말이 떨어지기가 무섭게 바다는 굉음을 내며 이상한 움직임을 보이기 시작했다.

급류가 이상한 방향으로 흐르더니 굽이치기 시작했다. 그러더니 바로 밑에 점차 소용돌이치는가 싶더니 그 흐름은 걷잡을 수 없을 정도로 거대해져 갔다.

"레이디, 제가 왜 그 날짜를 정해 줬을 거라 생각하십니까?"

"……이곳에 소용돌이가 생기는 것을 알고 있었군요."

벨라의 말에 티베리는 씨익 웃었다.

"우리가 떠난 적이 있던 그날은 해류의 흐름이 약해지는 날이었던 겁니다. 당신께서 날짜를 서둘러 주신 덕에 가장 소용돌이가 크게 이는 날로 골라잡아 온 셈이죠. 어떻습니까, 레이디?"

"그게 제 능력하고 무슨 상관이 있는데요?"

벨라의 말에 티베리는 초조한 기색을 애써 감추며 여유 있는 척 말했다.

"소용돌이 한가운데로 뗏목이 휘말려 들어갈 것 같습니까? 아닙니까?"

시간이 지날수록 거세진 물살에 의해 확장되어 가는 거대한 소용돌이는 모든 것을 집어삼킬 듯 맹렬하게 휘감아 돌고 있었다. 이렇게 커다란 소용돌이 위에 있는 것만으로도 오금이 저리는지 벤자민이 비명을 질러 댔다.

"벨라! 어떻게 좀 해 봐! 이대로 죽을 거냐고!"

마지막이라고 생각했는지 벤자민은 온갖 거친 욕을 입에 담으며 두려움을 분노로 승화시켰다.

"못 들었어요? 내 능력은 공중에 띄우는 게 다란 말이에요!"

"그럼 여기서 죽든가!"

참다못한 티베리가 소리를 버럭 지르며 다시 벨라의 목을 졸랐다.

"벨라를 놔줘!"

칼리아스가 분한 듯 소리쳤다.

"빨리 어떻게든 해 보란 말입니다!"

맹렬하게 휘감아 도는 바닷물을 보며 벤자민이 곧 익사할 것처럼 비명을 질러 댔다.

바다가 무섭다는 것은 알고 있었지만, 소용돌이치는 바다는 특히나 주변보다 더 시퍼렸다. 그 밑을 알 수 없는 바닷속으로 모든 것을 끌고 가는 것처럼 보였다.

티베리의 말이 싫든 좋든 여기서 나갈 방법은 벨라밖에 없었다. 모두의 시선이 간절하게 벨라에게 꽂혔다.

"으으으으……."

벨라는 두 손을 뻗었다.

전쟁터에서 사람들을 움직이지 못하게 붙들어 둘 때처럼 슬픈 감정을 속으로 폭발시켜야만 했다.

벨라는 자신이 과거에 보았던 온갖 참혹한 풍경들을 떠올렸다. 하나하나 떠오를 때마다 벨라의 영혼에 생채기를 다시 내는 듯했다.

'조금이라도 옆으로 이동시켜 이 위험한 소용돌이를 벗어

나야 해. 전하와 루카를 안전한 곳으로 옮겨 놓아야만 살 수 있어.'

공중으로 들어 올린 뗏목에서 그간 열심히 모아 둔 식수 며 식량 따위가 어지럽게 바닷속으로 떨어져 내리려는 것을 간신히 뗏목과 함께 띄워 놓고 있는 상황이었다.

제발, 옆으로 조금만…… 아주 조금만이라도…….

벨라의 손이 부들부들 떨렸다. 아무리 해도 모두를 옆으 로 옮길 만한 능력이 발휘되지 않았다.

"으앗!"

모든 힘을 끌어모아 뗏목과 사람들을 밀어내고 싶었다. 하지만 그 어떤 노력에도 밀려지지 않던 모두가 벨라의 정 신력이 흐트러지는 순간 휘청하며 소용돌이치는 바다에 떨 어졌다.

"아아악!"

벨라와 티베리 역시 공중으로 띄우는 힘이 사라진 순간 바다에 빠지고 말았다.

돌풍 속의 여린 나뭇잎과도 같은 목숨들이 검푸른 바닷물 속에 처박히는 찰나 그들의 몸은 다시 공중으로 휙 떠올랐 다. 벤자민의 꼴은 물에 빠졌다 나온 시궁쥐와도 같았다. 그 러나 벨라의 관심사는 오로지 황태자와 루카스뿐이었다.

루카스를 다시 죽게 할 수 없어!

그의 죽음을 보며 겪었던 아픔이 떠올랐다. 심장을 쥐어 뜯는 듯한 그날의 고통이 기억에 사무쳤다.

그들을 다시는 바다에 빠뜨리지 않게 하려고 벨라는 젖

먹던 힘까지 다 끄집어냈다.

제발, 도와주세요. 나의 조상님!

거대한 힘으로 모두를 끝내 집어삼키려는 바다 소용돌이로부터 뗏목이 공중으로 맹렬하게 튕겨져 나갔다. 그와 동시에 어떤 거대한 힘에 의해 내동댕이쳐지듯 벨라와 티베리의 몸이 뗏목 위로 던져졌다.

믿을 수 없는 광경이 펼쳐졌다.

이미 바다 소용돌이가 치던 곳으로부터 까마득히 먼 곳으로 뗏목과 일행이 튕겨져 나와 있었다.

바다 소용돌이에 휘말렸던 것이 꿈인가 싶었다.

"컥!"

그와 동시에 벨라의 입에서 많은 양의 피가 터져 나왔다.

"아가씨!"

바닷물에 빠져 있던 루카스가 그런 벨라를 보고 뗏목 쪽으로 헤엄쳐 왔다.

"다가오지 마!"

티베리가 득의양양한 표정을 지으며 루카스에게 말했다.

"더 다가오면 레이디의 목숨은 책임질 수 없다."

뗏목 쪽으로 헤엄쳐 오던 벤자민에게도 그가 말했다.

"자리가 없는데 어떡합니까? 승선을 불허합니다."

그가 음흉한 미소를 지었다.

벤자민은 설마 그 말이 내게 한 말이랴 싶었는지 다시 헤엄쳐 다가와 뗏목에 손을 얹었다. 순간 티베리가 그 손을 구둣발로 짓이겨 밟았다.

"악!"

벤자민은 도로 바닷물에 푹 들어갔다가 간신히 고개를 들어 올리며 티베리에게 소리쳤다.

"이게 무슨 짓이죠?"

티베리는 어깨를 으쓱해 보이며 말했다.

"무슨 짓 말씀입니까?"

"우리가 모두 노를 젓지 않으면 무인도를 빠져나갈 수 없다고 말한 것은 티베리 당신 아닙니까?"

벤자민의 말에 티베리는 벨라의 목을 더욱더 단단히 틀어쥐며 말했다.

"그야 급류 구간을 빠져나오기 전 이야기이고, 지금은 가만히 있어도 아카이브 제도까지 흘러갈 수 있으니 당신의 쓸모는 거기까지입니다."

티베리의 표정을 보니 진심이란 것을 깨달은 벤자민은 비굴한 표정을 지으며 그에게 애원했다.

"티베리 님, 저에게는 미래에 대한 지식이 있습니다. 저는 당신에게 꼭 필요한 존재⋯⋯."

티베리는 코웃음을 치며 말했다.

"그 알량한 지식은 내게도 있는데?"

"네? 그게 무슨⋯⋯!!"

"당신이 받은 꿈의 계시, 나도 받았다고."

벤자민은 티베리의 의도를 늦게서야 깨닫고 눈을 크게 떴다.

"계시?"

"무인도에서 자다 깬 어느 순간 내게도 천사의 축복이 내렸습니다. 멋진 일 아니겠습니까?"

벤자민의 눈동자가 흔들렸다.

"그 꿈에 의하면 당신이 나를 돕겠다면서 비행기란 물건을 제안하더군요. 그리고 온갖 생색은 다 내며 비행기 기술자를 소개시켜 주기에 잠자코 당신이 하자는 대로 하다가 비행기를 생산한 후 당신을 없앴습니다. 꽤나 귀찮게 굴었거든요."

티베리의 비웃음에 벤자민의 얼굴이 새파랗게 질렸다.

"그리고 그 비행기를 조종할 군인들을 훈련하고 본격적으로 페로하트에 대항할 플란네르 연합군을 형성하고 제국 대연합군의 생사를 건 전쟁에 뛰어들었습니다. 그 결과로 페로하트를 궤멸시킬 수도 있었는데 아쉽게도 꿈에서 깨더군요."

티베리의 눈이 가늘어졌다.

"꿈에서 깬 후 한참을 되짚어 생각해 보았습니다. 백일몽이라 하기엔 꿈이 너무 구체적이어서 생생하지 않았나 싶습니다만."

티베리의 손에 힘이 들어갔다.

"확신이 없던 순간에 밤마다 몰래 작은 돌을 들어 올리는 연습을 하던 레이디를 보고 깨달았습니다. 이런 앙큼한 종달새 같으니라고. 꿈에 나온 내용이 사실인데 그렇지 않은 척 시치미를 떼는 모습에서 제가 꿈꾼 장면들이 저 얼간이처럼 예지몽이었단 것을 확신했습니다."

티베리는 벨라의 목을 움켜쥐고 흔들며 말했다.

"이젠 가만있어도 아카이브 제도로 흘러갈 테니까 레이디,

이들을 살리고 싶으면 계속 공중에 띄워 주길 바랍니다. 여기긴 상어 떼도 심심찮게 출몰하는 지역이란 것만 유념해 주시고요. 우리가 안전한 곳에 다다르면 수고해 주신 아르티드 영애를 위해 이쪽으로 배를 보내라고 연통은 넣겠습니다."

그 말이 떨어지자마자 무섭게 벤자민이 악 하고 소리 질렀다.

"사…… 상어다."

그 말에 티베리가 싱긋 웃었다.

"벌써 피 냄새를 맡은 모양입니다만. 어떻습니까, 레이디."

피 냄새란 말에 벤자민은 티베리에게 짓밟힌 손등을 쳐다보았다. 거기서 핏물이 뚝뚝 흘러내리고 있었다.

"사, 살려 줘! 여기서 이렇게 죽기는 싫어."

벨라는 입가에 묻은 핏자국을 닦으며 정신을 가다듬었다. 곧 루카스와 칼리아스, 벤자민이 공중에 둥실 떠올랐다. 벨라와 티베리가 탄 뗏목이 해류에 의해 조용히 떠내려가기 시작했다.

티베리가 속삭였다.

"허튼짓할 생각은 하지 마십시오. 당신의 소중한 연인이 바닷물에 빠져 산 채로 상어 밥이 될지도 모릅니다."

점점 뗏목과 칼리아스 일행의 거리는 조금씩 멀어져 갔다. 그럴수록 벨라의 정신력은 흐트러져 갔다. 벨라의 호흡이 눈에 띄게 거칠어졌고, 그들은 벨라와 일정 거리를 유지하며 불안정하게 떠 있었다.

"힘듭니까, 레이디? 하지만 보시다시피 다 타기엔 뗏목이 너무 좁아서 그만. 조금만 더 수고해 주시길 바랍니다."

역시 티베리는 만만한 존재가 아니었다. 그는 이 와중에도 여유로운 척하며 벨라의 목을 확실하게 틀어쥐고 있었다.

벨라와 루카스의 눈동자가 마주쳤다. 루카스가 천천히 고개를 저었다. 마치 더 이상 힘쓰지 말라는 듯한 눈빛이었다.

벨라는 입술을 깨물었다. 그 모습을 보며 천천히 루카스는 셔츠 단추 하나를 풀었다. 대체 뭐 하는 건지 알 수 없었다.

"……!"

마치 그것은 루카스가 벨라에게 수영을 가르칠 때 셔츠를 곱게 벗어 바위 위에 얹어 둘 때의 행동 같았다.

'……수영하겠다는 뜻일까?'

벨라는 눈을 크게 뜨고 그를 바라보았다. 루카스의 고개가 힐끔 벤자민을 향했다.

'혹시 벤자민만 공중에 띄워 두란 소리인가?'

벤자민이 수영을 잘하는지 못하는지는 잘 모르지만 루카스만큼은 수영을 매우 잘했다. 그가 몰래 헤엄쳐 와서 뗏목에 올라 티베리와 맞붙으려는 모양이다.

그의 존재가 없어도 눈치채지 못하게 하려면 뗏목과 그들의 거리가 멀어야 했다.

벨라는 마른침을 삼켰다.

티베리 개인의 전투 능력이 얼마나 강한지는 모르겠지만 루카스 혼자로는 힘들더라도 칼리아스와 함께 헤엄쳐 와 몰래 덮친다면 승산이 있을 거란 생각에 벨라는 벤자민만 혼자 띄워 놓고도 눈치 못 채게 하리라 마음먹었다.

'힘이 떨어진 척, 벤자민을 수시로 물에 빠뜨렸다가 건져 올리자. 그리고 티베리에게 쉴 새 없이 말을 걸어 그를 교란 시키자.'

벨라가 아는 한, 루카스는 벨라 혼자 티베리에게 끌려가 게 둘 사람이 아니었다. 그렇다면 할 수 있는 최선을 다해 그를 지원해 주어야 했다.

"티베리, 정말 궁금한 것이 있어요."

벨라가 고개를 돌리자 칼리아스 일행은 인정사정없이 바 닷물에 푹 처박혔다. 화들짝 놀라는 척하며 벨라는 그들을 다시 공중에 뜨게 했다.

"티베리, 왜 페로하트를 공격하는 거예요? 굳이 전쟁을 벌이지 않아도 플란네르는 충분히 번영할 수 있잖아요."

미소 짓고 있으나 의심 많은 그의 눈빛이 벨라를 한번 훑 었다.

"제발 부탁이에요. 전쟁을 멈춰 줘요."

벨라의 애절한 눈동자를 보며 그가 너털웃음을 터뜨리더 니 귓가에 입술을 가져다 댔다.

"호오…… 제가 받은 계시를 겪어 본 일인 것처럼 확신하 는 말투가 듣기 좋습니다. 저의 망상을 뭐든 믿게 해 주는 레이디의 눈동자에 경탄하는 의미에서 조금은 솔직해지고 싶군요."

잠시도 티베리의 손에 빈틈 따위는 없었다. 조금이나마 그의 손아귀를 피하려고 하여도 그의 손은 항상 벨라의 목 을 정확히 움켜쥐었다.

"크흑."

벨라는 힘겹게 신음 소리를 내뱉었다. 티베리에게 보이기 위해서가 아니라 정말 힘들어서 벤자민의 몸이 바다에 반쯤 처박혔다가 솟구쳤다. 거리가 멀어 벤자민의 얼굴은 알아볼 수 없었지만 필시 갖은 욕을 다 하고 있을 것이 뻔했다.

"저도 피할 수만 있다면 피하겠습니다만 페로하트가 우릴 도저히 가만 놔두질 않아서 말입니다. 그런데 아르티드 영애, 저들을 잘 들어 올리셔야 할 겁니다. 섣불리 레이디를 구하겠다고 설쳐 댄다면 저는 이 목을 비틀어 버리고 슬퍼해야 할 테니까요."

벨라는 자신의 계획을 티베리에게 간파당한 것은 아닌지 가슴이 철렁 내려앉았지만 달리 방법도 없었기에 티베리의 시선이 계속해 자신을 향하게 하려 했다.

벤자민의 머리만 나오게 바닷물에 도로 빠뜨렸다. 그러고는 티베리에게 헐떡이며 말했다.

"페로…… 하트가 가만히 놔두지…… 않는다는 말이 무슨 뜻인가요?"

그 말을 하며 벨라는 티베리의 손목을 두 손으로 잡아당기며 그의 손으로부터 벗어나려고 몸부림을 쳤다. 그가 웃으며 말했다.

"페로하트는 주변 국가의 피를 빨아먹으며 자라는 절대 악입니다. 지독히 이기적이라 모두를 위해서라도 사라져 줘야 합니다."

"그런 단순한 이분법으로 보지 말아요! 사람 사는 곳이라고요! 플란네르야말로 절대 악이 아니듯 그런 편협한 생각은 위험해요!"

벨라의 말에 티베리가 코웃음을 쳤다. 그러나 벨라는 그에 굴하지 않고 말했다.

"플란네르도 제피르가 이뤄 놓은 개혁으로 발전했잖아요. 정작 제피르의 흔적은 세상에서 지워 가면서. 안 그래요?"

순간 티베리의 눈빛이 묘하게 변하는 것을 깨달은 벨라는 잠시 입을 다물었다. 뭔가 건드려서는 안 될 것을 건드린 느낌이었다.

늘 무언가에 포장되어 속내를 감추듯 하던 그의 눈동자가 이글이글 타오르기 시작했다.

대체 무엇이 그의 심기를 크게 거슬렀는지 벨라는 자신이 한 말을 돌이켜 생각하며 마른침을 꿀꺽 삼켰다.

그의 눈동자는 분노 그 자체였다.

"내가…… 뭐 틀린 말 했…… 어요?"

벨라는 저도 모르게 움츠러들며 말꼬리를 흐렸다. 벨라의 목을 움켜쥔 그의 손에 자꾸만 힘이 들어갔다. 아무래도 역린을 건든 것 같았다. 하지만 기왕 건든 김에 확실히 건드려야 그의 정신을 루카스로부터 멀리 떼놓을 수 있었다.

"군제 개혁이니, 의복 개혁이니 다 액시즈 레크룩스 공국에서 시작된 거, 플란네르는 나중에 숟가락만 얹은 거 아닌가요? 욕은 제피르가 다 먹고 그 개혁의 단물은 플란네르가 가로채 갔잖아요. 특히나 당신 아버지 마르쿠스는 제피르의 가장 믿을 만한 동지였다면서요. 페로하트의 앞잡이가 되어 제피르를 친 건 다름 아닌 플란네르라고요."

크흑.

벨라는 숨을 쉴 수가 없었다. 그의 손에 정말 죽을 것 같았다. 그는 분노를 조절하지 못하고 힘준 손을 부들부들 떨다가 이를 악물며 손의 힘을 풀었다.

그의 손아귀를 피하려고 몸을 뒤틀다가 슬쩍 본 먼바다에 루카스가 잠수하는 것이 보였다. 그녀의 시선이 가리키는 방향을 눈치 빠른 티베리가 눈치챌까 봐 벨라는 오히려 그를 도발했다.

"페로하트가 무슨 절대 악이라고 그래요? 내가 보기엔 플란네르야말로 민폐인데……."

그 말을 하자마자 목 졸려 죽는 줄 알았다. 분노한 티베리가 으르렁거리듯 말했다.

"페로하트는 오랜 세월을 보이지 않는 손으로 주변국을 조종해 왔다. 자신들의 배만 불리기 위해 조작과 음모를 쉬지 않고 반복한 나라는 이제 지도상에서 사라져 줘야 한다."

숨이 막혀 컥컥거리면서도 벨라는 그의 손목을 힘주어 비틀며 저항의 뜻을 분명히 했다.

"티베리…… 당신…… 이야말로 그란첼 백작이 굴리는 정체불명의 돈에 조종당하는 건 아니에요? 그 돈의 최종 출처는 칼데이라 공국이고요. 돈에 조종당하는 주제에. 아악!"

티베리는 벨라의 턱을 위로 강하게 틀어 올렸다. 숨 쉴 수 없는 벨라의 얼굴이 벌겋게 변해 갔다.

"돈에 조종당했다고? 예로부터 돈으로 주변국을 옭매던

것이 페로하트다. 자신의 비위에 맞지 않는 주변국은 돈 장난으로든, 칼 장난으로든 반드시 망하게 만들었다."

목이 조여지는 것은 벨라였는데 티베리 자신이 목을 졸리기라도 하듯 그의 호흡이 거칠어져 갔다.

"액시즈 레크룩스가 왜 망했는데? 자신의 영향력을 벗어나려고 하자 본보기로 때려잡은 것이 액시즈 레크룩스였어. 레이디, 말하려거든 똑바로 알고나 말해."

벨라는 계속해서 그를 도발했다.

"남 탓 끝내주네요. 그 본보기에 앞장선 게 당신의 아버지 마르쿠스잖아요. 아니에요? 제피르의 가장 믿을 만한 친구이자 심복이었다면서요? 당신 아버지가 배신했기 때문에 제피르가 망한 거 아니에요? 혈연이라고 감싸 주고 다 남이 한 거라고 할 건가요?"

"그게 제피르의 유언이었다고!"

티베리가 으르렁거리듯 외쳤다.

"모든 과오와 누명은 자신이 뒤집어쓸 테니 반드시 살아남아서 잘못된 세상을 바로잡으라고 뒷일을 부탁했단 말이야. 레이디."

벨라의 눈동자가 커졌다.

"바실리 브뤼스티어 대공과 제피르, 나의 아버지 세 사람의 약속이었다. 액시즈 레크룩스에서 퍼져 나가는 자유와 평등사상이 추악한 페로하트의 제국주의에 영향을 줄 것이 두려웠던 레이디의 조국에서는 제일 먼저 자본을 동원하여 액시즈 레크룩스의 경제를 흔들었다. 돈을 짐수레에 잔뜩 쌓아서 가져가도 분유 하나 살 수 없게 조작하다가, 그 방법이 소용이 없자 음모론을 제기해 명성에 흠집 냈다."

티베리의 눈에서 분노의 불길이 활활 타올랐다.

"어차피 망하는 것이 시간문제라면, 내 목을 베어 들고 가서 페로하트를 안심시키고 훗날을 도모하라고 한 것이 제피르 자신이었다고."

벨라는 생각지도 못한 그의 말에 충격받아 그를 멍하니 올려다보았다.

"제피르의 목 없는 무덤에 아버지 마르쿠스께서 어린 나를 데리고 가셨다. 무슨 수를 써서라도 살아남아서, 그가 목숨으로 지키려 했던 자유 평등 사상을 펼치라 하셨다. 더 이상 귀족과 평민의 차별이 없는 세상으로 만들라 했다. 어떻게든 악착같이 살아남아서 내 친부가 못다 한 뜻을 이으라 무덤에 맹세시키셨지."

벨라는 자신이 들은 말에 귀를 의심했다.

"……친……부?"

본인이 제피르의 아들이라고 말하는 티베리의 모습에 벨라는 할 말을 잊고 눈만 두어 번 깜빡였다. 아무리 봐도 티베리와 루카스는 닮은 구석이 없어 보였다.

아니다. 티베리가 전형적이 플란네르의 형질인 검은 미리에 초록 눈을 하고 있어서 루카스와는 같지 않다고 선입견을 가졌던 건지도 모른다.

그제야 이안과는 또 다른 의미에서 어딘가 닮은 느낌이 들었다.

티베리는 자신의 얼굴을 구석구석 뜯어보는 벨라의 시선에 묘한 미소를 입가에 띠웠다.

"그렇다면 루카스와 형제뻘인데 왜 루카스를 죽이려고 하는 거죠? 말해 봐요. 페로하트를 침공하면서 내건 조건 중 하나가 루카스의 목이었잖아요. 그게 말이 돼요? 같은 피가 흐른다는 것을 알면서도 그런 거예요?"

티베리에게 똘끼가 충만하다는 것은 잘 알고 있었지만, 마치 생판 남을 죽이려 하듯 루카스의 목숨을 요구했다는 사실에 뒤늦게 소름이 돋았다.

"어떻게 그럴 수 있죠? 루카스가 죽어서 좋을 일이 무엇 있다고 그런 패륜적인 일을?"

벨라의 말에 티베리의 입가가 씨익 벌어졌다.

"페로하트의 피가 섞인 것은 내 형제가 아니거든, 레이디?"

기가 막힌 벨라는 코웃음을 치며 말했다.

"페로하트를 증오하면서 잘도 나와 결혼을 추진했군요? 왜요, 결혼하고 나서 날 죽이면 그만이라 생각했나요?"

도발해 오는 벨라를 빤히 지켜보던 티베리는 목을 움켜쥔 반대쪽 손으로 벨라의 뺨을 살살 쓸어내렸다.

"하아, 이런 표정을 지을 때마다 흥분된단 말입니다. 그래, 이 표정. 나를 황홀하게 만드는 발칙한 눈빛……."

"딴소리하지 말고 똑바로 말해요! 결혼하고 나를 죽일 작정이었냐고요!"

벨라의 말에 티베리는 눈웃음을 지었다.

"레이디와 혼인하면 아르티드가의 방대한 영지와 재산이

굴러떨어지는데 그걸 마다할 미친놈이 어디 있을까? 하지만 이렇게 도발적인 눈빛을 할 때마다 그 결심이 흔들린다고. 조금만 더 데리고 놀까? 이렇게 사랑스러운데."

벨라의 뺨을 어루만지던 손끝이 부드럽게 곡선을 이루며 제자리를 맴돌았다.

"더러워요. 그 손."

어쩐지 지금쯤이면 루카스가 잠수해 뗏목 가까이까지 왔을 것 같았다. 그의 정신을 온통 자신에게 쏠리게 해야 했다.

"뭐가 더럽다고, 레이디? 민간인과 군인 가리지 않고 독가스에 중독되어 죽게 만들던 레이디의 손이야말로 그다지 깨끗하지 않은 것 같던데."

티베리는 느끼한 미소를 지으며 말했다.

"놀랐어, 레이디. 나의 아름다운 작은 새가 그런 지독한 술수를 부릴지는……."

"난 그저 강요에 의해 그랬을 뿐이라고요! 내 진심이 아니었어요!"

벨라는 변명하듯 소리쳤다.

"살인마."

티베리가 달콤하게 속삭였다.

"천사 같은 순진무구한 얼굴로 죽여 없앤 수많은 민간인들을 떠올려봐, 레이디."

"내가 한 짓이 아니라고요! 난 그저 도구였을 뿐이에요!"

"그 도구가 살인을 도왔어. 그런데 살인마가 아니라고?"

티베리의 두 눈 가득 비웃음이 가득했다.

"페로하트는 늘 그런 식이었어. 세계 평화와 정의의 수호자인 척하면서 뒤로는 칼과 돈으로 주변국의 숨통을 쥐고 흔들었지. 남의 고혈을 빨아먹고 자라난 아름다운 나무. 당신도 다를 거 없어. 당신도 페로하트의 유서 깊은 귀족이잖아."

티베리의 눈에서 웃음기가 싹 사라졌다. 지독히도 차갑고 혐오 가득한 시선으로 그가 속삭였다.

"그러니까 내 손으로 세상에서 페로하트를 싹 지워 버릴 거라고. 페로하트만 지도상에서 사라져 버리면 돼. 모든 악의 근원만 사라지고 나면 내 친부와 양부가 꿈꾸던 자유롭고 평등한 세상이 올 거야. 그걸 바로 나, 티베리가 만들겠다고."

그 순간 촤아악 소리와 함께 순식간에 세 사람이 물 밖으로 솟구치며 뗏목에 올라탔다. 루카스, 벤자민, 칼리아스 세 사람의 협동 작전이었다.

목숨을 건 필사의 몸부림이었다. 그러나 어떤 의미에서 티베리는 이미 괴물이었다.

칼리아스가 뗏목에 올라타자마자 성스러운 불의 검을 끄집어내어 공격하려는 사이 티베리는 벨라의 목을 움켜쥔 팔을 힘껏 내던져 그녀의 몸이 칼리아스와 충돌하게 만들었다.

당황한 칼리아스가 성스러운 불의 검을 거두려고 했으나 아직 힘 조절이 제대로 되지 않는 그가 불길을 거두기도 전에 벨라의 옆구리가 스치며 칼리아스 위로 엎어졌다.

루카스 역시 그를 덮치려 했으나 티베리는 몸을 가뿐히 날려 돛대의 기둥을 잡더니 반동으로 몸을 돌려 발로 찼다.

남은 것은 벤자민이었다. 벤자민은 티베리에게 달려들려고 뗏목 위로 솟구치긴 했으나 순식간에 쓰러진 칼리아스와 루카스를 보며 당황한 눈빛으로 멈춰 섰다.

"훗. 나약해 빠진 것들이 감히."

티베리는 어깨를 으쓱해 보이며 표독스런 눈매를 빛냈다.

벤자민은 티베리에게 저항하기를 일찌감치 포기했다.

"무엇을 도와…… 드릴까요?"

티베리는 혐오의 눈빛으로 그를 보며 말했다.

"그런 것쯤은 알아서 해야 하는 것 아닌가?"

벤자민은 돛대 천으로 대충 휘감아 만든 옷자락을 찢어 밧줄처럼 엮더니 얼빠진 칼리아스와 고통스러워하는 벨라를 한데 묶었다. 칼리아스는 성스러운 불의 검으로 벨라에게 치명상을 입힌 것에 충격받아서 멍했고, 벨라는 화상과 자상을 동반한 옆구리 부상에 헐떡거리고 있었다.

"이러면 되죠?"

허락을 받듯 말하는 벤자민의 곁으로 티베리가 쓰윽 다가오더니 그대로 발로 차 바다에 빠뜨려 버렸다.

"어푸!"

"다시는 올라올 생각 하지 마라. 쓸모없는 놈은 기회를 줘도 쓸데가 없다."

티베리가 그렇게 말하는 순간 바다에서 손이 하나 쑥 뻗어 나와 그의 발목을 잡아당겼다.

풍덩.

티베리 역시 물에 빠지고 잠시 물 밑으로 가라앉는가 싶더니 거의 동시에 루카스와 티베리가 뗏목 위로 다시 올라왔다.

"참 질긴 놈이군. 플란네르에 있을 때 없애 버리는 편이 좋았을 텐데. 꿈의 계시를 받으려거든 그때 받았어야 했어."

"지금까지 극비리에 숨겨 왔던 사실을 지금 굳이 밝히는 이유는 무엇이지? 티베리."

루카스의 말에 티베리는 얼굴로 흘러내리는 바닷물을 손바닥으로 훑어 내며 말했다.

"네놈 얼굴이 그분과 똑같은 것이 역겨워서."

티베리가 킬킬거리며 웃었다.

"더러운 페로하트의 피가 섞였는데도 어떻게 그분을 똑같이 닮을 수가 있지? 정작 순혈인 나는 이렇게나 닮지 않았는데 말이지."

무표정한 얼굴로 티베리를 훑어보던 루카스가 입을 열었다.

"그의 흔적을 지우고 그의 추종자들을 잡아 처형하던 자가 할 말은 아닌 것 같은데."

"설마하니 내가 그들을 처치했을까? 나의 충성스런 군대가 될 자들은 처형하는 척 따로 모아서 비밀 부대를 만들었지. 모두가 페로하트의 멸망을 위해서라면 물불을 가리지 않고 뛰어들 충성스러운 나의 심복들이다."

득의양양한 표정을 짓는 티베리에게 루카스는 차분하게 말했다.

"그래서 그 오두막집은 미끼로 사용되었던 것이로군. 제피르의 추종자인지 아닌지를 구별해 내는 미끼."

맞는 말인지 티베리는 입꼬리를 끌어 올렸다.

"나를 선전 포고에 대한 교환 조건으로 내세웠던 이유는 그럼……."

루카스의 말에 티베리는 흐뭇한 미소를 지었다.

"나의 심복들에게 명분이 필요했지."

"나를 넘기라고 해 놓고 저격할 생각이었겠군. 그리고 페로하트의 소행이라고 소문을 퍼뜨리면 그들이 격분할 테니까."

"빙고."

티베리의 말에 루카스는 여전히 냉랭하고 높낮이 없는 목소리로 말했다.

"나를 포섭할 생각은 전혀 없었나? 오히려 닮은 외모로 인해 이목을 끄는 데에는 효율적이었을 텐데."

벨라에게 치명상을 입힌 후 반은 정신줄을 놓은 칼리아스가 루카스의 말을 듣고 잠시 제정신을 차렸다.

"배…… 배신하려는 것이냐?"

상처를 움켜쥐고 가쁜 숨을 내쉬던 벨라는 흥분하려는 칼리아스의 손을 잡았다.

"영애의 집사가 지금 티베리에게……."

벨라는 고개를 저었다. 하늘이 두 쪽 나도 루카스는 배신할 사람이 아니라고 확신시켜 칼리아스가 몸부림치지 못하게 진정시켰다.

"훗. 충성스러운 집사도 목숨이 아까운가 본데."

티베리가 비아냥거리듯 말했다.

"네가 죽어 주는 게 오히려 내게 협조하는 길이다."

"제피르의 추종자들에게 나의 존재가 더 신빙성이 있지 않나?"

"웃기지 마! 제피르의 정통성을 물려받은 자식은 나 하나뿐이다! 나야말로 이 세계의 모든 혼란으로부터 세상을 바로잡을 초월자다."

"그 입 다물라!"

벨라를 다치게 한 뒤 자기도 모르게 폭주해 버리는 불의 힘을 조절하느라 정신을 못 차리던 칼리아스가 듣고는 기가 막혀서 외쳤다.

"감히 페로하트를 세상의 절대 악 운운하더니 이 세계의 모든 혼란으로부터 세상을 바로잡을 초월자가 너라고? 그 말이 누가 한 말인지나 알고 하는 것인가?"

칼리아스를 묶고 있던 얄팍한 밧줄이 순식간에 화르륵 불타 사라졌다. 그 바람에 벨라는 또다시 드레스에 불붙어 비명을 질렀다.

"아앗! 미안하다! 아르티드 영애! 절대 이러려고 한 것이 아니었다!"

허둥대느라 성스러운 불의 검을 제대로 쓰지도 못하는 칼리아스를 보며 티베리는 싸늘한 웃음을 흘렸다.

"천상천하에 오로지 홀로 지존이라는 잘나신 초대 황제 페오스가 한 말이지? 지금 내 눈앞에 계신 이분은 그 위대하신 분의 직계 혈통이고, 자신이 페오스의 화신이라고 착각하시는가 본데."

티베리는 뗏목에 묶여 떨어지지 않고 있던 식수통을 발로 걷어차 부쉈다. 그러더니 그 안에 든 작은 나무 상자를 꺼내 칼리아스와 벨라가 있는 쪽으로 휙 뿌렸다.

순식간에 벌어진 일이라 손쓸 새가 없었다. 그것이 독약인 줄 알고 당황하여 고개를 치켜든 칼리아스에게 티베리는 비아냥 조로 말했다.

"페로하트에서 신무기 개발도 등한시하고 황태자 전하 한 분에게 의지하여 전쟁을 이끌어 가는 동안, 저희도 가만히 보고만 있었겠습니까? 당신의 위대한 능력이라 하는 것도 알고 보면 이렇게 부질없는 것을."

"뭐라?"

칼리아스의 손에서 성스러운 불꽃이 피어오르려던 순간이었다. 그 불꽃은 느닷없이 팍 터져 확장되더니 칼리아스의 몸에 들러붙어 활활 타올랐다.

"으아악!"

그 불은 꺼지지 않았다. 불에 기름 부은 듯 몸이 타자 다급해진 칼리아스가 바다에 뛰어들었다. 잠시 꺼지나 싶던 불은 칼리아스가 숨 쉬려고 물 밖으로 고개를 내밀자 다시 불붙었다.

"크하하핫! 영원히 꺼지지 않는 불길에 타 보십시오. 당신에게 대적하기 위해 플란네르의 과학자가 밤낮없이 연구해 낸 결과물이니."

칼리아스는 간신히 숨만 쉬기 위해 물 밖으로 고개를 내밀었다가 다시 바닷물에 빠져들기를 고통스럽게 반복해야 했다. 칼리아스를 해치웠다 생각했는지 티베리는 뒤돌아 루카스를 노려보았다.

"위대한 제피르의 아들이 감히 페로하트의 귀족도 아닌 집사 신분에 만족하면서 개처럼 꼬리치는 꼴을 간신히 참아 왔다. 그때는 그저 탈출하고 훗날을 도모하는 게 나은 줄 알았지만 이제는 다르다. 이 자리에서 너희 모두를 죽이고 이 어처구니없는 시간 장난을 끝내 주겠다."

티베리는 사람 죽이는 것쯤은 자신 있다는 듯 우둑 소리를 내며 손가락을 꺾어 보였다.

"너희 페로하트는 초인이 초월 정치를 한다는 이상을 내세웠지. 페오스 같은 초인이 우리를 구해? 웃기고 있네! 차라리 동화책의 요정을 믿어라! 그 위대한 자가 썩어 문드러진 이후로 그를 위한 모든 제도는 너희 페로하트 하나만을 위한 핑계로 바뀌었다."

티베리는 자신의 흉터를 내보이며 말했다.

"사선을 드나드는 동안 나를 길러 주신 아버지 마르쿠스께서는 말씀하셨다. 제피르의 피를 잊지 말아라. 귀족과 평민의 차이점이 있다면 권력을 쥐었느냐 쥐지 못했느냐일 뿐이라 하셨다. 바른말을 하는 것은 그 말을 할 만한 힘을 가진 자만이 할 수 있는 것이다. 그 힘을 온전히 갖지 못했기에 억울하게 죽은 제피르를 위해, 인간의 진정한 해방을 위해 내가 그의 뒤를 이어 그가 이루지 못한 세상을 이룰 것이다."

"개소리 들어 주기 참 힘드네요."

여태까지 조용하게 있던 벨라가 자신의 상처를 움켜쥐고 비틀거리며 일어섰다.

"꼭 위대한 누군가가 다른 사람을 이끌어야 합니까?"

벨라는 가주의 방에서 읽었던 선조들의 목소리를 떠올렸다.

"내 영지에서는 굳이 누가 누굴 이끈다고 하지 않고도 나름 잘 돌아갔어요. 딱히 별로 고친 것도 없고 옛날 구닥다리 식으로 잘도 살아왔어요."

벨라의 말에 티베리가 코웃음을 쳤다.

"그러는 아르티드 영애, 자신이 훌륭한 우두머리 아니었나? 좋은 우두머리를 뒀으니 포르위네 성에서는 별 탈 없이 지내 왔겠지. 훌륭한 우두머리의 필요성을 오히려 역설적으로 증명해 주는군."

벨라는 그 말에 고개를 저었다.

"천만에요. 뭔가가 뒤바뀐 것 같군요. 충성스러운 사람들 사이에서 살아왔으니 문제가 없었을 뿐이에요. 나처럼 멍청한 주인이 맨 위에 있어도 충성스러운 사람들이 나를 지켜 주었기에 나는 세상 풍파에 휩쓸리지 않았을 뿐이에요. 굳이 누군가를 가르칠 필요도 없어요."

벨라는 혀를 끌끌 찼다.

"티베리, 본인이 누군가를 좌지우지하겠다는 생각을 포기해요. 사람이란 자기 앞가림 하나 하기도 버거운 존재예요. 본인이 남들보다 뛰어나서 남들이 자신을 받들어 주는 거란 생각은 버려요."

티베리는 벨라의 말을 비웃듯 말했다.

"대중은 우매하다. 그들을 바르게 이끌 깨어 있는 존재가 필요하다. 그런 자가 있느냐 없느냐에 따라 민족의 운은 달라지고 먹히느냐 먹느냐의 대결에서 살아남을 수 있다."

티베리는 확신에 찬 얼굴로 말했다.

"나는 제피르를 뒤이어 훌륭한 지배자가 되어 플란네르의 민족 정신을 깨우고 페로하트의 압제로부터 세상을 구원할 것이다. 바로 나, 제피르의 아들 티베리가!"

벨라는 조용히 고개를 저었다.

"제피르는 페로하트에서 유학 온 한 여인을 사랑했어요. 액시즈 레크룩스를 계몽하고 페로하트의 모든 것을 증오한 것이 아니라 페로하트에서 하는 잘못된 행동을 고쳐 주려고 했을 뿐 적으로 삼으려던 것은 아니었을 거예요."

"페로하트의 암캐가 감히 제피르 님을 유혹한 것이지. 한때의 실수였겠지. 그러니 페로하트로 쫓아 보내고 플란네르 여인과 결혼했던 것이다."

티베리의 말에 벨라는 여전히 고개를 저었다.

"구원자 역할을 하려거든 똑바로 알고나 해요. 제피르는 페로하트의 여인을 진심으로 사랑했어요. 그래서 페로하트에서 침공하려 한다는 사실을 알게 되었을 때 쫓아내는 척하며 목숨을 보전해 주려고 했어요. 그런데 부탁한 사람이 배신해서 인질이 될 뻔하죠. 그래서 제피르는 서둘러 비서와 결혼했어요. 그 여자는 자신과 무관하다고 증명하기 위해서요. 그리고 그 비서는 이미 임신한 여자였죠. 그래서 태어난 아이가 바로 당신이에요, 티베리."

티베리의 눈이 격노로 일그러졌다.

"무슨 잡소리야! 갖다 붙이려면 제대로 알고 나 갖다 붙여!"

놀라기는 루카스도 마찬가지였는지 벨라를 바라보는 그의 눈에 그렇게 당황한 기색이 어린 것은 처음이었다.

"나의 가문에는 선조가 남긴 기록이 있어요. 거기 쓰인 내용이에요."

"거짓말! 근거도 없는 그런 궤변을 늘어놓은 것을 후회하게 해 주겠다!"

벨라는 티베리에게 전혀 주눅 드는 기색 없이 말했다.

"당신이 루카스와 형제라는 말에 깜빡 속을 뻔했어요. 하지만 티베리, 제피르는 갈색 눈이었어요. 당신의 눈은 초록색. 제피르의 가계도에서 갈색 눈동자가 우성이라 당신이 진짜로 제피르의 아들이라면 눈동자 색이 초록색일 수가 없어요. 티베리, 당신 삶은 마르쿠스가 불어넣은 헛된 바람에 좌지우지된 거였어요."

벨라의 말에 티베리가 발끈했다.

"그걸 어떻게 알아!"

벨라는 흔들림 없는 눈으로 티베리를 노려보며 말했다.

"제피르의 후계자 행세를 하려거든 제대로 알고 말해요. 제피르가 말하는 평등한 세상에서 맞이하는 초인적 지배자는 혈연 따위 연연하지도 않고 오로지 실력과 능력으로 뽑는 것이며 자기 일을 똑바로 하지 않으면 깨어 있는 민중이 그 지위를 박탈할 만큼 공평하게 권력을 나누어 가진 존재를 뜻해요. 당신처럼, 페로하트를 무너뜨릴 새로운 혈통으로서가 아니라!"

"웃기지 마! 나야말로 이 시대를 바꿀 선택받은 자이며 초인적 지배자이다! 수많은 죽음의 위기에서도 나 홀로 살아남아 선택받은 특별함을 증명해 왔다!"

티베리가 그 말을 하는 동안 벨라는 자신의 드레스를 훌렁 벗었다.

"진짜 특별한 것을 보여 줄까요?"

벨라의 도발에 티베리의 눈동자가 커졌다.

"세월이 지나도 변하지 않는 만고의 진리. 뿌린 대로 거둔다."

그 말을 하며 벨라는 티베리에게 드레스를 팍 던졌다.

"지금이에요! 전하!"

물에 잠겨 있던 칼리아스가 고개를 내밀더니 아무런 제약 없이 성스러운 불의 검을 끄집어내 뗏목을 향해 휘두르고는 다시 물속에 잠겼다. 그와 동시에 벨라와 루카스는 바다에 뛰어들었다.

벨라의 옷에 묻었던 그 정체불명의 액체가 기폭제가 되어 뗏목은 무섭게 불타올랐다.

푸른 불꽃이 분노한 괴물처럼 뗏목을 감쌌다. 멀리서도 그 불길이 보일 만큼 하늘로 높게 치솟았다. 그와 동시에 뗏목 주변의 바닷물이 무섭게 끓어 올랐다. 마치 뗏목째로 기름에 튀겨지는 것 같았다.

간발의 차로 그 끓는 물로부터 벨라는 몸을 피했다. 끓는 물은 격하게 요동치며 차가운 물과 뒤섞이며 식어 갔다.

루카스는 수영을 잘하지 못하는 벨라를 위해 온 힘을 다해 헤엄쳐 다가갔다. 가까이 온 루카스의 눈이 커졌다.

벨라는 그가 왜 놀라는지 이유를 아는 것처럼 잠시 미소를 머금었다.

그녀는 온전히 자신의 힘을 이용해 안정적인 자세로 헤엄을 치고 있었다. 루카스가 얼른 다가와 끌어당기자 벨라는 웃으며 말했다.

"루카가 있어서 용기가 났어요."

언제든 내가 물에 가라앉으면 반드시 구해 줄 거란 사실을 아니까.

그래서 결코 나는 가라앉지 않을 거니까.

그 신뢰감 가득한 눈동자를 바라보며 루카스는 벨라를 힘껏 끌어안았다. 벨라는 루카스의 입술에 가벼운 입맞춤을 했다.

그 순간 벨라의 등에 무언가가 묵직한 게 와서 부딪쳤다. 뒤돌아보니 익사한 벤자민의 몸뚱이가 뒤집힌 채 물에 둥둥 떠밀려 왔다.

놀란 벨라가 기겁하며 몸의 중심을 잃더니 물에 다시 쑥 빠졌다. 그러자마자 루카스는 바로 벨라를 붙잡아 그쪽을 보지 못하게 고개를 돌려 감싸 안았다. 벨라가 가까스로 진정하자 그는 시체로부터 멀리 헤엄쳤다.

귀청을 찢을 듯한 비명이 들렸다. 티베리였다. 물에 가라앉았다가 물 밖으로 나오는데 뭔가 조짐이 이상했다. 순간 물 밖으로 불타는 칼리아스의 상체가 보였다.

칼리아스는 팔을 뻗어 바로 티베리를 붙들었다. 티베리는 칼리아스를 떼어 내기 위해 주먹을 휘둘렀으나 물에서 주먹질이 잘 통할 리가 없었다. 그때 칼리아스의 손에서 내뿜어지듯 나타난 성스러운 불의 검이 티베리의 어깨를 베었다.

끔찍한 비명과 함께 둘의 모습이 어느 순간 물속으로 사라졌다.

"전하!"

벨라가 소리 지르자 잠시 둘의 모습이 물 밖으로 보였다. 헐떡이며 물 밖으로 고개를 내민 티베리를 칼리아스가 다시 물속으로 밀어 넣었다. 칼리아스의 몸을 휘감은 불길이 티베리의 머리카락과 얼굴을 불태웠다.

"윽!"

벨라는 손으로 얼굴을 반쯤 감쌌다. 산 채로 화형당하는 것과 별다를 바 없었다.

티베리가 필사의 저항을 했는지 다시 머리가 물 밖으로 튕겨 나왔다. 하지만 집요하게 따라붙은 칼리아스가 그를 끌어안자 티베리에게 꺼지지 않는 불이 다시 옮겨붙었다. 티베리는 괴성을 질러 대며 저항했으나 물조차 꺼트릴 수 없는 불길은 그를 계속해서 태웠다.

그의 비명 소리가 섬찟하게 고막을 찢을 듯 들려오는 가운데 루카스는 멀리멀리 벨라를 붙잡고 헤엄쳤다.

끌어 올려졌다가 다시 물속 깊이 잠수하기를 반복하던 티베리의 몸은 뗏목이 완전히 불타 사라진 후에 두 번 다시 떠오르지 못했다.

그리고 바다는 언제 그랬냐는 듯 고요하게 물결쳤다.

19. 처음처럼

19. 처음처럼

　흥분한 칼리아스가 그 불길을 사그라뜨릴 수 있었던 것은
그로부터 하루가 꼬박 지나서였다. 그동안 벨라의 능력에
의해 간신히 물 위로 떠올려진 루카스는 물 위에 앉은 듯 해
류에 떠밀려 갔다.

　"아가씨, 괜찮습니까?"

　벨라를 끌어안은 루카스가 걱정스럽게 그녀의 상태를 살
폈다.

　"괜찮아요."

　그렇게 말하는 벨라의 안색은 창백했고, 칼리아스에게 불
의 검으로 다친 상처는 시시각각 상태가 나빠져 갔다.

　"안 되겠습니다. 헤엄이라도 쳐서……."

　"무리예요. 상어나 가오리 떼가 나타날지도 모르고, 체온
을 잃을 수도 있어요. 괜찮아요. 걱정 마요."

벨라는 루카스를 안심시키고는 혼자 꿋꿋하게 헤엄치는 칼리아스를 향해 말을 건넸다.

"전하, 제가 물 위로 떠올려 드린대도 굳이 물속을 고집하실 필요가 있을까요?"

칼리아스는 추워서 입술이 파랗게 질린 채로도 괜찮은 척 말했다.

"괜찮…… 다! 신경 쓰지 마라!"

"전혀 괜찮아 보이지 않습니다."

벨라의 말을 들은 루카스는 몸을 일으켜 자신의 셔츠를 벗었다. 그리고 칼리아스에게 내밀었다.

"옷이 다 타 버려서 그러시는 거라면 이것이라도 걸치고 올라오십시오."

칼리아스는 루카스가 내민 셔츠를 빤히 쳐다보고 있다가 내키지 않는 듯 천천히 받아 들었다. 그러더니 누가 볼세라 다급하게 그것을 입었다.

그들의 모습은 마치 비눗방울 속에 든 세 남녀와도 같았다. 셋은 약간 공중으로 뜬 상태로 해류에 둥실둥실 실려 가고 있었다.

칼리아스는 셔츠로 몸을 간신히 가리고는 등 돌려 앉아 있었고 속옷 바람의 벨라는 루카스의 무릎에 몸을 기대고 있었다.

"이렇게 모양새 빠질 수가."

이 와중에도 칼리아스는 황태자로서의 체통이 서지 않는다고 투덜거렸다.

"아가씨, 이제 헤엄쳐도 되지 않겠습니까? 제게 업히십시오. 지금보다 빠르게 갈 수 있습니다."

벨라는 고개를 저었다.

"아니에요. 이렇게 상처가 있는 상태로 헤엄치면 말마따나 상어가 꼬일지도 몰라요."

루카스가 안타까운 듯 벨라의 머리카락을 쓰다듬었다.

"아가씨, 기분 탓인지 모르겠지만 부쩍 머리카락이 탈색된 것 같습니다. 태양을 피할 수 없어서 그런 것입니까?"

벨라는 희미한 미소를 지으며 고개를 저었다.

"아무래도 이렇게 오랫동안 제 능력을 써 본 적이 없어서 아마도 그 힘의 영향으로 탈색되어 가나 봐요. 점점 더 공중으로 띄우는 것이 힘드네요."

"그러니 제가 아가씨를 업고 헤엄치겠습니다."

"그냥 이대로 날 믿어요. 조금 피곤한 것뿐 괜찮아요. 견딜 만해요."

벨라의 말에 루카스는 격해진 호흡을 참지 못하고 벨라를 와락 끌어안았다.

"이러다 아가씨께 문제라도 생기면 저는……."

"괜찮아요, 루카. 나 루카 놔두고 죽지 않아요."

벨라는 힘없이 웃으며 손을 뻗어 루카스의 뺨을 어루만졌다. 그 힘없는 손을 루카스는 한 손으로 조심스레 잡았다. 그의 눈동자 가득 벨라의 모습이 거울처럼 비쳤다.

"아가씨, 조금만 더 버텨 주십시오. 제가 무슨 수를 써서라도……."

벨라는 그 말에 환하게 웃었다.

"아프니까 좋긴 하네요."

"네?"

"루카가 이렇게 걱정 가득한 얼굴로 나를 바라봐 주는 거, 처음인 거 알아요?"

벨라의 말에 루카스는 눈썹을 살짝 찌푸렸다.

"저는 늘 아가씨의 안위를 걱정했습니다."

"숨길 수 없는 표정."

벨라가 말했다.

"늘 감정을 감춘 딱딱한 얼굴을 보면서 상상했어요. 루카에게 솔직한 감정이 드러날 때가 올까, 그런 표정을 보는 날 루카도 보통 사람처럼 행복해진 걸까 그런 것들."

루카스는 벨라의 흘러내린 머리카락을 쓸어 올려 주었다.

"사랑합니다."

루카스의 손이 벨라의 하얀 손을 꼭 잡았다.

"제가 살아야 하는 이유, 살아가는 이유, 그 모든 것이 아가씨였습니다."

루카스는 벨라를 힘껏 끌어안았다.

"버텨 주십시오. 아가씨가 살아야 제가 삽니다."

그의 맨가슴에 벨라의 뺨이 닿았다.

"제피르의 아들이니 집사 루카스 버틀러니 그런 모든 이름은 필요 없습니다. 아가씨와 함께했기에 제겐 생명의 의미가 있었고 삶의 가치가 생겼습니다."

그의 심장 소리가 귀와 뺨으로 전해졌다.

"아카이브 제도에 도착할 때까지 제발."

쿵쿵······.

언제나 벨라를 안심시키는 그 소리.

벨라는 행복한 듯 눈을 감았다.

"에잇! 젠장! 못 들어 먹겠네!"

칼리아스가 느닷없이 소리를 버럭 질렀다. 순간 셔츠에 불똥이 튀었다. 놀란 칼리아스는 그 불을 끄기 위해 바닷물을 몸에 끼얹었다. 하나밖에 없는 셔츠에 불똥 튄 자리가 유난히도 새까맣게 보였다. 멋쩍은지 칼리아스는 변명처럼 말했다.

"그 정도로 안 죽어. 나로 인해 다치기는 했어도 진검처럼 베인 게 아니라 불로 지져지며 베인 거라 깊지 않아!"

그리고는 미간을 찡그렸다.

"게다가 서로 사랑하는 사이였으면 미리 언질을 주지 그랬나!"

칼리아스는 다시 등 돌려 앉으며 퉁명스러운 목소리로 말했다.

"둘이 그렇고 그런 사이인 줄도 모르고 나는 헛물만 켤 뻔하였다. 둘이 연인인 것을 빨리 밝혔다면 나는······, 나는······."

칼리아스는 어쩔 줄 몰라 하며 혼자 허공을 보고 얼굴이 붉어졌다 노래지기를 반복했다.

"이제 보니 둘은 내게 숨긴 것이 아주 많더군. 제피르의 아들은 또 뭐고 시간을 거스르는 것은 뭐고! 미래를 안다느니 어쩌구······. 누가 보면 제대로 미쳤다 할 만한 일들이 반복되는데 아무도 알려 주지 않고! 아르티드 영애는 사람을 이렇게 공중으로 띄울 능력이 있으면서 왜 이런 것조차 내게 숨겼는가!"

"네?"

벨라가 몸을 반쯤 일으켰다.

"일찍 말씀드리지 못해 죄송합니다."

벨라는 루카스가 하려던 말을 손가락 하나로 입술을 살짝 눌러 멈추게 했다.

"내가 이야기할게요."

벨라는 칼리아스를 보며 차분하게 입을 열었다.

"그 전에 말씀드리지 못한 것은 전하께서 들을 준비가 되어 있지 않으셔서였습니다."

벨라는 자신이 그랑블루 강 화이트포럼 다리에서 뛰어내린 이야기부터 했다.

"……그냥, 제가 잘못 살아서 모두를 불행하게 한 줄 알았어요. 어린 저를 지켜 줬던 고용인들을 행복하게 해 주는 일이 제 노력만으로 되는 줄 알았어요. 그런데 세상의 흐름에 저 하나 잘 살아서 해결되는 일이 아니더군요."

구구절절 말할 필요는 없었다.

"그래서 노력하다 보니 앞으로 벌어질 일을 미리 알게 되었습니다."

칼리아스가 이해할 수 있는 만큼만 말하면 될 일이었다.

"전하께 성스러운 불의 검의 힘이 있듯, 저는 선조처럼 순간 이동과 시간 이동이 가능했어요. 공중에 사물을 띄우는 이 힘도 염동력이라기보다 순간 이동을 하기 위한 전 단계 같아요. 제 초대 가주께서는 군대를 이런 식으로 들어 올려 한순간에 다른 장소로 옮기셨거든요."

벨라는 지난 시간을 떠올리며 눈빛을 흐렸다.

"그런데, 전하께서는 자신의 힘을 페로하트만을 위해 쓰셨고 그러면 그럴수록 세상의 반동은 더 심해져서 그 보복이 페로하트에게 돌아왔어요."

"그게 무슨 말인가? 좀 더 쉽게 말하라."

칼리아스의 말에 벨라는 애써 미소 지었다.

"쉽게 말하자면 벌집을 쑤신 격이었다고요. 이기기 위해 뭐든 하다 보니 점점 이 시대에 걸맞지 않은 기술들이 앞질러 나오고 사람을 쉽게 죽이는 쪽으로 전쟁의 양상이 바뀌어 갔어요."

벨라는 플란네르 연합군을 대하며 오로지 개인적 명예를 되살리는 데 열중하던 황제와 황제가 하는 말에 순순히 따르기만 하던 황태자를 떠올렸다.

"전하, 페로하트의 황태자 자리를 버릴 각오를 하십시오."

"뭐?"

"입헌 군주제라도 새로 여시든, 또 다른 정치 형태를 개발하든 많은 사람이 평등하게 참여할 수 있는 세상을 펼치십시오."

벨라의 말에 칼리아스는 코웃음을 쳤다.

"그 말 반역 행위로 간주될 수도 있다는 것을 아는가? 제피르가 왜 죽었는지 잊었나?"

"전하께서는 황제의 서고에 있던 기록 중 마지막 황제가 되려 하는 자는 아르티드가의 가주에게 도움을 청하라는 구절을 보셨어요. 그리고 숨을 거두기 직전 황제의 관을 제게 주셨어요. 거기서 드래곤 하트를 꺼내 제가 시간을 거스를 수 있었어요."

"내가 언제?"

"미래에요. 저는 전하의 목숨을 구하러 다시 이렇게 돌아온 것이고 시간을 거스른 반작용으로 과거를 각성한 티베리와 마주한 거였어요."

칼리아스의 눈썹이 깊게 찌푸려졌다.

"반역도로 몰릴 것을 각오하고도 감히 내게 황태자 자리를 버리라 마라 하는 패기라니! 그런 얼토당토않은 말이 어딨나?"

칼리아스는 혼란스러운 표정을 지으며 벨라를 훑어보았다. 하지만 벨라의 꿋꿋한 태도며 자신을 물 위로 띄워 놓은 능력에 칼리아스는 무언가 알 수 없는 카리스마를 느꼈다.

들은 것을 마냥 부정할 수만은 없었다지만 그렇다고 확신이 생기는 것도 아니었다. 그런 그를 보며 벨라는 자신의 진심이 전해지길 바랐다. 최종 선택은 그의 몫이니 어쩔 수 없다 생각하며 자신이 보고 겪은 것을 모두 이야기했다.

"이제 아카이브 제도에서 페로하트행 배를 타고 돌아가면 제가 말씀드린 대로 흘러갈 겁니다. 그런 것을 생각해서라도 전하……."

벨라는 자신의 진심이 칼리아스에게 전해지길 빌며 말했다.

"더 이상 페로하트만의 황제가 되지 마십시오. 전하의 시야가 페로하트에만 한정됐기에 이 모든 불행이 일어났습니다. 전하만이 아니라 그 전 그리고 또 그 전전 대의 황제께서도 그리해 오신 결과가 오늘에 이른 겁니다. 땅 위의 모든 이를 위한 공평한 지도자가 되십시오."

"지도자나 황제나 무슨 차이인가? 마지막 황제 되는 자라는 황제 서고의 기록과는 대치되는 발언이라고 생각하지 않는가?"

진지한 표정을 지은 칼리아스가 날카로운 금안을 반짝이며 벨라에게 말했다. 벨라는 미소 지으며 고개를 저었다.

"제피르가 꿈꿨던 세상도, 어느 한쪽 편만 들고 한쪽 이익만 생각하는 그런 지도자가 있는 세상이 아닌, 살아 숨 쉬는 모든 이가 공평하게 기회를 얻고 자신의 능력을 펼칠 수 있는 그런 세상이었을 겁니다. 마지막 황제의 뜻이 페로하트만의 황제 지위를 벗어나라는 것 아니었을까요?"

"하, 그게 말처럼 그리 쉬운 일이어서 제피르가 제거된 줄 아는가?"

칼리아스의 말에 벨라가 대답했다.

"그걸 실행할 능력이 없는 자가 외친 말이어서 더 공허했는지도 모릅니다. 하지만 황태자 전하께는 그것을 실천할 힘도 능력도 있으십니다."

그들은 다행히도 페로하트행 선박과 바다 위에서 마주쳤다. 그리고 무사히 구조될 수 있었다. 페로하트 선박의 선원들이 그들을 보며 유령인 줄 알고 깜짝 놀랐으나 벨라는 자신의 능력에 관해 설명하는 대신 이렇게 말했다.

"황태자 전하 덕에 바다의 축복을 받아 물 위에 뜬 채로 떠내려왔습니다."

황태자에게 자신의 능력을 비밀로 해 달라는 당부도 잊지 않았다.

"저의 선조께서는 후손의 능력을 봉인하기로 초대 황제 폐하와 약조하셨습니다. 제가 능력을 각성하게 된 것은 저의 선조가 약조를 어긴 탓이 아니지만, 앞으로 이 능력을 쓰지 않는 것이 옳을 듯합니다. 초대 황제께서 무엇을 두려워하셨는지 잘 알 것 같습니다. 더 이상 티베리처럼 각성하는 자가 나타나서는 안 됩니다."

일 이야기만 나오면 갑자기 원칙 주의자가 되는 칼리아스는 벨라의 말에 더 이상 이견을 달지 못하고 고개를 끄덕였다.

"하지만, 내가 부탁하면 그 능력을 써 줄 거지? 그렇지?"

"그럼요. 누구 명령이신데요."

벨라는 웃으며 대답했다. 그는 아쉽다는 듯한 표정으로 벨라와 루카스를 훑어보았다.

"아르티드 영애에게 내가 조금 더 빨리 용기를 냈다면 영애의 곁에 서 있는 사람은 나였을까?"

벨라는 미소 지으며 루카스를 힐끔 쳐다보았다.

"아니요."

단호한 그녀의 말에 칼리아스는 뺨을 붉히며 고개 돌렸다.

"그렇군."

그냥 무심하게 물어본 척하느라 칼리아스의 이마에 땀 한 방울이 흘러내렸다. 하지만 여전히 쿨하게 보이고 싶은 모양인지 고개를 돌렸다.

"버베나 꽃의 약속을 지키고 싶었는데……."

너무 늦은 고백에 아직 미련이 남아 아쉬워하는 칼리아스에게 벨라가 말했다.

"페로하트로 돌아가면, 감히 바라볼 수 없는 존재에 대한 연모를 소설로 승화시킨 여인이 기다리고 있을 겁니다. 그녀가 쓴 소설을 전하께 바치겠습니다. 그것을 보면 그 약속의 주인이 누가 되어야 할지 깨달으실 겁니다."

벨라는 리체를 떠올리며 싱긋 웃었다.

페로하트에 돌아간 후의 일정을 생각하느라 마음이 바빠진 칼리아스가 배 안으로 사라지자 벨라는 루카스에게 손을 내밀었다. 루카스는 벨라의 손을 부드럽게 잡았다.

과거의 삶에서 칼리아스와 손잡고 산책했던 갑판 위를 루카스와 함께 걸었다. 그때의 긴장감 대신 편안함이 벨라의 마음속에 가득했다.

"루카, 페로하트에 도착하자마자 황태자 전하는 연행되어 가고 루카는 황제 폐하를 독대하게 될 거예요."

"저도 기억합니다."

루카스의 말에 벨라는 못 들은 척 수평선을 바라보았다.

"찰스 숙부는 여전히 포르위네 성에서 버티고 있을 거고 저의 성인식을 망쳐 놓고 싶어서 안달 나 있겠죠. 찰스 숙부를 전쟁터로 대신 보내 버리고 라울린과 캐시, 이안을 돌려

받아야 해요."

벨라는 잠시 걸음을 멈췄다. 루카스가 자신을 부드럽게 바라보고 있었다. 벨라는 그의 입술에 쪼옥 기습 키스를 했다. 루카스는 피하지 않고 조용히 벨라의 허리를 감싸 안았다.

"겪었던 일을 처음부터 다시 한다는 게 김빠지긴 하지만, 우린 잘 해낼 수 있을 거예요. 우리 그 전에 이 잠깐의 평온을 누려요."

루카스의 키스가 이어졌다. 정중하지만 진하고 부드러운 입맞춤이었다. 더 이상 피하지도 멀리하지도 않는 그의 긴밀한 입술이 반가워 벨라는 눈을 감고 그의 체온을 느꼈다.

짜릿한 쾌감이었다.

선원들이 갑판 위로 나와서 돌아다니다가 그들을 보고 방해하지 않기 위해 슬그머니 뒤돌아 갔다.

느리게 두 입술이 떨어졌을 때 그가 생각났다는 듯 말했다.

"제 부모님에 대한 일은 어떻게 아셨습니까? 저조차 그런 말은 들어 본 적이 없는데."

벨라는 그 보랏빛 눈에 환한 미소를 가득 머금은 채 말했다.

"지어냈어요."

루카스의 헉 하는 소리가 들려와 벨라는 쿡쿡 웃었다.

"어떻게 그런 것을 지어냅니까?"

루카스가 정색하는 것을 보자마자 벨라는 조금 심했나 싶은 생각도 들었지만 아닌 척 그의 팔에 팔짱을 끼며 걷기를 재촉했다.

"아버지가 남긴 기록 중에 이런 것이 있었어요."

[제피르는 정인을 페로하트로 돌려보내고 곧바로 페로하트 출신의 비서와 결혼식을 올렸다. 나름의 사정이 있겠지만 상식적으로 생각해 봤을 때 자신을 증오하는 자의 손에 일부러 맡겨 보내지는 않았을 것이다. 하지만 왜 그녀가 제피르를 증오하는 자와 결혼해서 불행하게 살았는지도 수수께끼다.]

벨라는 잠시 걸음을 멈추고 루카스를 쳐다보았다.

"그 구절을 보고 생각해 봤어요. 아무리 그래도 연인이었고 자신의 아이를 가진 여자인데 버리고 딴 여자랑 결혼하다니, 평소에 사생활 깨끗하던 제피르가 연애에 관해서 여느 무책임한 바람둥이 같은 짓을 했을까요? 명색이 사상가로서 개혁을 하려던 사람이?"

루카스의 눈이 벨라를 진지하게 훑었다. 벨라는 싱긋 웃었다.

"아마 그 나름대로 사정이 있었을 거예요. 예를 들어 잘 챙겨 보내려고 했는데 그녀가 인질이 되었다거나 자신의 연인인 게 밝혀져 처벌당할 위기에 처했다든가. 그러면 자신과 무관하다는 것을 증명하기 위해 충분히 그럴 만했어요. 결혼했다는 그 비서는 제피르의 말이라면 무조건 충성하는 심복 중의 심복이었을 테고."

벨라는 손을 뻗어 루카스의 뺨을 어루만졌다.

"그게 당신 아버지가 당신과 당신 어머니를 사랑한 방법일 거예요. 나는 그렇게 생각했어요."

잠자코 듣고 있던 루카스가 긴 침묵 끝에 입을 열었다.

"아가씨, 소설 쓰는 데 소질이 있으셨나 봅니다."

"리체 덕분이에요. 리체가 쓴 걸 읽다 보니 상상력이 풍부해져서요."

벨라는 뱃머리 쪽으로 다가가 바닷바람을 즐기며 루카스에게 손짓했다.

"이렇게 날씨 좋을 때 즐겨요. 배에서 내리자마자 정신없을 거예요."

"같이 겪어 보지 않았습니까?"

루카스가 천천히 벨라의 곁으로 다가왔다. 벨라는 루카스의 팔짱을 끼고 그에게 고개를 기댔다.

"혼자 겪을 땐 막막했는데 루카와 함께할 거라고 생각하니 그래도 용기가 나요."

"저는 항상 아가씨와 함께였습니다."

루카스는 벨라를 뒤에서 부드럽게 끌어안아 주었다. 루카스의 고개가 벨라의 어깨 위에 닿았다.

"함께하지 않은 적이 없습니다."

자신의 허리에 감기는 그의 손을 잡으며 벨라는 눈부시게 환한 미소를 지었다.

릴리스 대공녀는 눈을 번쩍 떴다. 침대에서 몸을 일으키고는 어지러운지 잠시 이마에 손을 얹었다가 밀려오는 수많은 상념에 멍하니 허공을 바라보았다.

"아……!"

티베리라는 자와 사랑을 나눴던 기억이 한꺼번에 밀려왔다. 그리고 그가 하는 일을 후원하던 기억이 모두 생생하게 되살아났다.

"티베리?"

릴리스는 고개를 번쩍 들고는 사랑에 빠진 여인의 표정이되어 두근거리는 가슴을 주체하지 못했다.

"장부 가져와!"

시녀에게 말하자 시녀는 그녀의 말을 알아듣지 못하고 의아한 눈빛으로 쳐다보았다.

"내가 후원한 사람들 리스트가 있는 일급 장부를 가져오라고!"

릴리스가 버럭 화를 내자 시녀는 불똥이 튈세라 얼른 달려가 장부를 가져왔다. 장부를 훑던 릴리스 대공녀는 눈빛을 반짝였다. 티베리의 이름을 발견하고는 행복한 미소를 지었다.

"당장 이 사람을 불러와. 내가 찾는다는 말은 하지 말고 적당히 세미나 초청 형식이나 후원회 모금 초대장 같은 형식을 빌려서."

릴리스는 가슴이 벅차올라 화장대에 가서 앉았다.

"무슨 좋은 일이 있으십니까?"

그녀의 치장을 담당하는 시녀들이 릴리스의 눈치를 살피며 비위를 맞추려고 애썼다. 오늘따라 온갖 화려한 것들을 걸치는 릴리스를 보며 평소와는 다른 낌새에 그녀의 의도를 파악하기 위해 시녀들은 귀를 쫑긋 세웠다.

"이제 곧 내 운명의 연인이 찾아올 거야. 나를 감옥 같은 칼데이라 공국에서 구원해 줄 구원자가."

"네? 그란첼 백작은 이미 장성한 자식도 여럿이고 대공녀님보다 나이가 25살은 더 많습니다."

시녀의 말에 릴리스는 화를 버럭 냈다.

"누가 그 늙은 돼지 말한대? 그 돼지 같은 놈은 이야기 꺼내지도 마!"

"그럼 역시 카이런 황자님 말씀이신가요?"

"그란첼 영애와 결혼하게 될 놈 이야기는 왜 꺼내? 그 개돼지들과 나를 한 번만 더 엮었다간 네 목부터 날아갈 줄 알아!"

릴리스 대공녀는 정말로 당장 목을 칠 듯한 눈빛으로 시녀를 노려보았다. 괜한 이야기를 꺼냈다 싶은 시녀는 입을 굳게 다물었다.

흥분에 가득 찬 릴리스는 치장에 열을 올렸다. 화려한 보석 귀걸이를 몇 개씩 귀에 대어 보던 중이었다.

똑똑똑.

노크 소리와 함께 등장한 사람을 보자마자 릴리스는 당황하여 얼른 일어나 공손하게 고개를 숙였다.

"외숙부님!"

키는 작지만 카리스마 넘치고 풍채가 좋은 백발의 남자가 안으로 들어서자 릴리스는 그에게 극진한 예를 보였다.

"무슨 일이시기에 언질도 없이 불시에 오셨습니까?"

릴리스는 그를 어려워하며 공손하게 말했다.

"내 너에게 긴히 할 말이 있어서 왔다."

그의 말에 릴리스는 마른침을 꿀꺽 삼키며 긴장했다.

똑똑똑.

엄숙한 분위기를 깨고 시녀가 눈치를 보며 다가와 릴리스에게 말했다.

"말씀하신 대로 후원의 밤 초대장을 보냈습니다. 곧 받아 보게 될 겁니다."

"플란네르의 티베리란 자 말이냐?"

말하지도 않았는데 외숙부의 입에서 나온 말에 릴리스는 화들짝 놀라고는 뺨이 달아오른 채 고개를 숙였다.

"기다리지 마라. 그자는 이미 죽었다."

릴리스는 고개를 번쩍 들었다.

"네?"

미르페톤은 릴리스의 이름으로 된 초대장을 테이블에 휙 던졌다. 시녀가 보냈어야 할 바로 그 초대장이었다. 그것이 전달되기도 전에 외숙부의 손에 들어갔던 것이었다.

초대장을 본 릴리스의 얼굴이 흙빛이 되었다.

"페로하트의 황태자가 귀환했더구나. 그리고 자기 손으로 그를 불태워 죽였다고 말했다. 페로하트에서는 곧 칼리아스를 초대 황제 페오스의 진정한 계승자로 선포한다더군."

릴리스는 전혀 몰랐다는 듯한 표정으로 그저 멍하니 외숙부의 얼굴을 쳐다볼 뿐이었다.

"쯧쯧. 이 바닥은 정보가 생명이라고 몇 번을 말했느냐. 아직도 모르고 있었다니 수치인 줄을 알아라."

릴리스의 눈에서 눈물이 툭 하고 굴러떨어졌다. 그녀의 머릿속에서 그와의 기억들이 수없이 뒤엉켜 제멋대로 되풀이되고 있었다.

"만난 적도 없는 자를 위해 눈물까지 보이다니!"

"아닙니다! 분명 그를 만났어요. 그리고……!!"

릴리스는 참지 못하고 외쳤다가 곧 테이블을 인정사정없이 내리치는 소리에 움찔하여 입을 다물었다.

"이 못난 것! 네가 그자를 언젠가 먼발치에서 본 후 물심양면으로 그를 도왔던 사실을 안다. 그래도 막지 않았던 것은 그자를 직접 만나지 않았기 때문이었다. 그런데 이 초대장이 무엇이냐! 아직도 정신 차리지 못하고 그자 타령이냐?"

릴리스는 눈물을 흘리면서도 멍하니 외숙부를 올려다보았다.

"세상에 우연이란 없다. 인간 사이의 정만큼 부질없는 게 또 있을 줄 아느냐?"

외숙부는 차가운 목소리로 말했다.

"굳이 머저리 같은 네 아비를 칼데이라 공국의 대공으로 삼은 것은 다 수십 년 뒤를 내다보고 결정한 것이었다. 너역시 마찬가지다. 우리 가문의 막대한 자금을 맡기기엔 넌 아직 어리석은 데가 있다. 후계자 지정은 아무래도 다시 생각해야 할지도 모른다. 나를 자꾸 실망시키지 말아라."

흰 눈썹을 찌푸리며 외숙부는 한숨을 길게 내쉬었다.

"이 초대장을 받아 본 순간 당장 너를 끌어내리고 싶었으나 그간의 수완을 생각하여 한 번만 더 기회를 주는 것인 줄 알아라. 오늘은 경고만 하고 돌아가마."

릴리스가 만나려 하는 남자의 소식을 미리 알고 달려온 미르페톤 외숙부는 그 말을 남기고 쌩하니 자리를 떴다.

자리에 홀로 남은 릴리스는 계속해서 눈물만 흘렸다.

만난 적도 없는 남자라니?

그녀의 기억 속에 그의 기억이 너무나도 생생했다. 대체 왜 이런 겪지도 않은 기억들이 되살아나는지 이해할 수 없었다.

미래에 관한 기억이라 하기엔 지나치게 겪어 본 듯한 느낌이 들었고 까마득하게 오랜 시간을 다시 살아가는 착각을 불러일으켰다.

릴리스는 멍하니 고개를 들어 한참 동안 벽을 바라보다가 벽에 걸린 달력에 눈길이 갔다.

문득 티베리가 낮잠을 자다 깨어서는 달력에 대해 하던 말이 떠올랐다. 릴리스는 정신없이 일어나 달력으로 다가가 그 달력을 매만졌다. 티베리가 선물한 그 달력은 아니었지만 저절로 눈물이 다시 흘렀다.

"이상해…… 뭔가가 이상해……. 내가 기억하는데 기억하는 것이 아닌 듯한 이상한 이 기분이 뭐지?"

릴리스는 달력을 쓰다듬고 또 쓰다듬었다.

"티베리……. 대체 뭐가 어떻게 된 거지?"

벨라와 루카스, 칼리아스는 페로하트 선박을 타고 드디어 돌아올 수 있었다. 칼리아스는 벨라가 말했던 대로 자신을 맞이하러 온 하이아드 백작을 멀리서도 알아보았다. 그러고는 벨라를 한번 힐끗 쳐다보았다.

칼리아스가 배에서 땅에 발을 내딛자마자 하이아드 백작이 정중하게 인사를 했다.

"폐하께서 명령하시기를……."

"나도 알아. 유폐형에 처하라고 하셨지? 굳이 긴말할 것 없이 카이런 놈이 그냥 황태자 계속하라고 그래. 나라 말아먹든지 말든지. 그리고 성스러운 불의 검인가 뭔가도 아무리 꼬드겨도 안 보여 줄 거야. 시키지도 마."

칼리아스가 귀찮다는 듯한 태도로 하이아드 백작이 하려는 말을 미리 해 버리자 하이아드 백작은 놀라서 눈을 크게 뜬 채 칼리아스의 뒤를 따랐다.

루카스는 자신을 연행하려는 무리가 다가오는 것을 보며 품에 든 것을 만지작거리며 벨라에게 말했다.

"개량형 금속 탄피를 황제 폐하께 드려도 되겠습니까? 역사가 다시 엉망으로 꼬이는 것은 아닐까요?"

벨라는 씁쓸한 미소를 지으며 루카스를 쳐다보았다.

"그것까진 막을 수 없겠죠. 미리 다 알고 시작해도 사람 일이란 어디로 튈지 예측 불가니까요. 하지만 나는 황태자 전하가 입헌 군주제를 약속하신 것만으로도 미래가 바뀔 거라고 믿어요. 어쨌거나 그 물건이 있어야 황제 폐하는 알현을 허락하실 테니, 황태자 전하를 믿고 바치기로 해요."

그리고 벨라는 품에 넣어 둔 서신들을 확인했다.

하나는 찰스에게 보낼 거였다.

[찰스 키튼 씨, 순순히 포르위네 성에서 나와 주세요. 루카스를 횡령죄로 고생시키려고 자료를 준비한 모양인데 그거 미리 다 입수했으니 소용없어요. 얼굴에 먹칠하고 쫓겨날지, 아니면 자진해서 국가의 부름을 대신할지 선택하세요.

고생하기 싫으시면 키튼 성으로 바꾸세요. 하지만 조금 괴롭더라도 명예를 지키는 쪽을 택하신다면 명목상 숙부로서의 대접은 해 드릴게요.

물론 저의 제안을 우습게 여기신다면 당신 어머니께서 이노크 키튼 및 에이든 엘 카스웰 기사단장과 그렇고 그런 사이였다는 것을 연예 가십지에 전부 까발려 줄게요.

사랑해요. 숙부님.]

그리고 또 다른 하나는 라울린에게 보내는 편지였다.

[라울린, 기사단장실 벽에 쥐가 다녀요. 쥐구멍은 쥐 잡으려고 놔둔 거니까 돌아오면 쥐부터 확실히 잡아요. 카라가 어디 있는지 알고 있으니까 올 때 이안에게 지휘 맡기고 캐시랑 손잡고 카라 데리고 와요. 지체하지 말고 빨리요. 이미 사고 친 거 다 알고 있으니까 잔말 말고 캐시 책임져요.]

살아 있는 라울린이 이 편지를 받을 수 있다는 것이 너무나 기뻤다. 여전히 푸딩만은 살리지 못한 것이 마음 아팠으나 그렇다고 다시 과거로 돌아가기엔 각성할 누군가가 두려웠다.

'널 살리지 못해 미안. 푸딩, 너의 목숨이 소중하지 않아서가 아니야. 미래를 위해 드래곤 하트를 함부로 쓸 자격이 내게 없어서 그래. 나를 용서하지 못해도 이해할게. 하지만 너의 자손들이라도 아르티드를 대표하는 견종으로 잘 키울게.'

벨라는 그 외에 낸시에게 보내는 안부 편지도 힐끔 보았다. 낸시에게 생명이 얼마 남아 있지 않다는 것을 안 이상, 남은 시간은 그녀와 많은 추억을 쌓고 싶었다.

할 일이 많았지만 일단 벨라와 루카스는 병사들이 다가와 말을 건네길 기다렸다.

"같이 가 주셔야겠습니다."

그들의 말에 순순히 따라가자 그중 하나가 의아하다는 듯 말했다.

"어디로 가는지 알고 따라오시는 겁니까? 궁금하지도 않으십니까?"

"국법을 어기고 적국에 체류하였으므로 간첩 혐의가 씌워졌겠죠. 하지만 우린 그저 만국 박람회를 관람하다 왔고 그보다 더 중요한 것을 알아 왔으니 황제 폐하를 알현하게 해 주세요. 당신 같은 사람들이 알아서는 안 될 일입니다."

벨라의 말에 루카스는 애써 준비한 그간의 행적에 대한 기록을 병사들에게 넘길 필요조차 없었다.

황제 폐하를 알현하러 황궁에 도달했을 때 다시 마주친 붉은 카펫 길 앞에서 벨라는 루카스를 돌아보았다.

"루카스, 우리 지하 창고에 있던 마법진을 통해 갔던 그 이상한 공간 기억나요?"

대체 벨라가 무슨 말을 하려는지 짐작조차 할 수 없는 루카스는 그녀를 말없이 쳐다보았다.

"곰곰이 생각해 보았는데, 그것은 미래에 있을 일에 대한 일종의 암시였던 것 같아요."

"네?"

벨라는 웃으며 루카스를 쳐다보았다.

"또 상상력이 풍부하다고 놀릴지 모르겠지만, 초대 가주께서 남긴 메시지를 생각하고 또 생각해 봤어요."

루카스의 파랗고 갈색인 눈동자가 벨라를 훑었다.

"그리젤리 저택을 만드는 도중에 지하에서 거대한 폭발이 있었다고 해요. 아마도 황궁을 쉽게 오갈 수 있게 마법진을 설치하려다가 그 자리서 폭발을 겪었겠죠. 그 흐름을 읽어 보니 후대의 누군가가 시간을 거슬러 그 폭발을 보냈다는 사실을 알고 메시지를 만들었댔어요."

벨라는 개구쟁이처럼 미소 지었다.

"혹시, 미래의 내가 현대의 폭탄을 한꺼번에 초대 가주가 살던 시대로 워프시키는 건 아닐까요?"

루카스의 동공이 커다래졌다.

"그런 비약적인 상상은……."

벨라는 키득키득 웃었다.

"내가 생각해도 좀 우습긴 한데 가능성 있지 않아요? 나의 능력은 물건을 옮기는 것도 아니고 그저 공중에 둥실 떠올리는 정도뿐이지만……."

벨라는 목을 가다듬고 다시 진지한 표정을 지었다.

"일전에 비행기 공습이 있었을 때 빗발치는 폭탄을 보며 생각했어요. 저 폭탄을 보낸 곳으로 죄다 되돌려 보내고 싶다고 말이에요. 그런데 내 능력을 갈고닦으면 언젠가 가능하지 않을까요?"

순간 루카스는 우뚝 멈춰 섰다.

"왜 그래요?"

벨라의 물음에 루카스는 심각한 표정으로 말없이 서 있더니 느리게 입을 열었다.

"그럼, 그 안에서 발견된 여인의 뼈는……."

루카스의 말에 벨라는 그의 손을 잡아끌며 말했다.

"에이, 나는 그 공간을 마음대로 드나들 수 있는 능력이 있는데 설마하니 거기서 빠져나오지도 못하고 죽었을까 봐요. 초대 가주의 시대에 그 흉물들을 버리고 저는 돌아올 수 있을 거예요."

그러나 루카스는 굳은 표정을 쉽게 풀지 못했다. 그런 루카스를 보며 벨라는 경쾌하게 웃었다.

"루카, 그 뼈는 출산한 적 없는 골반을 지닌 삼십 대 여성이라 하지 않았어요? 그럼 내가 삼십 대가 되기 전에 출산을 많이 하면 그 여성이 아니라는 것을 증명할 수 있겠네요."

"네?"

루카스의 눈이 더욱 커졌다.

"루카스가 노력해 주면 되겠네요. 내가 그 여성이 아닌 것을 증명하는 거. 몇 명이나 낳을까요?"

벨라는 처음으로 깨달았다. 루카스도 극도로 당황하면 이 안처럼 꽁꽁 언다는 것을. 마치 승전 연회 때 출 줄도 모르는 춤을 추자고 권했을 때처럼 누가 형제 아니랄까 봐 당황해서 커진 눈이며 살짝 벌어져 다물 줄 모르는 입이 그날의 이안을 보는 것 같았다. 그제야 둘이 형제인 것을 부정할 수 없을 정도로 닮았다고 생각했다.

벨라는 저 멀리 황제가 보이자 한쪽 손을 입가에 대며 작은 소리로 루카스에게 말했다.

"책임 못 지면 루카는 짐승!"

"아가씨!"

당황한 루카스가 그녀의 팔을 붙잡기도 전에 그녀는 몇 걸음 앞서 나아갔다.

"아니다. 책임져도 짐승이면 좋겠네. 루카, 앞으로는 밤낮으로 힘써 줘요!"

루카스는 어버버거리며 멍하니 서 있다가 벨라와의 거리가 제법 차이 나자 정신 차렸다. 그러고는 황제를 향해 걸어 갔다.

하늘은 눈부시게 맑았고 때마침 정각을 울리는 종소리에 하얀 비둘기들이 파란 하늘을 가로질렀다.

벨라는 앞으로 그 무슨 일이 벌어져도 이제 더 이상 힘들지 않을 것 같았다.

루카스가 항상 자신의 곁에 있고, 자신에게는 그 일들을
해결할 모든 능력이 있다는 사실을 잘 알기 때문이었다.

20. 그 뒷이야기

20. 그 뒷이야기

캐시는 하얀 웨딩드레스를 입고 신부 대기실에 앉아 있었다. 그토록 꿈에 그리던 결혼식이었지만 친정인 하이아드 백작가를 몽땅 감옥에 처넣고 치르는 결혼식이라 마음이 편치만은 않았다.

기사도의 표본이라 생각했던 아버지 하이아드 백작이 온갖 비리에 연루되어 있을 줄은 몰랐다. 게다가 옛일이긴 하지만 그 일의 일부에 라울린이 관련 있던 것도 충격이었다.

캐시를 사랑하게 된 후 더 이상 떳떳하지 않은 일은 할 수 없다고 거절한 탓에 하이아드 백작의 눈 밖에 나서 버려졌다는 사실도 뒤늦게 알게 되었지만, 그런다고 있었던 죄가 없어지진 않았다.

다만 라울린은 적극적으로 하이아드 백작의 비리에 대해 증언을 했던 공로로 구속되는 것만은 피할 수 있었다. 그나마도 벨라가 적극적으로 변호하지 않았다면 단순히 집행 유예로 끝나지는 않았을 터였다.

하마터면 신랑 없는 결혼식을 할 뻔한 것이 바로 며칠 전의 상황이라 캐시는 지금 웨딩드레스를 입은 자신의 모습을 거울로 보며 수많은 상념에 잠겼다.

존경했던 아버지였다.

어미 게가 자신은 옆으로 걸어가면서도 자식 게에게는 앞으로 똑바로 걸어라 한다고 했던가.

어떻게 본인이 그런 썩은 짓을 잔뜩 해 놓고도 자식들에게는 기사도와 명예를 운운했는지 도통 이해할 수 없었다.

특히나 벨라의 명령으로 혹시나 싶어 몰래 자신의 집에 들어가 금고를 털었을 때 쏟아져 나온 증거물에 캐시는 말을 잊었다.

국방 장관이란 자가 끊임없이 페로하트 내부의 정보를 외부에 팔아먹었다니.

캐도 캐도 끝없이 나오는 관련자 때문에 지금 그란첼 백작가도 재판을 받는 중이고 하이아드 백작과 연줄이 닿았던 자들은 모조리 옥고를 치르는 판이었다. 그 일이 어찌 슈르츠 공작가와 티프리스 후작가까지 불똥이 튀게 된 것인지는 알 수 없었다. 다만 페로하트 정계 전체에 거대한 소용돌이가 일고 있음에는 틀림없었다.

이런 와중에 결혼식을 올려야 하나 생각하니 부끄러워서 견딜 수가 없었다. 부를 일가친척은 물론 먼 친척조차 비리에 얽혀 소란스러웠다.

캐시는 웨딩드레스 자락을 손으로 움켜쥐었다.

결혼식을 나중으로 연기하면 안 되겠냐고 했지만, 벨라는 그 일들과 결혼이 무슨 상관이 있느냐며 끝내 결혼하라고 등 떠밀었다. 그렇게 캐시는 마지못해 식장에 서게 되었다.

부끄러움에 고개를 숙이고 있는 캐시의 등을 작고 따뜻한 손이 어루만졌다.

"엄마."

카라였다. 아직 토끼 입처럼 갈라진 윗입술을 수술한 지 얼마 되지 않아 입술을 마스크로 가리고 있었지만 카라는 더없이 행복해 보이는 눈빛으로 엄마의 손을 잡았다.

"엄마, 너무 예뻐. 하늘에서 내려온 천사 같아."

라울린을 닮은 청보라색 예쁜 눈을 가진 카라는 한껏 눈웃음을 지으며 엄마의 품에 고개를 묻고 두 뺨을 비볐다. 캐시는 그 작고 예쁜 아이를 부서질세라 소중하게 쓰다듬었다.

"정말 예뻐."

라울린의 목소리였다. 캐시는 고개를 들었다. 숨을 한껏 들이켠 라울린은 숨을 내쉬면 그녀가 환영처럼 사라지기라도 할세라 잠시 멈춰 서서 그녀를 황홀하게 바라보았다.

그 모습에 캐시의 두 뺨이 붉게 물들었다. 하지만 싫지는 않은지 저절로 미소가 머금어졌다.

"아빠도 멋있어!"

카라는 두 팔을 벌려 라울린의 품에 뛰어들었다. 라울린은 카라를 번쩍 안아 한 팔로 들어 올리고는 캐시의 곁으로 다가왔다.

"후작님께서는?"

라울린은 카라가 귀여워서 어쩔 줄 모르겠다는 듯 카라의 뺨을 꼬집고 턱을 간질이고 뽀뽀하고 온갖 팔불출 짓을 일삼다가 캐시의 말에 고개를 돌렸다.

"아, 조금 늦기는 하시겠지만 반드시 참석하신다고 했어. 우리 결혼을 누구보다 축복해 주시길 바라시잖아? 걱정하지 마."

"날짜를 좀 더 늦출 걸 그랬어."

캐시의 자신 없는 목소리에 라울린은 쾌활한 목소리로 대답했다.

"아냐. 날짜 늦춰 봤자 쉴 새 없이 일이 터질 거라고 그냥 예정대로 결혼하라고 한 건 후작님 본인이셔. 그런데 왜 그런 자신 없는 표정이야? 나와 결혼하는 거 후회해?"

"그건 아니지만……."

캐시에게 라울린이 다가섰다.

"나와 결혼해 줘서 고마워. 앞으로는 평생 눈물 나는 일 없게 해 줄게. 웃게만 해 줄게."

라울린은 몸을 숙여 카라를 내려놓은 후 캐시의 손을 부드럽게 잡았다.

"평생, 이 손을 다시 잡아 보지 못할 줄 알았는데 이 순간이 꿈만 같다."

캐시의 눈이 그렁그렁해졌다.

"신부 화장 지워진다. 신부가 벌써 울면 어떻게 해?"

라울린은 웃으며 캐시의 눈물을 손가락으로 훑었다. 그리고 둘의 입술이 가까이 다가갔다.

말랑한 촉감에 놀라 둘은 뒤로 물러났다. 어느새 둘 사이에 카라가 쏘옥 끼어 있었다.

"엄마 아빠한테 동시에 뽀뽀 받으니까 좋아?"

캐시가 쿡쿡 웃으며 말하자 카라는 해맑게 고개를 끄덕였다.

"응!"

시키지도 않았는데 카라는 뱅글뱅글 돌아 자신의 치마를 펼쳐 보이며 옷에 대한 만족감을 온몸으로 표현했다.

"엄마도 아빠도 예쁜 옷 입고 나도 예쁜 옷 입고 너무 좋아! 동생도 엄마 아빠 뒤에서 같이 들러리 서면 좋을 텐데 아쉽다! 엄마! 나중에 동생 태어나면 결혼식 또 해!"

카라의 말에 캐시는 깔깔 웃었지만 라울린은 못마땅한 표정이 섞인 미소를 지으며 카라의 뺨을 살짝 꼬집었다.

"뭐야, 네 엄마를 두 번 결혼시켜 버리면 난 어떻게 하라고?"

"아빠도 결혼해. 그럼 되잖아. 그때도 내가 들러리 서 줄게."

별거 아니라는 듯 어깨를 으쓱해 보이는 카라를 보며 어처구니가 없는 듯 라울린도 너털웃음을 터뜨리고 말았다.

카라는 캐시의 무릎에 고개를 얹으며 입을 삐죽거렸다.

"그런데, 들러리는 내가 서는데 왜 동생 옷이랑 신발만 자꾸 사? 내 옷도 사 줘!"

"너도 사 줬잖니."

"동생 것은 많이도 샀잖아. 나는 아주 쬐끔만 사 주고."

"아기는 옷을 금방 더럽히기 때문에 여벌 옷이 많이 필요해서 그래."

"근데 정말로 남동생이야? 난 여동생이면 좋겠는데."

카라의 말에 캐시 역시 고개를 들어 라울린을 쳐다보았다.

"정말 우리 아이 남자아이 맞을까?"

라울린은 안심하라는 듯 고개를 끄덕였다.

"후작님께서 남자아이 맞다고 하셨잖아. 나와 얼굴이 대고 찍은 것처럼 닮은 아이라고."

"그래도…… 참 신기하네. 그렇게 확신하시는 것은……. 만에 하나 틀리면 어쩌시려고."

"후작님이 말씀하신 것 중 틀린 게 있던가?"

라울린의 말에 캐시는 기억을 더듬어 보았다.

"그렇긴 하지만 아무리 생각해 봐도 신기해. 마치 세상만사를 다 통달해 버린 사람 같아. 앞으로 있을 일에 한발 앞서서 늘 해결하시고……. 행운인 걸까, 아니면 정말로 앞날을 내다보는 혜안을 가지고 계신 걸까?"

캐시의 말에 라울린은 쓴웃음을 지었다.

벨라에게 회귀 능력이 있다는 것은 극히 일부의 사람들만 아는 사실이었다. 라울린 역시 벨라가 뭐든 결과를 딱딱 맞히고 좋은 쪽으로만 판단하는 것만 보았지만, 그녀의 말로는 이미 과거에 삽질해 보고 지금은 그 실수를 안 하는 것뿐이라고 했다.

"후작님 멋있어! 엄마, 나도 크면 후작님처럼 될 거야!"

카라가 신나서 말했다.

라울린은 카라의 마스크 쓴 얼굴을 보며 벨라가 한 말을 떠올렸다.

'라울린, 정령석 가루 좀 썼다고 고마워서 충성하겠다느니 뭐 하느니 하면서 과잉 충성 하지 마요. 물론 앞으로 포르위네 성을 책임지려면 충성은 당연한 요건이지만 그렇다고 목숨 바쳐서 희생하고 이러면 당장 해고할 거예요. 전에 날 가르칠 때도 살아남은 후에 뒷일을 도모하는 거라고 해 놓고 그 말 어기면 가만 안 둬요. 알겠어요?'

신신당부하고도 뭔가 모자랐는지 각서까지 단단히 받아 내었다. 라울린은 그 일을 떠올리며 헛헛한 웃음을 지었다.

과잉 충성 금지라니.

"그나저나 왜 아직도 후작님이 안 오시는 거지?"

라울린은 초조한 듯 창밖으로 보이는 시계 첨탑을 바라보았다.

"리체 님이라도 먼저 오실 줄 알았는데……."

캐시가 힘없이 중얼거리자 라울린은 별생각 없이 대꾸했다.

"리체 님이 요즘 후작님보다 더 바쁘잖아. 소설 쓴 게 확 떠서. 여기저기 초청받아서 작가 친필 서명회 한다고 동에 번쩍 서에 번쩍 해. 후작님은 그 글이 뜰 줄을 어떻게 알고 미리 투자까지 하신 건지."

순간 캐시의 표정이 더더욱 어두워졌다.

아차.

라울린은 자신의 입을 손으로 꼬집듯 쥐었다. 결혼식에 꼭 참가하겠다고 미루지 말라며 등 떠민 게 벨라와 리체였다. 그런 당사자 둘 다 바빠서 결혼식 30분 전까지도 도착하지 않고 있었다.

"하지만, 한 번 약속한 것은 반드시 지키는 분들이란 거 당신이 더 잘 알잖아. 걱정 마."

괜히 머쓱해진 라울린은 탁자 한편에 놓여 있던 오늘 자 신문을 펼쳤다.

[세기의 연인, 세기의 이혼, 그리고 뜻밖의 반전]

맨 앞의 사진은 슈르츠 공작과 공작 부인의 젊은 시절 다정한 모습이 담겨 있었으나 그다음 사진은 슈르츠 공작 부인이 짧은 다리로 슈르츠 공작을 이단 옆차기 하여 날리는 장면이었다.

[……연극으로까지 만들어져 두고두고 세간에 회자되었던 특별한 사랑 이야기의 실제 주인공, 슈르츠 공작과 슈르츠 공작 부인이 이혼을 두고 치열한 법정 공방을 벌이고 있다고 한다.]

머리가 하얗게 센 초로의 부부가 싸우는 것도 모자라 슈르츠 공작의 아래턱이 반쯤 돌아가 일그러진 순간의 얼굴이 대문짝만하게 실려 있자 라울린은 다 아는 일이어도 실소가 터져 나왔다.

"뭐가 그리 재밌어서 혼자만 보고 웃어? 나도 보여 줘."

캐시가 호기심에 가득 차 신문을 건네받았다.

"아, 내가 현장에 있었던 일이라 웃지 않을 수가 없네."

라울린의 말에 캐시는 본척만척하고 놔뒀던 신문에 관심을 갖기 시작했다.

"이게 무슨 일인데? 슈르츠 공작 부인이 언제 특공 무술을 배웠나? 발차기 자세가 전문적인데?"

"어제 이야기해 준 건데?"

"결혼 준비 때문에 신경이 예민해져서 흘려들었나 봐. 다시 이야기해 줘."

"말 그대로야, 콜레트 엘 슈르츠 공작 부인께서 아직 아르티드 영애이실 때 전전대 후작님께서 비밀 계약서를 만들었나 봐. 지참금을 그냥 주는 게 아니라 대여 형식으로 언제든 다시 되찾아갈 수 있는 내용을 담고 있는 계약서."

"지참금을 대여해?"

"당시에 슈르츠 공작가가 파산 직전이라서 레오폴드 님께서 세기의 연애를 벌여 콜레트 님과 결혼했지만 전전대 후작님은 그 본의를 의심하셨나 봐. 그래서 그런 조건을 걸어서 재산 보고 결혼하는 게 아니라는 것을 확답받았던 모양이야. 그런데 진심은 재산 보고 결혼했던 것이 맞았던 거지."

"정말?"

"우리 후작님께서 그 비밀 계약서 원본을 찾아다가 증거로 제시한 데다가 그 딸기코인 남자 있잖아, 기사단장의 방에 비밀 통로로 들어왔다가 붙잡힌 남자. 그 남자를 어찌 구워삶았는지 여죄를 실토하게 만드셨다는군. 여러 더러운 일도 많이 했지만 그중 최고가 전전대 후작님을 독살시킨 거였다더라고."

"그게 증거가 있었어?"

"워낙 오래전 일이라 심증만 있던 일인데 루가스 버틀러 경이 독 감별을 좀 하잖아? 직접 찍어 먹고 감별했다더군."

캐시는 라울린의 말에 눈이 휘둥그레져서 신문을 다시 들여다보았다.

[……'우리 오라버니 살려 내!'를 외치며 슈르츠 공작을 마구

두들겨 패던 슈르츠 공작 부인은 진정시키려는 사람들을 괴력으로 모두 집어 던지고 느닷없이 밖으로 달려 나갔다.

한 시간 만에 슈르츠 공작 부인이 발견된 곳은 그랑블루 강 화이트포럼 다리로, '모든 것을 돌이킬 거야. 내 실수를 바로 잡고 말겠어.'라고 외치며 투신 행각을 벌이다가 가까스로 치안관에게 제압당해 자택으로 돌려보내졌다.

정신과 전문의 사무엘 경의 말에 따르면 극도의 스트레스를 받으면 일시적으로 착란 증세를 일으킬 수 있다고 한다. 세기의 로맨스는 세기의 이혼을 앞두고 귀족 사회에서 커다란 파문을 일으키며 그 추악함을 손가락질당하고 있다.

자꾸 화이트포럼 다리에서 투신하려고 하는 슈르츠 공작 부인은 아르티드 후작의 노력 끝에 간신히 마음을 돌이키는 데 성공했다고 한다. 이에 따라 재판은……]

라울린은 아무리 생각해도 웃음이 나는지 키들키들 웃어 댔다.

"심각한 기사가 났는데 웃음이 나와?"

캐시는 라울린을 향해 눈을 흘겼다.

"아니, 그때 아르티드 후작님이 비밀 차용 증서를 내미셨어. 거기에 쓰인 결혼 허락 조건을 증거로 제시하고서는 '이 결혼 반댈세.'를 외치는데 루카스 버틀러 경이 옆에서 '무효겠지요. 문맥에 맞지 않습니다.' 하고 있더라고. 이미 슈르츠 공작 부인은 어디서 그런 괴력이 생겼는지 법정 책상을 뒤집어엎은 후였어. 크흐흐흑……."

다시 생각해도 웃긴지 라울린은 자꾸만 입을 한 손으로

틀어막고 그만 웃으려고 애썼지만 한 번 터진 웃음은 그치질 않았다.

"이래서 내가 결혼식을 뒤로 미루고 싶었는데……."

캐시는 어두운 표정으로 신문을 한 장 뒤로 넘겼다.

"이미 끝난 이야기, 그만하자고. 모처럼 장인어른께서도 감옥에서 특별히 휴가를 얻어 신부 입장을 도와주시기로 했는데 얼굴 펴."

라울린의 말에 캐시는 더더욱 한숨을 쉬었다.

"사람들이 욕할 거야. 나라의 기밀을 사사로이 잘도 팔아먹어 놓고 그 딸이란 사람은 포르위네 성을 빌려 결혼식을 크게 벌인다고 욕할 게 뻔해. 욕먹어도 할 말 없을 정도인데 그 때문에 후작님께서 공연히 같이 욕먹으면 어떻게 해. 이렇게까지 해서 결혼해야 하나 싶기도 하고."

눈빛을 흐리는 캐시의 뺨을 라울린이 부드럽게 어루만졌다.

"루카스 버틀러 경이 말했어. 아비가 신 포도를 씹는다고 자식의 이가 시큰한 건 아니라고 말야. 장인어른의 일은 장인어른께서 감당해야 할 책임이고 당신은 그저 혈연관계가 있을 뿐 그 일과는 무관해. 그러니 쓸데없는 걱정 하지 마."

라울린의 말에도 캐시는 우울한 표정을 지우지 못했다.

"아니야. 사람들이 우리 결혼식에 와서 똥물을 끼얹는다고 해도 감히 할 말이 없을 거야. 아무리 내가 아버지와는 다른 삶을 살아왔다고는 해도 그 아버지 밑에서 호의호식하고 자란 것은 사실이니 무관하지는 않다고 말할 게 뻔해."

캐시는 두 손으로 얼굴을 감싸며 후…… 하는 긴 숨을 내쉬었다.

"아버지가 그렇게 많은 비리를 저지르신 줄 몰랐어. 심지어 라울린 당신에게도 더러운 일들을 시킬 줄은 꿈에도 짐작하지 못했어."

캐시는 고개를 늘어뜨렸다.

"귀족들이 그렇게 사채를 많이도 끌어다 썼다니……."

"남의 돈 먹는 기분이었겠지. 돌려 달라 소리도 안 하고 빌려줬으니까."

라울린의 말에 캐시는 슬픈 눈으로 그를 바라보았다.

"귀족들의 씀씀이가 어떤 것인지 모르고 커 온 것도 아니지만 굳이 그렇게 호화 사치를 누리며 살아야 했을까? 가진 자본도 없으면서 그토록 돈을 물 쓰듯 써 댄 것이 이해가 되지 않아. 나는 그 돈이 저금이라도 되어 있던 돈인 줄 알았어. 귀족들은 원래 끊임없이 돈을 물 쓰듯 쓰며 살아가는 것인 줄 알았어."

라울린은 캐시의 어깨를 토닥였다.

"빚을 조금만 졌을 때는 금방 갚을 수 있을 것 같은 생각이 들지만, 빚을 과도하게 졌을 때는 결국 돈 빌려준 사람의 노예나 마찬가지란 생각이 들어. 하이아드 백작님께서도 처음부터 채무가 감당할 수 없을 정도로 컸던 것은 아니었겠지. 어느 날 쓰고 쓰고 또 쓰다 보니 목에 올가미가 감겨 있다는 것을 알게 된 거겠지."

라울린의 말에 캐시는 자신의 어깨에 얹혀진 그의 손을 어루만졌다.

"자플란 그자는 아직도 못 잡았어?"

"못 잡긴 했는데 잡을 방법이 있다던데?"

"그게 뭔데?"

캐시의 말에 라울린은 듣는 귀가 없는지 밖을 한 차례 살펴본 후 조용한 목소리로 말했다.

"자플란 남작이 어디 있는지는 현재 찾을 수는 없어도 아르티드 후작님의 이모이신 마리앤 님의 뒤를 쫓으면 자플란 남작을 찾을 수 있을 거라고 하셨어."

"어떻게 마리앤 님의 뒤를 쫓는데 자플란 남작을 찾아?"

"마리앤 님이 한 집요 하시잖아? 무슨 수를 써서든 그자와 기어코 연락을 할 테니 그 여자를 집중 감시하다 보면 언젠가 길이 생길 거야."

"하긴. 마리앤 님이 집요하기는 하지."

"자플란 남작을 못 찾는다 해도 큰 문제는 없어. 자플란 남작의 윗선은 그란첼 백작이고, 또 그란첼 백작은 칼데이라 공국의 릴리스 대공녀와 연관이 크게 있어서 그쪽 증거를 먼저 찾아서 문제 제기해도 된다 하셨어."

한참 이야기를 나누는 도중에 밖에서 브렌다가 똑똑 문 두들기는 소리가 들렸다.

"후작님께서 돌아오셨습니다."

"늦어서 미안해요! 많이 기다렸죠? 하이아드 백작의 외출 절차가 복잡했어요."

밝은 목소리로 등장한 벨라를 보자 라울린은 반색했다.

"결혼식 못하는 줄 알았지 뭡니까?"

"신랑 신부가 아직까지 여기 있으면 결혼식을 어떻게 진행해요? 빨리빨리!"

벨라의 재촉에 라울린은 벗어 두었던 예복 상의를 다시 걸치고는 급하게 서둘러 대기실을 나갔다. 캐시 역시 엉겁결에 몸을 일으켰으나 벨라는 고개를 저었다.

"기다려요. 들러리가 와야죠."

곧바로 옷매무시를 가다듬으며 바삐 들어오던 리체와 브렌다가 캐시의 모습을 보며 감탄사를 연발했다.

"캐시, 몰라보겠어요! 너무나 아름다운걸요?"

외모 칭찬이 익숙하지 않은 캐시는 부끄러운지 연신 시선을 피했다.

"슬슬 배가 나오기 시작해서 드레스도 펑퍼짐한 것을 골랐고……."

"일부러 그걸 고른 것처럼 캐시에게 잘 어울려요! 역시 마담 플로라의 안목은 높이 사야 한다니까요?"

리체의 말에 몰리가 더욱 예사롭지 않은 관심을 보이며 캐시의 드레스를 만져 보았다.

"제스로와 결혼할 때 나도 마담 플로라의 웨딩드레스를 입고 싶어 언니!"

"넌 아직 멀었어."

"멀긴 뭐가 멀어?"

리체의 말에 몰리는 발끈했다.

"캐시, 부케 내게 던져요, 꼭이요. 알았죠?"

"아직 언니인 내가 결혼을 못 했는데 너부터 결혼하려고?

안 돼. 난 괜히 혼기 놓쳤다는 말 듣기 싫어."

"애인이나 만들고 나서 그런 말을 하든가. 흥. 언니 때문에 왜 내가 기다려야 하는데?"

리체와 몰리는 자매 아니랄까 봐 서로 옥신각신 다투었다.

들러리들의 시중을 받으며 캐시는 앞으로 한 걸음씩 나아갔다. 그리고 결혼식을 위해 특별히 공개한 포르위네 성의 대강당을 향해 갔다.

아버지 일이 국민적 공분을 샀다 보니 남들이 다 괜찮다 해도 스스로 염치가 없어 떠들썩하게 치르고 싶지 않았다. 그래서 외부 인사의 초청은 정중히 거절하고 아는 사람끼리만 참석하기로 약속했다.

그럼에도 불구하고 포르위네 성은 온통 하얀 꽃의 물결로 가득했다. 흰 장미, 흰 난초, 델피늄, 초롱꽃, 리시안셔스······ 온갖 희다는 꽃은 죄다 가져와 성을 장식한 것 같았다.

캐시는 부드러운 바람에 살며시 퍼지는 꽃 향에 취하여 잠시 눈을 감았다.

달콤하게 취하는 것도 같고 마음을 어루만지는 것과도 같은 상냥한 느낌의 향기였다.

단순히 장식한 꽃에서만 나는 향이 아니었다. 아마도 벨라가 요즘 개발에 심취했다는 천연 향인 것 같았다.

벨라는 페로하트에 돌아오자마자 제일 먼저 한 일이 화장품 공장을 팔아치운 거였다.

한창 잘 나가는 회사를 왜 팔아치우냐고 주변에서 아우성이었지만 벨라는 눈 하나 깜짝하지 않았다. 그리고 대신 포르위네 성 한편을 비워서 천연 화장품 연구소를 만들었고, 조금 떨어진 넓은 화원에 온갖 향기 가득한 식물을 시험 재배하게 시킨 후였다.

이전에 만들었던 스타더스트 화장품의 향도 좋았지만, 천연 향은 어딘지 모르게 익숙한 느낌도 들고 코를 강렬하게 자극하는 것도 없어서 마음이 저절로 정화되고 머리가 맑아지는 느낌이 들었다.

오늘 캐시가 신부 화장을 하며 치장하는 데 쓴 화장품도 최근 개발한 천연 화장품이었다.

대강당으로 들어가려는데 입구에 한 남자가 어깨를 움츠리고 서성이고 있다가 캐시와 시선이 마주쳤다.

하이아드 백작이었다.

감옥에서 겪은 고초 탓인지 그의 안색은 매우 좋지 않았고 건강 상태도 나빠 보였다. 가뜩이나 센 머리카락이 더 희끗희끗해 보였다.

캐시와 눈이 마주치자 그는 순간 비참한 표정을 지었다. 그 모습을 보던 캐시는 연민의 정이 느껴졌다. 밉든 곱든 아버지였다. 캐시의 손을 하이아드 백작이 받아 쥐었다.

아버지와 딸은 잠시 어색한 분위기에 휩싸였다. 하지만 저 멀리 신부 입장을 기다리고 있는 라울린의 모습이 보이자 천천히 걷기 시작했다.

"아비 인생 말아먹은 놈이랑 결혼하니 행복하냐?"

어렵사리 하이아드 백작이 꺼낸 말은 그거였다. 캐시는 눈빛을 흐렸다.

"네놈들만 아니었어도 나는 지금쯤……."

"매국노로 돌 맞고 계셨겠죠. 최소한, 나라 팔아먹는 것은 막아 드렸습니다. 그것이 제가 할 수 있는 최대한의 효도였어요."

캐시는 지지 않고 말했다. 딸의 손을 쥔 아비의 손에 힘이 꽉 들어갔다. 하지만 그런다고 꽉 잡힐 캐시가 아니었다.

"아직도 반성이 모자라시군요."

"그게 너를 낳아 주고 키워 준 아비에 대한 도리냐?"

"그럼요. 부모가 잘못된 길로 가고 있는데 자식이 바른길을 걷게 해 드려야죠."

"자식의 도리도 모르는 놈도 자식새끼라고 결혼식장에 손잡으러 와 줬더니 말하는 본새하고는. 내가 널 그렇게 가르치더냐?"

하이아드 백작의 말에 캐시는 싱긋 웃었다.

"네. 그래서 아버지 말씀대로 살려고요. 비록 아버지께서는 말씀하신 것과 정반대로 살아오셨지만 아버지께서 못 이루신 바를 실천해 보이는 것이 진정한 자식 된 도리입니다. 잘 가르쳐 주셔서 감사합니다. 아버지를 너무나 사랑했기에 차마 옳지 못한 길로 가시는 것을 두고 볼 수 없었고, 그 선택에 후회는 하지 않습니다."

결국 하이아드 백작은 참았던 화를 터뜨리고 말았다.

"그래, 천박한 평민 새끼하고 결혼해서 얼마나 잘사나 두고 보자!"

"네. 덕분에 오래오래 행복하게 잘 살게요."

시종일관 악담을 퍼부어 대는 하이아드 백작에게 캐시는

그저 방긋방긋 웃으며 대답할 뿐이었다. 아버지는 기분 내키는 대로 분풀이하듯 말하고 있었지만 캐시는 오랫동안 고민해 왔던 말을 하고 있었다. 이 말을 하기까지 얼마나 큰 용기가 필요했는지 모른다.

하지만, 당장 아버지의 표정에 일희일비하기보다 먼 미래를 위해 한 번쯤은 겪어야 했을 통과 의례라고 생각하니 무슨 욕을 해도 기꺼이 흘려넘길 수 있었다.

뽁.

캐시의 뺨에 무언가가 입 맞추듯 다가와 간지럽히며 터졌다. 무엇인가 쳐다보니 비눗방울이었다.

비누가 귀한 보물과도 같던 시절에는 비눗방울도 구경하기 힘들었지만 거품 입욕제 사업을 최초로 시작한 벨라는 그간 준비했던 비눗방울 공연을 캐시의 버진 로드 행진에 선보였다.

여느 귀족의 결혼식과 차이가 있었으나 그에 못지않게 이 역시 아름답다는 생각에 캐시는 몽롱한 눈빛으로 비눗방울을 바라보았다.

여러 명의 화려한 복장의 사람들이 비눗방울을 일제히 불어 날렸다. 귀족의 결혼에 으레 뿌려지곤 하던 금박 가루 대신 조명에 찬란히 빛나는 비눗방울의 무리가 아름다운 빛을 뽐냈다.

카라는 들러리 서던 것도 잊고 깡충거리며 캐시와 하이아드 백작의 주변을 뛰어다녔다.

하이아드 백작은 못마땅한 표정으로 카라를 훈계하려고 하였으나 다가온 라울린에게 캐시의 손을 넘겨준 후, 대기 중이던 교도관들에 의해 다시 족쇄 채워진 채 스스로 밖을 향해 나아갔다. 신부 아버지 자리에 앉아 있을 기회가 주어졌으나 하이아드 백작은 그 자리를 원치 않았다.

라울린의 손을 잡은 캐시는 가슴이 쿵쾅거렸다. 여태 태연하게 걸어왔으나 그의 얼굴을 보자 이제 정말 결혼하는 거구나 하는 실감이 나서 떨렸다. 라울린의 청보라색 눈이 부드럽게 휘었다.

가슴이 먹먹해졌다.

과연 이루어질까 했던 꿈이 이루어지는 순간이었다. 캐시의 눈이 저도 모르게 글썽여졌다.

이렇게 행복해도 되나?

캐시의 입술이 바르르 떨렸다. 너무 행복해서 이 행복을 누가 앗아 갈까 봐 두려웠다.

누구보다도 지금 이 순간이 기적과도 같아서 눈물짓는 사람은 또 있었다.

벨라였다.

아직도 라울린이 마지막 눈인사를 건네고 체펠린선에 뛰어들던 순간이 눈앞에 선했다. 캐시와 아이만 두고 먼저 떠나야 했을 라울린이 그가 가장 바라 마지않았던 소원을 이루는 모습을 보자 벨라는 자신의 소원이었던 것처럼 가슴이 벅차올랐다.

손수건이 벨라의 코앞에 불쑥 내밀어졌다. 벨라는 두 눈에 눈물이 그렁그렁 맺힌 채 환하게 웃었다. 이 손수건이 얼마나 많은 의미를 지녔는지 아는 것은 벨라뿐이었다.

그가 없는 세상에서 외롭게 방황하던 순간들이 떠올랐다.

'시간을 다시 돌이킬 수 있다면……. 당신을 다시 한 번만 더 만날 수 있다면……. 그때는 당신이 나를 온 힘을 다해 밀어내도, 내가 더 꽉 끌어안아 줄 텐데.'

그가 곁에 없다는 공허함 속에서 절망하던 기억이 떠올라 목구멍이 울컥 차올랐다.

'루카스. 모든 것은 그 자리에 그대로 있는데 당신만 없어. 돌이켜 보니 당신과 함께 있었던 그 모든 시간이 사랑이었는데.'

그가 없는 세상에서 가슴 시리게 방황하던 기억이 아직도 생생해서 지금 손수건을 건네는 루카스가 눈을 감으면 다시 사라져 버리기라도 할 듯 벨라는 멍하니 그를 바라보았다.

"무슨 하실 말씀이라도?"

그 시선이 퍽 낯설었는지 루카스가 물었다. 그의 낮은 목소리가 귀에 착 감기는 듯한 느낌이 들어 벨라는 잠시 그의 눈동자를 멍하니 바라보았다.

"후작님?"

정신을 퍼뜩 차린 벨라는 눈물을 말리며 피식 웃었다.

"아직도 후작님이에요? 벨라라고 불러 달라니까요."

"공식적인 자리입니다. 후작으로서의 위엄을 지키시길 바랍니다."

이 순간에도 교과서적인 말만 하는 루카스를 보며 벨라는 다시 피식거렸다.

'그렇지. 내가 사랑한 루카는 이런 사람이지. 딱딱하고 융

통성도 없고 예외란 것도 없는 그런 재미없는 사람······.'

"사적인 자리에서는 얼마든지. 벨라."

루카스의 말에 벨라는 눈을 동그랗게 뜨고 그를 쳐다보았다. 그는 시선을 쓱 피하며 말했다.

"······라고 불러 드리겠습니다."

그러고는 괜한 헛기침을 했다. 어쩐지 어색해하는 모습에 벨라는 행복한 표정을 지었다. 그를 이렇게 당황시킬 수 있다는 것이 즐거웠다.

바늘로 찔러도 피 한 방울 안 나올 것처럼 딱딱하기만 하던 그도 자신에게만큼은 그 속을 조금씩 비쳐 보인다는 것만으로도 기뻤다.

결혼 서약이 끝나고 영지를 다스리는 후작의 권위로 라울린, 캐시 커플의 결혼 생활에 축복을 내렸다.

성혼 선언이 이루어지자마자 라울린은 크게 기뻐하며 캐시를 공주님 안듯 번쩍 들어 올렸다.

"윽!"

갑자기 라울린의 얼굴이 찌푸려졌다.

"왜 그래?"

캐시의 말에 라울린이 미간을 찡그리며 말했다.

"내려 봐, 잠깐."

안아 올렸던 그녀를 내려놓으며 라울린은 허리를 짚었다.

"허리를 삐끗했어."

"뭐?"

"으윽! 밀지 마! 제대로 삔 것 같아."

"어떡하지?"

라울린은 식은땀을 흘리며 캐시에게 작은 소리로 말했다.

"다른 사람들이 알면 쪽팔리니까 조용히 부축해 줘."

캐시는 비장한 표정으로 고개를 끄덕였다. 라울린은 변명하듯 말했다.

"긴장해서 근육이 놀랐나 봐. 평소에 내 허리 멀쩡한 거 알지?"

캐시의 부축을 받으며 몇 걸음 걷던 라울린이 악 하는 비명을 지르고 말았다. 다들 그 소리에 놀라 일제히 라울린을 쳐다보았다.

당황한 라울린이 얼른 자리를 피하고자 걸었으나 다시 억소리가 절로 나왔다. 사람들의 눈이 더욱 커졌다. 라울린은 허리를 삐끗했다는 사실이 발각될까 봐 귀가 새빨개졌다.

순간 라울린은 아악 하는 처절한 비명 소리를 냈다. 캐시가 그를 어깨에 휙 둘러메고는 후다닥 식장을 빠져나갔다. 보던 사람들이 뜻밖의 상황에 어어어? 하는 소리만 낼 뿐이었다. 무슨 일이냐고 묻기도 전에 라울린을 어딘가에 던지고 온 캐시는 씩씩하게 외쳤다.

"부케 던집니다! 신혼여행이 급해서 빨리 던질게요!"

보고 있던 사람들 사이에서 폭소가 터져 나왔다.

"이미 혼수 만들어 놓고 결혼한 사람들이 뭐가 급해서 신혼여행을 서둘러?"

"아무래도 그렇지 임산부가 천하장사네."

"자! 받아요!"

캐시는 부케마저 씩씩하게 던졌다.

"이 부케 받으면 다산합니다!"

씩씩해도 너무 씩씩한 게 문제였다.

본래 부케를 받기로 한 사람은 다음 달에 결혼하기로 되어 있는 하녀였다. 결혼식 준비하던 때부터 암묵적으로 정해져 있는 것이었다.

그런데 부케가 너무 예뻐서 화근이었다. 벨라의 간절한 염원을 담은 탓인지 유난히 큼직하고 우아하고도 눈에 확띄는 예쁜 부케였다. 탐스럽고 새하얀 부케가 공중에 둥실 날아오르니 부케 받을 생각도 없던 사람들조차 그 부케에 혹하는 순간이었다.

몰리가 그 부케를 탐내어 뛰어든 것도 문제였지만 느닷없이 브렌다가 뛰어든 게 더 큰 문제였다. 세 여자가 그것을 서로 갖겠다고 껑충 뛰다가 그만 이마를 부딪쳤다. 눈에 별이 번쩍거리도록 강한 충격에 세 여자는 휘청거리면서도 끝끝내 부케를 차지하기 위한 필사의 몸부림을 멈추지 않았다.

부케는 마치 고무로라도 만들어진 것처럼 세 여자의 손끝에서 이리 튀고 저리 튀고를 탄력 있게 반복했다. 이를 악물고 뛰어올라 손을 뻗은 브렌다의 손에 잡히려 했다가 그마저도 빗맞아 튕긴 후 공중제비를 돌며 떨어졌다.

모두가 숨 쉬는 것조차 멈추고 그 부케가 그리는 궤적을 바라보았다.

꿀꺽.

마른침을 삼킨 구경꾼들의 시선이 한곳을 향했다.

부케는 무표정한 얼굴의 루카스에게 붙들려 있었다.

부케를 잡으려고 한 것인지, 정말 우연히 붙잡은 것인지 알 수는 없었다. 그러나 루카스는 여전히 표정 변화 없이 그 부케를 들고 서 있다가 세 여자를 향해 말했다.

"드릴까요?"

하녀와 몰리와 브렌다 세 사람은 동시에 버럭 했다.

"됐거든요?"

그들의 질투 어린 거절에 루카스는 부케를 빤히 쳐다보다가 고개를 돌렸다.

"미신입니다만, 부케를 받은 후 석 달 안에 결혼하지 못하면 삼 년 동안 재수 없다고 합니다. 후작님께서는 어찌하시겠습니까?"

그의 말에 주변에 있던 사람들이 오 하는 소리와 함께 벨라를 쳐다보았다. 벨라는 그것이 프러포즈임을 깨달았다. 벨라는 슬쩍 미소 지으며 루카스가 건네는 부케를 받아 들었다.

"설마하니 삼 년 동안 재수 없게 만들지는 않겠죠?"

벨라의 말에 루카스는 사소한 질문에 대답하듯 말했다.

"질문에 질문으로 답하는 법은 없습니다. 제게 확답을 주시겠습니까?"

벨라는 싱긋 웃었다. 그리고 그의 귀에 가까이 다가가 속삭였다.

"이런 거요?"

그 말과 동시에 벨라는 달콤하게 웃으며 루카스의 입술에 키스했다.

주변이 술렁였다. 느릿하게 이어진 키스가 아쉬운 듯 머뭇거리며 끝나자 박수 소리와 환호성이 쏟아졌다.

"삼 개월이 가기 전에 여기서 결혼식이 한 번 더 열리는 겁니까?"

"프러포즈를 날로 먹는 거야, 형?"

이안의 목소리 너머로 결혼식 진행을 맡은 기사 미키가 웃음기 가득한 얼굴로 버럭 화를 내듯 소리쳤다.

"아니 남의 결혼식에서 프러포즈하다니 깽판 놓는 겁니까, 뭡니까? 가뜩이나 우리 기사단의 간판이나 마찬가지인 새신랑은 첫날밤 거사를 치르기도 전에 허리를 삐끗하여 우리 기사단을 부끄럽게 하고, 코가 삐뚤어지게 먹고 마셔도 좋다고 한 피로연장은 여기서 멀리 떨어진 바닷가고! 해도 너무하네!"

그 말을 들은 기사단들이 우우우 하는 야유 소리를 내며 항의해 댔다.

"아무리 후작님이라도 오늘의 주인공은 라울린 단장이다!"

"우리 기사단의 체면을 구긴 라울린 기사단장은 옷을 벗어라!"

그렇게 까칠하게 대답할 일은 아니었는데 잠시 험악해진 기세에 벨라가 미안해하려는 찰나였다.

"밤새도록 먹고 마시게 해 주지 않으면 그간 누구랑 연애하고 다녔는지 다 불어 버리려고 명단 준비까지 해 왔더니 당사자는 허리 핑계로 도망을 가 버리다니!"

"내부에서 누가 발설한 거냐! 내부의 스파이를 색출하자!"

"핑계 댈 걸 대지 핑계가 허리냐!"

"그간 치마만 두르면 누구든 환영한 대장에게 캐시의 복수를 대신 해 줄 겸 추격전 이벤트를 하려고 했더니 허리 삐었다고 도망가 버리고, 정작 후작님이 여기서 솔로들 염장질하고! 억울해서 살 수가 있습니까, 여러분?"

기사단 중 한 명이 바삐 달려와 외쳤다.

"지금 캐시가 탄 자동차가 출발했다! 도망가는 라울린 대장 붙잡아다 거꾸로 매달자!"

"옳소!"

기사단의 또 다른 기사가 외쳤다.

"라울린 대장에게 평소 불만 많았던 사람들! 이참에 마음껏 묶어 놓고 발바닥을 때립시다! 탈탈 털면 사흘은 배 터지게 먹을 수 있을 겁니다! 도망간 탕아를 잡으러 갈 용자는 앞장섭시다! 모두 바닷가 별장으로!"

"오늘의 주인공 과거를 탈탈 털어라! 과거 못 털겠으면 술과 음식으로 털어 내라!"

"우리는 보상을 받아야 한다!"

"여러분! 그간 우리를 먼지 구덩이 속에 우로 굴러 좌로 굴러 시킨 장본인을 우리가 실컷 굴립시다!"

"허리 삐긋했어도 자비란 없다! 내 허리 아니다!"

그들 나름대로 계획해 둔 깜짝 이벤트였던 모양이었다. 그들은 라울린을 잡으러 가자는 명목하에 결혼 하객들을 부추겨 라울린의 신혼 숙소인 벨라의 바닷가 별장으로 몰려갔다.

그 혼잡한 틈새에서 리체는 웃으며 자리를 옮기려다가 한

하객과 살짝 부딪쳤다. 그러자 그 하객의 품에서 작은 책 하나가 바닥으로 굴러떨어졌다.

"죄송합니다. 아······!"

리체는 그 책을 주우려고 허리를 굽혔다가 그 책이 자신이 쓴 책임을 알아보고 작은 감탄사를 내뱉었다.

"혹시 제 팬이신가요? 저는 이 책의 저자입니다만."

그 하객은 모자를 더욱 눌러쓰며 책을 받을 생각도 하지 않고 서둘러 몸을 돌려 지나가려고 했다.

"혹시······, 칼리아스 전하십니까?"

리체의 말에 그가 화들짝 놀라서 입술에 손가락을 대는 시늉을 하며 눈치껏 입단속을 시켰다.

"공식적으로 온 것이 아니라 보좌관의 지인 신분으로 참석한 것이다. 그저 사적인 업무이므로······."

리체는 목소리를 낮춰 속삭이듯 말했다.

"후작님을 보러 오신 건가요? 후작님께 전하겠습니다."

"아····· 아니다. 단지 나는 소문을 확인하러 왔을 뿐이다."

그 말을 하며 칼리아스는 자꾸만 시선을 외면하고 자신없다는 듯 말꼬리를 흐렸다.

"무엇을 확인하시려는 건가요? 제가 도와드릴 일이라도?"

리체의 투명한 듯 반짝이는 초록색 눈동자를 보며 칼리아스는 힘겹게 말을 꺼냈다.

"나를 모델로 쓴 로맨스 소설이 있다고 하여 확인차 읽어봤는데······."

리체는 다음 말을 기다렸다. 그러나 영 그 뒷말이 나오지 않았다. 기다리다 지친 리체가 물었다.

"읽어 보셨는데……?"

화르륵.

칼리아스의 주변으로 불꽃이 아지랑이처럼 휘감아 돌다가 피쉬쉭 소리를 내며 사라졌다.

"그러니까…… 음…… 그게…….."

얼굴을 붉히던 칼리아스가 미간을 찡그리며 말했다.

"내가 그렇게 멋있었느냐?"

"네?"

리체의 눈이 동그래졌다. 칼리아스는 태연함을 가장해 차갑고 냉정해 보이는 척 눈썹을 찡그렸다.

"소…… 소설에 나오는 왕의 모습처럼, 나를 멋지게 여겨 그리 사모하였느냐 말이다."

"네?"

리체는 당황했지만 칼리아스는 미리 준비해 온 듯 더듬거리며 제 할 말을 다했다.

"그…… 그렇게 열렬히 사모할 줄은 내 미처 짐작하지 못했다. 그래서 확인…… 확인하고 싶었다. 직…… 직접."

다들 벨라의 바닷가 별장으로 라울린을 매달러 우르르 몰려가는데 두 사람만 남자 오히려 눈에 띄었다. 리체는 황태자가 뭘 잘못 먹었나 싶어 고개를 갸웃하면서도 그의 확신이 곧 창피로 바뀔까 봐 조심스러워하며 그를 일단 안으로 인도했다.

"뒤져! 잡아!"

살벌하게 외치는 목소리와는 달리 포르위네 기사들의 표정은 곧 터질듯한 웃음을 간신히 참고 있었다. 그들은 과장된 행동으로 벨라의 바닷가 별장을 뒤졌다.

"야야! 진짜로 허리 삐었다니까! 아악!"

라울린이 비명을 지르거나 말거나 기사들은 평소에 쌓인 울분을 가득 담아 라울린을 진짜로 매달았다.

"살려 줘! 저놈들 진심이야!"

"이걸 어쩨! 제발 내려 줘요!"

캐시가 발을 동동 구르자 미키는 너스레를 떨며 말했다.

"캐시, 내가 캐시를 대신해서 그간 흘린 눈물 다 본전 뽑아 줄 테니 걱정 마. 어디서 사방팔방 맘대로 굴러먹다 슬그머니 결혼하려고 그래? 그리젤리 인근 아가씨들의 눈물을 모아 내가 정의의 이름으로 적당히 갚아 줄게."

"얌마! 빨리 내려 줘!"

"어디서 과거를 덮으려고 그러십니까? 이참에 탈탈 털고 깨끗하게 시작하시죠?"

"야! 결혼하자마자 이혼시키려고 그러냐?"

"어허. 켕기는 것이 많으신가 봅니다."

"미키 이 자식 네 결혼식 때 두고 보자!"

열 받아서 소리 지르는 라울린의 입에 미키는 양말을 물렸다. 기겁하는 캐시에게 미키는 안심시킨답시고 말했다.

"안 신은 양말이니까 걱정 마. 양심상 신었던 양말은 못 물려."

아무리 깨끗이 빤 양말이라도 그간 양말이 겪은 고초가 한눈에 보이듯 그 양말은 많이 삭아 있었다.

매달린 라울린을 내리기 위해 게임이 시작되었다. 캐시와 카라는 그를 위해 기사단 사람들과 노래 대결을 벌였고, 게임이 시작되자마자 빵 터진 채 철없이 재밌어하는 카라를 위해 라울린은 더 오래 매달려야 했다. 딸이 기사들과 댄스 배틀, 림보 게임을 모두 마칠 때 즈음엔 간신히 풀려나올 수 있었고 그사이 먹어라 부어라 마셔라 흥겨운 파티가 벌어지고 있었다.

라울린의 희생에 힘입어 간만에 위아래 격차 없는 분위기에서 다들 시끌벅적하게 노는 가운데 벨라는 조용히 빠져나와 해변을 걸었다.

붉은 노을이 수평선에 걸려 있었다.

불어오는 바닷바람에 그녀의 머리가 이리저리 흩날렸다.

제멋대로 헝클어져 버린 밤갈색 머리카락이 바람에 날려 시야를 가렸다.

순간 다정한 손이 다가와 그녀의 머리카락을 귀 뒤로 넘겨 주었다.

루카스였다.

벨라는 함박웃음을 지으며 그 손을 잡았다. 따뜻했다.

노을을 머금어 타는 듯 붉게 물든 벨라의 보랏빛 눈동자가 이채로웠다.

루카스는 벨라와 함께 걸으며 그녀의 손을 조용히 끌어당겨 자신의 심장에 가져다 대었다. 벨라의 손끝에 루카스의 심장이 만들어 내는 진동이 전해졌다.

말없이 서로 끝없이 걷기만 하는데도 대화 이상의 따뜻함이 밀려왔다. 그와 함께 있는 것은 언제나 편안하고 행복했다.

"언젠가 드리려고 했는데, 시끄러워서 드리지 못했습니다."

루카스가 발걸음을 멈추며 말했다.

"프러포즈란 것이 생각보다 어렵더군요."

"벨라."

벨라는 입술을 오므려 자신의 이름을 불렀다.

"벨라라고 불러 줘요, 루카. 여기는 우리밖에 없는 사적인 공간이니까."

루카스의 눈가에 잔잔한 미소가 어렸다. 그가 이렇게 자연스럽게 웃는 모습은 처음 보는 것 같았다.

"벨라."

루카스가 말했다.

"이걸 주고 싶었어."

루카스는 손바닥만 한 상자를 꺼냈다. 투박한 남색의 상자는 그다지 특징이 없어서 어디 브랜드인지 세공사를 짐작할 만한 로고조차 확인할 수 없었다. 그는 한쪽 무릎을 꿇으며 벨라에게 그 상자를 내밀었다.

"원래는 나중에 알맞은 장소에서 프러포즈하고 싶었지만, 오늘 결혼식장에 몰래 와서 기웃거리는 황태자 전하를 보니 마음이 급해졌어. 아무것도 갖지 못한 나지만, 언제나 당신의 손을 잡고 인생을 함께 걷고 싶어. 나와 결혼해 주겠어, 벨라?"

벨라의 눈이 부드럽게 휘었다.

"당연히."

벨라는 그의 손에 든 상자를 열어 보았다.

"당연히 나의 인생은 루카와 언제나 함께 걸어갈 거예요."

달칵 열린 상자 안에서 빛나는 것은 울퉁불퉁한 진주가 한가운데에 박힌 반지와 목걸이 세트였다.

약간 특이한 형태였다. 일반적으로 진주는 다른 보석에 곁들여지거나 단독으로 세공되었는데 이것은 오히려 그 불규칙하게 일그러진 진주가 한가운데에 있고, 다섯 겹의 가는 목걸이 줄에는 줄만큼이나 작은 다이아몬드가 무수히 박혀 있었다.

진주를 강조한 그 특이한 형태의 목걸이에 벨라는 눈빛을 반짝였다.

그 진주를 못 알아볼 리가 없었다. 작은 섬에서 루카스에게 수영을 배우던 날들이 떠오른 그녀의 눈빛이 반짝였다.

"이건……?"

"처음 만들어 본 것이라 서툽니다."

루카스의 말에 벨라는 눈을 크게 떴다.

"직접 만들었다고요?"

"보석 공방에 틈틈이 들러 세공사의 지도를 받으며 만든 것이라 완벽하지 않아도 부디 마음에 들었으면 좋겠어."

루카스의 말에 벨라는 크게 감격했다.

"너무 예뻐!"

벨라의 눈가에 눈물이 글썽여졌다. 루카스는 미소 지으며 벨라의 목에 목걸이를 걸어 주었다. 벨라는 조용히 머리카락을 걷어 목을 내민 후 손을 그에게 마저 맡겼다.

세상에 하나밖에 없는 목걸이와 반지가 저녁노을을 머금고 영롱하게 빛났다. 진주만큼이나 벨라의 눈가에 맺힌 눈물도 아름답게 빛났다.

"루카, 이건 내 평생의 보물이에요."

벨라는 그의 목을 감싸 안으며 말했다.

"아니. 루카가 내 진정한 평생의 보물이에요."

루카스가 느리게 그녀의 입술 위에 자신의 입술을 포개 왔다. 이젠 자연스럽게 그녀의 허리에 감긴 손이 어색하지 않았다.

"언제나, 지금처럼 다정하게 걸어요."

벨라의 입술이 화답하듯 그의 입술을 탐했다.

"함께."

곧 그 말은 루카스의 더운 숨결에 묻혔다. 해가 져서 모든 사물이 어둠에 묻힐 때까지 그들의 입술은 포개져 떨어질 줄을 몰랐고 해변가 별장에서 들려오는 노랫소리 또한 막힘이 없었다.

파도 소리는 사물을 고요히 달래는 자장가와도 같았다.

'마지막은 다정하게' 마침

마지막은 다정하게 4

초판 인쇄 2019년 6월 18일
초판 발행 2019년 6월 28일

지은이 수레국화꽃말
펴낸이 신현호
편집부장 예숙영
책임편집 최은지
편집디자인 한방울
영업·관리 김민원 조인희
물류 이순우 최준혁 박찬수

펴낸곳 ㈜디앤씨미디어
출판등록 2002년 5월 1일 제117-90-51792호
주소 서울시 구로구 디지털로 26길 111 JnK디지털타워 503호
대표전화 (02)333-2513 팩스 (02)333-2514
전자우편 dncbooks@dncmedia.co.kr
디앤씨북스 블로그 http://blog.naver.com/dncbooks

ISBN 979-11-264-4809-8 (04810)
ISBN 979-11-264-4816-6 (세트)